DEUTSCHE HÖRSPIELE

FOUR GERMAN RADIO PLAYS

DEUTSCHE HÖRSPIELE

Edited by
HERBERT W. REICHERT
University of North Carolina

New York
APPLETON · CENTURY · CROFTS · INC ·

THE FOUR PLAYS IN THIS EDITION ARE PUBLISHED BY SPECIAL ARRANGEMENT WITH THE GERMAN PUBLISHER, EUROPÄISCHE VERLAGSANSTALT GMBH, FRANKFURT AM MAIN.

Copyright © 1959 by

APPLETON-CENTURY-CROFTS, INC.

All rights reserved. This book, or parts thereof, must not be reproduced in any form without permission of the publisher.

683-3

Library of Congress Card Number:
58–12926

PRINTED IN THE UNITED STATES OF AMERICA

E-73018

PREFACE

The radio dramas in this intermediate reader were selected in the conviction that they are ideally suited to meet the needs and tastes of those American students who desire to learn conversational German, to gain an insight into contemporary German life and culture, and at the same time to enjoy fast-moving, well-written plays. In the terse dialogue of these *Hörspiele* the reader comes into contact with German as it is spoken today, structurally simple, yet sparkling with the rich color of idiom. Three of the plays are set in present-day Germany and thus give an idea of conditions prevailing there. All four throw light on German mentality and viewpoint as they deal with questions of great interest to the German people. These questions, raised or given new intensity by the war, concern moral freedom, human tolerance, and the demoralizing effect of the partition of Germany. However, even though such weighty matters are considered, it is done in terms of an underlying symbolism and not by means of wordy discussion, so that the plays are neither heavy nor dull. They are, in fact, with only one exception, rollicking comedies filled with action and excellent humor. The exception is a fine mystery drama.

It should not be assumed that the utilization of radio dramas in a reader entails the sacrifice of literary standards to pedagogic goals. It is more than likely that in years to come the *Hörspiel* will be regarded as one of the more important forms of creative writing produced in Germany during the postwar era. In part, to be sure, this high rating would be the result of the meager output in the other fields of writing. In part, however, it would be directly attributable to the superior quality of the *Hörspiel* in the past decade.

Ever since its modest beginnings in the middle of the nineteen-twenties, the *Hörspiel* has taken tremendous strides toward literary maturity. After the Second World War critics began to insist with increasing frequency that the new genre should not only be heard, but also be read as literature. This insistence led in 1950 to the publication of a *Hörspielbuch* containing some half-dozen of the year's best radio plays. The experiment was an immediate success, with the consequence that a new *Hörspielbuch* has appeared annually and a number of radio dramas have been printed under private auspices.

The published volumes of eminent *Hörspiele* were, incidentally, the source of our present plays. The first three came from the *Hörspielbuch* for 1953, the fourth from the 1954 collection.

It may be well at this point to bring up a question on which the critics are constantly at odds: what is a *Hörspiel?* Despite the hundreds of radio dramas written in Germany each year, the genre continues to puzzle theorists who seek to classify it. The principal distinguishing factor is, of course, clear: radio drama is meant to be received by the ear alone. Herein lies its weakness but also its strength. For although the *Hörspiel's* dependence on the aural faculty deprives it of the visual impact of the stage play, the same limitation frees it from the conventional bonds of time and space. In a twinkling centuries and continents may be spanned; even the world of fancy is opened wide. A degree of intimacy with the audience hitherto unknown permits heightened empathy and the awakening of delicate lyrical mood.

On the whole critics are inclined to consider the *Hörspiel* as being somewhere near the center of a triangle whose points may be conceived as the drama, the *novelle*, and lyric poetry respectively. However, as soon as a more exact relationship of the radio drama to these three genres is attempted, the endeavor almost inevitably bogs down in failure, perhaps for the reason that the concept, *Hörspiel*, is itself rather broad, taking in all plays conceived solely for the radio, and thus including some which are almost narrative in nature and some which are still quite sucessfully dramatic in the usual sense.

In this reader, every effort has been made to enable the student to proceed without outside assistance. At the beginning of each play there is a brief discussion of the play's significance and of its author. In addition a few facts are mentioned concerning the opening scene to prevent the student from being confused by the acoustically designed openings.

Every idiom that does not lend itself to word-for-word translation has been translated, the longer idioms in the footnotes, the shorter ones in the vocabulary under the key noun or verb. Idioms are translated freely to obtain the right shade of meaning in good English; however the interested student should have no difficulty in determining how this meaning was reached, since the words used in idiomatic constructions are also included individually in the vocabulary.

Unfamiliar facts and references have been explained as clearly as possible. In the back of the book there are questions on each story designed not only to provide the teacher with a useful tool, but also to enable the student who is studying by himself to determine whether he has understood the plays correctly.

Sincere thanks are due to the Europäische Verlagsanstalt for its co-operation and to the authors, Fred von Hoerschelmann, Heinz Huber, Hans Hömberg, and Claus Hubalek, for permission to use their plays. I am most grateful to Professor Edwin Zeydel for his helpful editorial guidance.

H. W. R.

CONTENTS

PREFACE v

ICH HÖRE NAMEN *von Fred von Hoerschelmann*. . .   1

DAS GNADENBRINGENDE STRAFGERICHT *von Heinz Huber*. 63

DIE SCHNAPSIDEE *von Hans Hömberg* 121

DER ÖST-WESTLICHE DIWAN *von Claus Hubalek* . 163

QUESTIONS 213

VOCABULARY 217

ICH HÖRE NAMEN

Hörspiel von
FRED VON HOERSCHELMANN

Ich höre Namen *is an unusual kind of mystery story that keeps the reader or auditor guessing to the very end. Set in modern Berlin, the play is not without sociological or philosophical implications, but to consider these factors beforehand would detract from its charm. Consequently, discussion of this nature has been relegated to the footnotes.*

A few words about the opening scene may be helpful. Its main function is to introduce one of the main characters, a business executive named Kramer. This gentleman has a habit in idle moments of rolling dice to foretell the future, and it is in such a moment that he is first presented. His secretary buzzes to inform him that his car has been repaired. Kramer can't understand this, because the last he knew the car was in perfect order. However, when his son, Horst, enters the room, the confusion is soon dispelled. Father and son are not on very friendly terms, since the former insists that the son respect his pseudonym—Kramer's name is actually Klausberg—and Horst refuses to do so.

The author, Fred von Hoerschelman, was born in 1901. He studied philosophy and the history of art first in Dorpat in his native Estonia and later in Munich. During the years 1927-1936, he was a writer and journalist in Berlin, contributing to several of the big Berlin newspapers. His first Hörspiel, Die Flucht vor der Freiheit *(1928), was so successful that it was broadcast over both German and foreign radio stations. Since then he has gained fame also as a dramatist, writing* Das rote Wams *(1935),* Die zehnte Symphonie *(1940) und* Wendische Nacht *(1942). In 1948 he began writing radio plays for the Nordwestdeutsche Rundfunk.* Das Schiff Esperanza *was included in the* Hörspielbuch *for 1953. A volume of short stories appeared in 1950 entitled* Die Stadt Tondi.

Die Stimmen

WIESINGER	DIE SEKRETÄRIN
KRAMER	EIN VERKÄUFER
HORST	ERSTES FRÄULEIN
FRL. IRMGARD	ZWEITES FRÄULEIN
FRAU DOKTOR	EIN BANKANGESTELLTER
DOKTOR	EINE DAME
KLETTKE	EIN FREMDER
GUSTAV SCHIELE	DER TANKWART
SCHIELES SCHWESTER	RADIOSPRECHER

[*1. Zimmer. Aus einem Lederbecher werden drei Würfel über eine glatte Tischplatte gerollt*]
KRAMER: drei... vier... vier... — elf
[*Das Geräusch nochmals*]
KRAMER: zwei... zwei... eins... — fünf
[*Summer: Telefonsprecher wird eingeschaltet*][1]
STIMME DER EMPFANGSDAME: Herr Direktor... Da ist eine Garage,[2] der Wagen soll in drei Tagen fertig sein.
KRAMER: Wessen Wagen?
STIMME: Ihr Wagen, Herr Direktor. Die Reparatur soll achthundertfünfzig Mark kosten, ungefähr...
KRAMER: Unsinn. Muß ein Irrtum sein. Mein Wagen ist in Ordnung.
[*Schalter.*[3] *Geräusch des Würfelns*]

---

1. **Telefonsprecher ... eingeschaltet** a telephone is switched on *(Kramer evidently has several incoming lines and can switch from one to the other.)*
2. **Da ... Garage** There is a garage on the line
3. **Schalter** A switch is thrown

KRAMER: eins... eins... fünf... — sieben...
[*Neues Würfeln. Tür, leise*]
HORST: Was tust du denn da?[4]
KRAMER [*auffahrend*]: Du sollst hier nicht hereinkommen ohne
5   anzuklopfen.
HORST: Auch nicht, wenn du allein bist?
KRAMER: Wenn ich nun nicht allein wäre? Wie würde das dann aussehen?
HORST: Familiär.[5]
10 KRAMER: Eben. Das soll es nicht.
HORST: Aber jetzt darf ich mich wohl setzen?
KRAMER: Ich habe sehr viel zu tun.
HORST: Das sehe ich. Du würfelst.
KRAMER: Weißt du, ich kann es nicht ausstehen, wenn man
15   mich beobachtet.
HORST: Warum würfelst du eigentlich immer? Glaubst du an Vorbedeutungen?
KRAMER: Jeder glaubt an Vorbedeutungen.
HORST: Ich nicht.
20 KRAMER: Du auch. Jeder. Nur daß sie sich nachher nicht bestätigen.[6]
HORST: Ein Grund[7] zum Würfeln...
KRAMER: Was willst du also?
HORST: Mit dem Wagen ist was passiert.[8]
25 KRAMER: Ach, du warst das![9] Ich habe dir verboten, meinen Wagen zu benutzen.

---

4. **Was... da?** What are you doing there anyway?
5. **Familiär** *has two meanings:* (1) cozy, (2) common, cheap. *Horst has the first and his father the second meaning in mind.*
6. **Nur... bestätigen** It's only that they don't turn out to be true
7. **Ein Grund** Is that any reason
8. **Mit... passiert** Something has happened to the car
9. **Ach... das!** So, it was you!

ICH HÖRE NAMEN 5

HORST: Du solltest dir einen neuen anschaffen. Diese alten Karren... Die Geschwindigkeit ist zu groß für ihre Straßenlage.[10]
KRAMER: Danke. Das habe ich auch schon bemerkt. Nur ich versteh' ihn zu fahren.
HORST: Eigentlich hast du dich großartig eingerichtet, Papa, im Handumdrehen.[11] So ein Wagen, und der ganze Betrieb hier, — prima — prima — muß ich feststellen.
KRAMER: Ja, und ich habe festgestellt,[12] daß du nicht länger hierbleiben wirst.
HORST: Meinst du die Anstellung in deinem Laden?[13]
KRAMER: Ich werde versuchen, dich irgendwo anders unterzubringen. Auswärts.
HORST: Und warum, wenn ich fragen darf?
KRAMER: Weil du dich nicht an meine Bedingungen hältst. Du sagst „Papa" zu mir, und du sagst „du" zu mir, und du weißt, —
HORST: Hast du denn immer noch Angst?
KRAMER: Angst, wieso?
HORST: Angst vor deinem Namen. Namen wechselt man doch, damit sie einen nicht finden können, nicht?
KRAMER: Sei nicht unverschämt.
HORST: Warum bist du sonst untergetaucht? Ein untergetauchter Major. Die Hähne haben längst aufgehört, nach dir zu krähen.[14] Warum tauchst du nicht wieder auf, in altem

10. **Die ... Straßenlage** They can't hold the road
11. **Eigentlich ... Handumdrehen** You've certainly established yourself magnificently, Dad, and in no time at all
12. *Kramer plays on the word* **feststellen** *to accent his sarcasm. He uses it to mean "decide."*
13. *Horst apparently thinks that he is to be transferred to the sales department.*
14. **Die Hähne ... krähen** The cocks have long ceased to crow after you, *i.e.*, the authorities have long since stopped looking for you

FRED VON HOERSCHELMANN

Glanze? Major? Macht heute wieder einen guten Eindruck. Und Kramer ist kein besonders schöner Name.

KRAMER: Soll ich dir das wirklich alles erklären?

HORST: Jawohl, Herr Direktor Kramer.

5 KRAMER: Na, schön: Wenn ich die Firma von meinem jetzigen Namen „Kramer" auf meinen richtigen Namen umschreiben ließe[15] — was meinst du, gäbe das für unnötigen Aufruhr.[16]

HORST: Ich verstehe, Herr Direktor.

KRAMER: Man würde ganz was Falsches vermuten. Ich hätte nur
10 mit der Abwehr von Verdächtigungen zu tun.[17] Und dazu hab' ich keine Zeit, keine Lust.

HORST: Insbesondere letzteres nicht.

KRAMER: Junge... Warum willst du mit Gewalt Böses sehen,[18] wo nichts Böses ist? Hab' ich dir was[19] getan? Oder hast du vor,
15 mir was[19] zu tun, und brauchst einen Grund?... Ja, jetzt schweigst du!

HORST: Sei man immer hübsch mißtrauisch gegen mich.[20] Das zahlt sich eines Tages aus.

KRAMER: Ich bin froh, daß ich für dich sorgen kann, und daß du
20 hier bist, und daß wir uns sehen können... Wenn ich das nicht könnte, hätte alles keinen Sinn mehr.[21]

HORST: Wieso? Was habe ich von einem Vater für Vorteile,[22] wenn er offiziell nicht mein Vater ist und sich Direktor

15. **umschreiben ließe** were to change
16. **was ... Aufruhr** You have no idea how much unnecessary commotion that would cause
17. **Ich hätte ... tun** I would constantly be bothered warding off (false) accusations
18. **Warum ... sehen** Why do you insist on seeing evil
19. **was = etwas**
20. **Sei man ... mich** Just keep right on mistrusting me!
21. **hätte ... mehr** nothing would have meaning any longer
22. **Was ... Vorteile** What good does a father do me

ICH HÖRE NAMEN

Kramer nennt? Übrigens gibt es hier noch andere Leute, die dich von früher her kennen.

KRAMER: Das mag sein.

HORST: Irgend so ein Filmfritze[23] von eurer Division, er behauptet, er hätte bei euch Filme vorgeführt. Ob ich mit Major Klausberg verwandt wäre? Nee, sagte ich; der soll sich doch jetzt Kramer nennen.

KRAMER: So. Sagte er das, oder du?

HORST: Er natürlich. Er zeigte mir ein Bildchen, ein nettes kleines Foto, aber haarscharf. Der Major und die Angehörigen der Schreibstube. Willst du es haben?

KRAMER: Nein.

HORST: Schade. Ich hoffte, es würde dir eine Freude machen. Ein reizendes Bild. Major Klausberg mit den Seinigen.[24] Während eines Partisanen-Einsatzes, oder —

KRAMER: Unsinn. Ein völlig harmloses Bild.

HORST: Harmlos wie der Krieg überhaupt. Es ist mir lieb, von einem Mann abzustammen, der sich nichts vorzuwerfen hat.[25] Ihr seht auf dem Bild auch allesamt völlig unschuldig aus. Zum Beispiel hier der lächerliche Kerl, ganz am Rande, dies Würstchen..., wer ist das?

KRAMER: Zeig' her...

HORST: Dieser hier, mit den Falten mühsamer Konzentration auf der Stirn. Sieht nicht gerade aus[26] wie ein Held.

KRAMER: Wiesinger. Zahlmeister. Ein anständiger, gewissenhafter Mann.

HORST: Aber kein Held, wie du. Keine Nahkampfspangen, was?

---

23. **Irgend so ein Filmfritze** Some movie chap
24. **mit den Seinigen** with his staff
25. **der ... hat** who has a clear conscience
26. **Sieht ... aus** Doesn't look exactly

KRAMER: Nein. Er war viel zu ängstlich. Anständig, aber ängstlich, wenn es das gibt.[27]

HORST: Ein komisches Würstchen. Und die Jacke sitzt ihm voller Falten[28] —

5 KRAMER: Ja, die Feldbluse sah immer etwas deplaciert aus bei Wiesinger. Aber ich wollte, du hättest mehr von so einem Menschen.[29] Er war bescheiden und kümmerlich, aber unbegrenzt vertrauenswürdig. — Übrigens konnte ich ihn nicht ausstehen.

10 HORST: Und was ist aus ihm geworden? Wahrscheinlich hat er nachher alles ausbaden müssen, was du angerichtet hast.

KRAMER: Ich habe nichts angerichtet, was der Rede wert wäre.[30]

HORST: Aber die Würstchen hängt man dafür auf.[31]

15 KRAMER: Er war immer kränklich. Er kam ins Lazarett. Keine Ahnung, wo er geblieben ist.

[2. *Johannes Wiesinger. Fräulein Irmgard*]
[*Zimmer. Geräusche eines Staubsaugers*]
WIESINGER: Ach ... Fräulein Irmgard ...
20 [*Staubsauger hört auf*]
IRMGARD: Ja, soll ich nun, oder soll ich nicht?
WIESINGER: Was sollen Sie ...?

27. **wenn ... gibt** if there is such a thing
28. **Und die Jacke ... Falten** And his jacket is all wrinkled
29. **Aber ich wollte ... Menschen** But I wish you were more that kind of a person
30. **was ... wäre** worth mentioning, *i.e.*, really wrong
31. **Aber ... auf** But one hangs the little fellows for such insignificant things! *i.e.*, What you do is so minor that if a person of lower rank is caught doing it, they hang him!

ICH HÖRE NAMEN 9

IRMGARD: Saubermachen. Wie sieht es denn bei Ihnen aus?[32]
WIESINGER: Es ist sehr freundlich von Ihnen, daß Sie herkommen und bei mir saubermachen, Fräulein Irmgard. Aber —
IRMGARD: Kein Aber.
WIESINGER: Erstens kann ich es nicht bezahlen ... 5
IRMGARD: Sobald Sie wieder eine Anstellung haben, Herr Wiesinger — Einstweilen tue ich es so.[33]
WIESINGER: Fräulein Irmgard, seit zwei Jahren —
IRMGARD: Ich weiß. Seit zwei Jahren. Und da sitzen Sie in dieser Kammer herum und lassen alles verkommen, und 10 niemand räumt auf bei Ihnen.[34]
WIESINGER: Ich versuche, so gut ich kann —
IRMGARD: Ein Mann kann das aber nicht. Was meinen Sie, — wenn ich unten beim Doktor geputzt habe, blitzblank, kann ich Ihnen sagen —! Und dann brauch' ich mir nur vorzustellen, 15 wie es hier oben bei Ihnen ausschaut[35] ... Verstehen Sie —? Das versetzt mir geradezu einen Schlag![36] Obwohl es mich nichts angeht. Man kriegt ja schwarze Hände, wenn man bei Ihnen nur eine Stuhllehne anfaßt. Und die Fenster? Können Sie überhaupt erkennen, wie es draußen aussieht? 20
WIESINGER: Es regnet.
IRMGARD: Bei Ihnen regnet es immer. Grau. Nein, da müssen Sie mich schon heranlassen.[37] Na also, darf ich?
[*Staubsauger kurz einmal*]
IRMGARD: Können Sie nicht irgendwohin gehen, so lange?[38] 25
WIESINGER: Wohin? Zu wem?

32. **Saubermachen ... aus?** Your room certainly needs cleaning, doesn't it?
33. **Einstweilen .... so** For the time being I'll do it for nothing
34. **räumt ... Ihnen** cleans up your room
35. **wie ... ausschaut** what your room up here looks like
36. **Das ... Schlag!** I can't stand the thought!
37. **Nein ... heranlassen** No, you will have to let me clean up
38. **so lange** until I'm finished

IRMGARD: Das müssen Sie wissen.
WIESINGER: Es ist niemand da, zu dem ich gehen könnte.
IRMGARD: Also, dann bleiben Sie da, in Gottes Namen —
WIESINGER: Aber nicht mit dem Staubsauger, bitte.
5 IRMGARD: Wozu habe ich denn das Ding mitgebracht? Jajaja.[39] Sie brauchen sich die Ohren nicht zuzuhalten. Was ist denn eigentlich mit Ihnen los? Haben Sie Kopfschmerzen?
WIESINGER: Nein. Aber ich bin schrecklich geräuschempfindlich.
IRMGARD: Ja. Das sind Sie.
10 WIESINGER: Ich höre immer etwas, wie Vogelgezwitscher. Wie das Zirpen von kleinen Schwalben im Nest. Manchmal ist es auch lauter. Besonders nachts.
IRMGARD: Sie sollten zum Ohrenarzt gehen.
WIESINGER: Vielleicht ja. Bevor man taub wird, hört man allerhand
15 Geräusche, das soll so sein.[40] Immer Vogelstimmen.
IRMGARD: Haben Sie das schon lange?
WIESINGER: Seit ein paar Jahren. Früher waren es wirkliche Vögel. Damals wohnten wir in Berlin, in der Wiesbadener Straße. Das Haus stand da, wo die Schrebergärten begannen.
20 Wenn ich in der Morgendämmerung aufwachte, etwa im Mai, war die Stadt ganz still, aber es war ein ganz gleichmäßiger zarter Lärm in der Luft, lauter Vögel in den Gärten, die Stimmen kamen durchs offene Fenster, wie eine Wolke von Duft. Komisch, — meine Frau wachte nie davon auf. Aber
25 ich lag da, und dachte nach, und hörte diesen zarten fröhlichen Lärm. Das war ein Jahr vor Kriegsausbruch, und ich ahnte noch nichts. Ich stand um sieben auf, ganz voll von diesen Stimmen, und fuhr ins Geschäft. Schöne Zeiten.
IRMGARD [*im Hantieren. Gleichmütig*]: Ja, das ist vielen so
30 ergangen.

39. Jajaja All right! all right!
40. das ... sein that's usually the case

WIESINGER: Neuerdings ... höre ich etwas anderes.
IRMGARD: Hundebellen ... oder Hühner ...
WIESINGER: Nein. Ich höre Namen.
IRMGARD: Was? Was hören Sie?
WIESINGER: Ich höre Namen.
IRMGARD: Was für Namen denn?
WIESINGER: Unbekannte Namen. Aber ganz deutlich.
IRMGARD: Wissen Sie, Herr Wiesinger, — nehmen Sie es mir nicht übel,[41] — aber ich glaube, Sie spinnen.
WIESINGER: Ganz laut und deutlich. Zuerst ist eine Art Raspeln, dann kommen irgendwelche Namen, ... Ernst Bergholz, Ernst Bergholz, Ernst Bergholz ... und nach einer Weile ... Christian Sauter ... Christian Sauter ... Diese beiden Namen habe ich so deutlich gehört, daß ich sie mir aufschrieb.
IRMGARD: Wann hat es denn bei Ihnen so ... angefangen, Herr Wiesinger?
WIESINGER: Vor einigen Tagen. Und jetzt denke ich immerzu darüber nach, was diese Namen bedeuten könnten.
IRMGARD: Das ist doch recht sonderbar. Und was ist es nun wirklich, Ihrer Meinung nach?
WIESINGER: Ich weiß nicht.
IRMGARD: Einbildung?
WIESINGER: Nein. Ganz unbekannte Namen, verstehen Sie. Jemand in mir sagte die Namen. Zuerst einen, dann den anderen.
IRMGARD: Kann es nicht sein, daß jemand von draußen etwas gerufen hat?
WIESINGER: Nein. Das Fenster war zu. Ich hatte gerade die Zeitung gelesen, die Sie mir gebracht hatten, ich saß hier auf dem Stuhl, das Blatt so auf den Knien,[42] und dachte an gar nichts.

41. nehmen ... übel don't be offended
42. so ... Knien here on my knees

IRMGARD: Sagen Sie, Herr Wiesinger, — in der Zeitung, da haben Sie doch wahrscheinlich die Stellenangebote gelesen?
WIESINGER: Für mich war nichts drin. Ich hatte alles durchgelesen. Die Kinoannoncen, die Waschmittel, die Todesanzeigen und die Reisespalte.
IRMGARD: Und wenn es nun ein Wink gewesen ist?
WIESINGER: Was für ein Wink?
IRMGARD: Sehen Sie, — Sie suchen doch nach einer Anstellung; seit zwei Jahren schon.
WIESINGER: Ja natürlich suche ich, aber —
IRMGARD: Und Sie denken immerzu: wo kann ich mich noch bewerben? Wo kann ich mich noch bewerben?
WIESINGER: Sie meinen: wenn man sich so konzentriert auf etwas Bestimmtes, mit allen Gedanken, und mit allen Sinnen, dann könnte man auf einmal eine Antwort bekommen?
IRMGARD: Ja! Das meine ich.
WIESINGER: Ich habe auch schon daran gedacht... Aber das ist wohl unmöglich. Woher sollte dieser Wink kommen? Außerdem, — es war doch mehr unheimlich;[43] als ich die Stimme hörte, wurde mir kalt dabei.[44]
IRMGARD: Sowas ist immer unheimlich. Auch wenn es was Gutes bedeutet.
WIESINGER: Ich weiß nicht, ob es überhaupt irgendwas bedeutet.
IRMGARD: Sie sollten nachsehen, ob es diese Namen überhaupt gibt. Im Telefonbuch zum Beispiel. Und dann müssen Sie sofort hingehen. Wann war das? Hoffentlich ist es noch nicht zu spät? Das war bestimmt ein Wink, und jetzt hat vielleicht schon jemand anders Ihre Stelle bekommen.
WIESINGER: Wenn ein Tag genau so ist wie der andere, dann

---

43. es ... unheimlich there was something uncanny about it
44. wurde ... dabei a shiver ran through me

ICH HÖRE NAMEN 13

sind sie nur noch wie ein Nebel.[45] Es war vor drei Tagen, oder vor fünf Tagen ...
IRMGARD: Das ist egal. Jedenfalls müssen Sie —
WIESINGER: Ja, ich müßte eigentlich hingehen.
IRMGARD: Sofort.
WIESINGER: Ist das nicht etwas — lächerlich ... Ich kann doch nicht zu jemand hingehen und sagen: „Ich habe Ihren Namen gehört, ist bei Ihnen etwas frei?"[46]
IRMGARD: Ach, Sie gehen jetzt ganz einfach hin. Inzwischen räume ich auf. Und wenn Sie zurückkommen —
WIESINGER: Wenn ich es nicht noch eben so deutlich im Ohr hätte ... ich würde mich genieren ... Aber ... warum soll ich es nicht wenigstens versuchen?
IRMGARD: Gehen Sie nur, Herr Wiesinger. Und wenn es nichts damit ist,[47] dann wird inzwischen wenigstens Ihr Zimmer sauber sein.
[*Tür*]

[*3. Fräulein Irmgard. Frau Doktor*]
FRAU DOKTOR: Sagen Sie, Fräulein Irmgard, wo kommen Sie denn mit unserem Staubsauger her?[48]
IRMGARD [*etwas verlegen*]: Bei Ihnen war ich gerade fertig, Frau Doktor, und da habe ich oben ein bißchen nach dem Rechten gesehen[49] ...
FRAU DOKTOR: Oben? Bei wem?

45. *Wiesinger's days are so monotonously alike he can't keep them apart.*
46. **ist ... frei** do you have an opening
47. **Und ... ist** And if it turns out to be a wild goose chase
48. **Wo kommen Sie ... her** Where have you been ...
49. **da ... gesehen** then I tidied up a bit upstairs

IRMGARD: Da wohnt doch der Herr Wiesinger, der Mann kann einem ja leid tun,[50] Witwer ist er, und Kinder hat er auch keine, und keine Stellung und nichts. Und da sehe ich denn manchmal ein bißchen nach ihm, —
5 FRAU DOKTOR: Mit meinem Staubsauger.
IRMGARD: Der wird ja deswegen nicht schlechter ... Aber der Mann ... Wissen Sie, Frau Doktor, das ist ein netter und gebildeter Mann, und niemand kümmert sich um ihn.
FRAU DOKTOR: Wenn Sie es sich so einrichten können[51] —
10 IRMGARD: Nur ganz selten, hin und wieder.
FRAU DOKTOR: Ein netter und gebildeter Mann, sagen Sie?
IRMGARD: Nicht was Sie vielleicht denken könnten, Frau Doktor, der ist über fünfzig, der Herr Wiesinger. Und außerdem, ein wenig spinnt der,[52] das muß man schon sagen.
15 Wissen Sie, wenn einer in den besten Jahren untätig dasitzen muß, — da fängt er eben an zu spinnen ...

[*3a. Wiesinger — Klettke, auf der Straße und in der Kneipe*]
KLETTKE [*entfernt*]: Hallo! Hallo! [*näher*] Sie sind doch —?
20 Kennen Sie mich noch?
WIESINGER: Entschuldigen Sie, ich kann mich nicht erinnern ...
KLETTKE: Aber ich habe Sie gleich erkannt, Herr, Herr, wie war's doch[53] ... Herr Wiesinger!
WIESINGER: Ganz recht. Aber ich —
25 KLETTKE: Ich bin der Klettke. Sagt Ihnen das etwas? Nein?

50. **der Mann ... tun** one can't help feeling sorry for the man
51. **Wenn .... können** Well, if you can fit it in your schedule
52. **ein ... der** he is a little "nutty"
53. **wie ... doch** what was it now

ICH HÖRE NAMEN

WIESINGER: Mein Gedächtnis ist nicht besonders, Herr Klettke...
KLETTKE: Die Dreihundertelfte,[54] Herr Wiesinger? Der Winter in Poljudowo?[55]
WIESINGER: Ach, damals...
KLETTKE: Jawohl! Alte Kriegskameraden, sozusagen. Haben Sie ein Momentchen Zeit?
WIESINGER: Eigentlich nicht...
KLETTKE: Na, eine Viertelstunde, Herr Wiesinger. Kommen Sie hier herein...
[*Straßenlärm hört auf. Kneipe. Eine leise Schallplattenmusik, immer die gleiche Platte, eine zähe, alberne Melodie.*]
KLETTKE: Ich glaube, Sie haben mich noch immer nicht ganz unterbringen können...? Ich war doch beim Filmvorführwagen. Erinnern Sie sich jetzt? Wir haben uns manchmal lange unterhalten, wenn ich in Poljudowo durchkam...
WIESINGER: Ach ja. Jetzt weiß ich es auch wieder. Sie haben sich aber sehr verändert, Herr Klettke...
KLETTKE: Kein Wunder, damals war ich noch beinahe ein Junge. Zwölf Jahre ist das her.[56]
WIESINGER: Und wie geht es Ihnen jetzt?
KLETTKE: Ich hab' seit zwei Jahren ein eigenes Kino. Draußen, in der Müllerstraße. Sehr nett; klein aber sehr nett. Sie müssen mal hin,[57] meine Frau sitzt an der Kasse, fragen Sie nach mir. Und wie geht es Ihnen? Wieder im alten Gleis?
WIESINGER: Ich war eine Zeitlang arbeitslos... Das heißt, ich bin es, genau genommen, noch in diesem Augenblick. Aber

---

54. **Die Dreihundertelfte** The 311th Division
55. **Poljudowo** *ostensibly a Russian town*
56. **Zwölf... her** That was twelve years ago
57. **Sie... hin** You'll have to go there sometime

ich habe da plötzlich was in Aussicht[58] ... Ich müßte eigentlich gleich weiter[59] ...
KLETTKE: Zwei Schoppen, danke. Wir trinken auf Ihre neue Stelle!
5 WIESINGER: Gesundheit!
KLETTKE: Und auf die Dreihundertelfte!
WIESINGER: Nein, das nicht.
KLETTKE [*lacht*]: Ja, Sie waren, glaub' ich, nicht besonders glücklich damals ...
10 WIESINGER: Noch heute ... Ich denke nie daran. Ich kenn' keinen mehr von damals. Deswegen wußte ich auch von Ihnen nichts mehr. Ich habe zwölf Jahre kein einziges Mal an Sie gedacht.
KLETTKE: Aber an Major Klausberg werden Sie sich erinnern.
15 Der ist ja auch hier in der Stadt. Er fabriziert Kühlschränke.. Er nennt sich jetzt Kramer. Komisch, nicht?
WIESINGER: Major Klausberg ... Wissen Sie, — wenn ich an diese Zeit denke, dann sehe ich nicht die Wälder und den Schnee, und nicht den Nachthimmel, an dem es blitzt,[60] — ich
20 sehe nur das kalte, fette Gesicht von diesem Mann, seinen kleinen bösen Mund, ich höre seine Stimme, wie er gemächlich anfängt, und dann langsam in Wut gerät, und —
KLETTKE: Ich weiß nicht, ich fand ihn eigentlich ganz umgänglich.
25 WIESINGER: Ich konnte ihn nicht ertragen, er brauchte nur in die Schreibstube zu kommen, und meine Hände fingen an zu zittern. Ich habe nichts Soldatisches,[61] dafür kann ich nichts, aber er hat mich gepeinigt mit allen Mitteln, unentwegt.

58. **was in Aussicht** something in view
59. **Ich müßte ... weiter** I should really be on my way
60. **an dem ... blitzt** in which there is lightning
61. **Ich habe nichts Soldatisches** I wasn't cut out to be a soldier

KLETTKE: Davon habe ich nie was bemerkt, Herr Wiesinger. Wir fanden ihn alle ganz nett ... Und außerdem ist es jetzt zwölf Jahre her.

WIESINGER: Er hat mich einmal so maßlos beschimpft ... Ich hatte meiner Frau nach Berlin[62] geschrieben, sie solle unbedingt fort mit den Kindern aufs Land,[63] und ich war in diesem Brief vielleicht etwas zu offen gewesen. Die Prüfstelle hatte ihn der Division zugeschickt. Und der Major hat mich daraufhin vorgenommen ... Entwürdigend, zum Schluß so mit[64]: „Machen Sie, daß Sie 'rauskommen!"[65] Und man darf nichts antworten. Schweigen, alles 'runterschlucken.[66] Ich war damals mit Urlaub dran,[67] der wurde vom Major gestrichen.

KLETTKE: Aber das kann Sie heute doch nicht mehr ärgern? Jetzt sind Sie ja zu Hause.

WIESINGER: Zu Hause? Wieso?

KLETTKE: Sie sind doch verheiratet? Es stand immer ein Bild von einem reizenden Mädchen auf Ihrem Tisch, war das nicht Ihre Tochter?

WIESINGER: Meine Frau und meine Tochter, sind beide, kurz danach, in Berlin im Keller umgekommen. Bei einem Luftangriff. Und ich hatte sie gerade noch aus Berlin fortbringen wollen, zu einem Freunde in Bayern, während meines Urlaubs ...

KLETTKE: Zwölf Jahre, Herr Wiesinger. Was vergangen ist, soll man nicht immer wieder ins Leben hinaufzerren.[68]

62. meiner ... Berlin to my wife in Berlin
63. *Wiesinger wanted to get his family to the country to avoid the bombings.*
64. zum ... mit he ended up like this
65. Machen sie ... 'rauskommen! Get out of here!
66. Schweigen, alles 'runterschlucken (One has to be) silent and swallow everything
67. Ich ... dran I was due for a furlough
68. ins Leben hinaufzerren revive

WIESINGER [*trinkt*]: Jaja, Sie haben recht. Ich denke auch nie mehr daran. Wenn Sie nicht davon angefangen hätten...
KLETTKE: Das Leben geht weiter. Jetzt haben Sie wieder was in Aussicht.
5 WIESINGER: Ja, richtig. Ich muß gehen. Warten Sie mal... kennen Sie die Firma Ernst Bergholz?
KLETTKE: Das ist... das ist das große Textilgeschäft am Marktplatz.
WIESINGER Ich habe die Aufforderung auf eine etwas eigen-
10 artige Weise bekommen... Und ich habe mich tagelang nicht entschließen können...
KLETTKE: Schnell hin, als Erster.
WIESINGER: Man wird so apathisch, wenn man immer allein ist.
15 KLETTKE: Raffen Sie sich auf, Herr Wiesinger...
[*Musik mit der zähen Melodie etwas lauter*]
WIESINGER: Meinen Sie, ich sollte es versuchen?
[*Kurz: Straßenlärm, — dann*]

[*4. Wiesinger und der Verkäufer.*]
20 [*Großer Raum — Stimmenlärm*]
WIESINGER: Entschuldigen Sie, wo komme ich hier zum Chef?[69]
VERKÄUFER: Zu wem wollen Sie?
WIESINGER: Zum Inhaber, Herrn Bergholz, nicht wahr?
25 VERKÄUFER: Herr Ernst Bergholz?
WIESINGER: Jawohl. Ich bin an Herrn Bergholz empfohlen...
VERKÄUFER: Das tut mir leid. Dann wissen Sie offenbar gar nicht...

69. **wo... Chef?** where can I find the boss?

WIESINGER: Ist Herr Bergholz verreist?
VERKÄUFER: Nein, aber ... Darf ich fragen, ob Sie aus geschäftlichen Gründen[70] —?
WIESINGER: Ja, allerdings ...
VERKÄUFER: Herr Bergholz ist vorgestern gestorben. Ganz unerwartet. Er war nur zwei Tage im Krankenhaus.
WIESINGER: Gestorben, sagen Sie?
VERKÄUFER: Ja. Ein schwerer Verlust für die Firma. Aber wenn Sie vielleicht ... um was handelt es sich bei Ihnen?
WIESINGER: Ich bin Buchhalter. Ich wollte mich um eine Stellung bewerben.
VERKÄUFER: Das ist im Augenblick wohl ausgeschlossen.
WIESINGER: Sollte ich nicht vielleicht noch zur Personalabteilung?
VERKÄUFER: Vollkommen zwecklos, in diesen Tagen. Das verstehen Sie doch, nach dem Tode des Chefs.
WIESINGER: Ja, dann tut es mir leid —
VERKÄUFER: Vielleicht in einem Vierteljahr? Wenn Sie sich da mal in Ruhe bewerben wollten?
WIESINGER: Danke ...
[*Lärm verschwindet*]

[*5. Wiesinger auf dem Adreßbüro. Ein Fräulein, zweites Fräulein*]
[*Schalterfenster rasselt hoch*]
FRÄULEIN: ... wünschen?[71]
WIESINGER: Könnte ich hier wohl eine Adresse bekommen? Hier ist der Name. Christian Sauter. Ich weiß allerdings nicht, ob es ihn überhaupt gibt.[72]

70. ob ... Gründen whether (you have come) on business
71. ... wünschen? What can I do for you?
72. ob ... gibt whether he even exists

FRÄULEIN: Sie müssen hier — das Formular ausfüllen. Name, Geburtsdaten, Anschrift.
WIESINGER: Die Anschrift will ich doch gerade von Ihnen erfahren, vorausgesetzt, daß es überhaupt eine Anschrift —
5 FRÄULEIN: 50 Pfennig.
WIESINGER: Bitte.[73]
FRÄULEIN: Warten Sie mal . . . [*sucht*] Sattler . . . Saß . . . Saubach . . . Sau . . . — Nein. Der Name ist in unserer Kartei nicht vorhanden.
10 WIESINGER: Danke . . . Das habe ich mir eigentlich gedacht . . . Danke sehr . . . Es gibt ihn also gar nicht . . .
FRÄULEIN [*etwas milder*]: Moment mal . . . Christian Sauter . . . da war doch neulich was[74] . . . Gestern . . . oder vorgestern? . . . Nein, gestern . . . Ein Abgang . . .
15 WIESINGER: Abgang?
FRÄULEIN: Ja, ich erinnere mich jetzt . . . Christian Sauter wurde gestern abgemeldet. Der ist . . . oder ist er . . .? Nein. Der ist gestorben.
WIESINGER: Der ist ge — — —
20 FRÄULEIN: Jawohl. Gestorben.
WIESINGER: Das ist doch . . . sehr merkwürdig.
FRÄULEIN: Wieso? Das geht bei uns ganz automatisch. Totenschein, Abmeldung, und so weiter. Wenn Sie nähere Unterlagen wollen —
25 WIESINGER: Nein, danke. Das genügt. Ich kann's nur nicht[75] . . . ich bringe es noch nicht zusammen[76] . . . [*Tür*]
2. FRÄULEIN: Was hatte der denn?[77]

---

73. **Bitte** Please (accept my payment)
74. **da . . . was** there was something recently (about him)
75. **Ich kann's nur nicht** I simply can't (understand it)
76. **ich . . . zusammen** I still can't tie it together
77. **Was . . . denn?** What was the matter with him?

ICH HÖRE NAMEN   21

1. FRÄULEIN: Er erkundigte sich nach einer Adresse, und ich
mußte ihm sagen, daß der Mann, den er suchte, gestern oder
vor ein paar Tagen gestorben ist.
2. FRÄULEIN: Ihr spracht aber doch von einem Sauter? Christian
Sauter, was?
1. FRÄULEIN: Ja.
2. FRÄULEIN: Der wurde aber nicht wegen Todesfall abgemeldet, — ich erinnere mich. — Der ist ins Ausland verzogen —
1. FRÄULEIN: Unsinn.
2. FRÄULEIN: Bestimmt. Der ist nicht gestorben. Sie haben da
eine falsche Auskunft gegeben.
1. FRÄULEIN: Aber wenn ich es doch weiß! Ich sehe die Karte
doch noch vor mir![78] Der ist bestimmt ... Oder[79] —?
[abblenden]

[6. Wiesinger, — der Doktor vom unteren Stock]
[Treppenhaus. Langsame Schritte treppaufwärts. Sie
werden von schnelleren Schritten überholt. Stehenbleiben]
DOKTOR: Ach der Herr Wiesinger! Sind Sie krank? Wie sehen
Sie denn aus?[80]
WIESINGER: Guten Tag, Herr Doktor ... Krank? Nein ... Ich
glaube nicht ... Ich war nur in Gedanken ...
DOKTOR: Soll ich Ihnen nicht mal was geben? Bißchen Sympatol?[81] Das Herz, was? Und immer die fünf Treppen, das
geht sich auch nicht so ohne weiteres[82] ...

78. **Ich ... mir!** Why I can still see the card clearly!
79. **Der ... Oder —?** He definitely (died) ... or (did he)? *(The girl's mistake leaves Wiesinger convinced that the names he hears are all of people who are about to die).*
80. **Wie ... aus?** You don't look at all well!
81. **Sympatol** presumably a patent medicine
82. **das geht ... weiteres** that is quite a strain

WIESINGER: Danke, ich brauche nichts, Herr Doktor. Aber wenn ich Sie etwas fragen dürfte ... etwas ganz Allgemeines ... Sie sind doch Akademiker ...
DOKTOR: Schießen Sie los, Herr Wiesinger.
WIESINGER: Glauben Sie, Herr Doktor ... ich weiß nicht, wie ich mich ausdrücken soll ... Halten Sie es für möglich, daß man etwas ahnen könnte ... oder sogar genau wissen könnte ... was ganz woanders geschieht?[83]
DOKTOR: Natürlich. Zum Beispiel: beim Lesen einer Zeitung.
WIESINGER: Nein, das nicht. Ich meine — direkt.
DOKTOR: Direkt?
WIESINGER: Ja. Plötzlich, mit einem Schlage, — weiß man es.
DOKTOR: Ach so. Hm. Ahnungen, meinen Sie?
WIESINGER: Etwas Plötzliches.
DOKTOR: Vorgefühle ...
WIESINGER: Man erfährt etwas.
DOKTOR: Was erfährt man?
WIESINGER: Nun, etwa ... den Tod eines Menschen ...
DOKTOR: Tja, das ist ein heikles Thema, Herr Wiesinger ... Offen gestanden, ich glaub's nicht, ich hab's nicht erlebt. Aber es gibt über diese Phänomene eine ausgedehnte Literatur ... wenn es Sie interessiert ...
WIESINGER: Ich kannte zum Beispiel einen Mann, der würfelte immer mit sich selber ... Er dachte sich wohl etwas dabei.[84] Das war während des Krieges ... ein Major.
DOKTOR: Neuerdings befaßt sich die Wissenschaft ganz ernsthaft mit solchen Dingen, ohne allerdings zu eindeutigen Resultaten gekommen zu sein. Es gibt da Versuchsreihen mit bestimmten Karten, — es soll dabei etwas erraten werden, in welcher Reihenfolge die Karten nach dem Mischen liegen

---

83. was ... geschieht that is happening somewhere else far away
84. Er ... dabei It probably had some significance for him

ICH HÖRE NAMEN

werden[85] ... Und wenn man hierbei statistisch vorgeht. ...
ist die Möglichkeit einer Art Prophetie, oder wie man das
nennen soll, nicht ganz von der Hand zu weisen.[86]

WIESINGER: Karten ...? Nein, das meine ich nicht ...

DOKTOR: Sie denken wahrscheinlich daran, daß manchmal ein
Ereignis von irgend jemand vorausgesagt wurde, bevor es
geschehen war.

WIESINGER: Bevor, sagen Sie? Noch bevor es —?

DOKTOR: Während des Krieges etwa, — da soll es Fälle gegeben
haben,[87] wo einer an seinem Kameraden ganz deutlich zu
spüren meinte, daß er am gleichen Tage fallen würde[88] ...
Aber, wissen Sie, alle diese Behauptungen lassen sich nachträglich nicht mehr kontrollieren.

WIESINGER: Aber Sie sagten doch, daß man also etwas spüren
kann, nicht während es geschieht, sondern vorher, — wenn es
erst geschehen soll.[89]

DOKTOR: Ich glaube nicht daran, lieber Herr Wiesinger. Aber
es gibt seit alters her[90] eine Menge solcher Anekdoten.

WIESINGER: Woher? Das interessiert mich ... Zum Beispiel,
den Tod eines anderen Menschen vorher wissen?

DOKTOR: Oder auch seinen eigenen[91] ... Aber, wie gesagt,
exakt belegt ist keiner dieser Fälle.

WIESINGER: Es kommt also plötzlich über einen, und man
spürt ... daß ... etwas ... geschehen wird ...?

DOKTOR: Es handelt sich aber immer um Ausnahmefälle, um

---

85. **es soll ... liegen werden**   the purpose (of the experiment) is to predict something about the sequence the cards will be in after shuffling
86. **nicht ... weisen**   not to be rejected entirely
87. **da soll ... haben**   there were said to be cases
88. **wo einer ... würde**   where a soldier clearly felt that his buddy would die that very day
89. **wenn ... soll**   before it has happened
90. **seit alters her**   since earliest times
91. **Oder ... eigenen**   Or even about his own (death)

eine besondere Veranlagung, eine sogenannte mediumistische Disposition einzelner Individuen. Im übrigen gibt es dabei so viel Schwindel und Selbsttäuschung ... wissen Sie.
WIESINGER: Ausnahmefälle? Eine besondere Veranlagung? Dann
5 könnte also jemand diese Veranlagung haben, ohne das Geringste davon zu wissen? Ein ganz gewöhnlicher Mensch?
DOKTOR: Höchst selten. Und wie ich schon erwähnte, — ich persönlich halte das Ganze für pure Scharlatanerie. Es paßt in gar keiner Weise in mein Weltbild.
10 WIESINGER: Wenn man es nicht erlebt hat, kann man es nicht glauben.
DOKTOR: Eine komische Unterhaltung für den Treppenflur ...
WIESINGER: Ich will Sie nicht länger aufhalten, Herr Doktor. Ich danke Ihnen für diese Auskunft. Also auch die Wissen-
15 schaft ...
DOKTOR: Guten Tag, Herr Wiesinger.
WIESINGER: Guten Tag.
[*Langsame Schritte treppauf*]

[7. *Wiesinger allein.* — *Ein Radiosprecher, eine*
20 *Stimme von draußen*]
[*Schritte, Wiesinger geht in der Stube auf und ab*]
WIESINGER: ... ich muß da Klarheit schaffen ... Wie war das ... manche besonders dazu veranlagte Personen[92] ...
SPRECHER[93]: ... so daß auch morgen noch mit der Fortdauer

---

92. **manche ... Personen** some people especially disposed for such things
93. **Sprecher** (voice emanating from the) loudspeaker

ICH HÖRE NAMEN

des regnerischen Wetters zu rechnen ist... Ende der Wettervorhersage... die Zeit... 22.00 Uhr.[94]
[*Weiterdrehen. Musik — Orchester spielt eine Piano-Stelle. Währenddessen:*]
WIESINGER: Wettervorhersage: das ist eine Kleinigkeit... braucht auch gar nicht zu stimmen... aber wie die Würfel morgen fallen werden, das schon heute zu wissen![95] Das Zeichen im Gesicht zu erkennen ohne das Gesicht zu kennen. Was bin ich denn? Johannes Wiesinger, Buchhalter, stellenlos, und was noch...?
Sollte es wirklich möglich sein, daß ich es vorher gewußt habe?
[*Musik: wie vorher*]
Abgewiesen vor allen Türen, wie ein Bettler. Und dabei insgeheim — Ich habe es selbst nicht gewußt... Wenn ich in mich hineinhöre. Lauschen, lauschen... Ist nicht die ganze Nacht voll von den Namen derer, die morgen sterben werden?... als ob man im Walde sitzt, und man hört sie fallen wie die Blätter... Es raspelt und raunt, und die Vogelstimmen! — Ich bin immer durch ein Meer von Botschaften gegangen, ohne darauf zu achten.[96] Ich weiß das Geheimnis. Man könnte ersticken daran...
[*Fenster wird geöffnet*]
... Ah, das tut gut![97] Der Wetterbericht war falsch, — der Himmel über den Dächern ist voller Sterne... Bisher haben sie mir noch nie ein Zeichen gegeben; sie waren nichts als Sand des leeren Raumes.

94. **22.00 Uhr** 10 P.M. *(Officially Germany uses a 24-hour clock.)*
95. **aber... wissen!** but (what it would mean) to know today how the dice will fall tomorrow!
96. **ohne... achten** without heeding them
97. **Ah, das tut gut!** Oh, that makes one feel good!

Sollte es möglich sein?... sollte aus diesen zerstreuten Punkten ein Band sich herziehen, bis zu mir? Lauter blinde Funken, weithin ausgeschüttet ... und als Antwort wird manchmal ein innerer Funke hell, ein Signal. Sollte in der Finsternis das, was morgen sein wird, verborgen sein?[98] ... Und ich allein höre den Ruf!?[99]

[*Das Radio spielt lauter*]

STIMME [*von draußen*]: Fenster zu, wenn's Radio spielt!!

WIESINGER: Er weiß nicht, mit wem er spricht ...

[*Fenster wird geschlossen*]
[*abblenden*]

[*8. Wiesinger — Fräulein Irmgard*]
[*Kurzes Klopfen. Tür. Abstellen von Gegenständen, — dabei sagt:*]

IRMGARD: So, guten Morgen, Herr Wiesinger, es wäre wieder mal soweit[1] ... Jawohl, sehen Sie mich nicht so erstaunt an. Die Woche ist um, jetzt muß wieder geputzt werden bei Ihnen, deswegen komme ich ...

WIESINGER: Ach so. Ja. Das habe ich ganz vergessen.

IRMGARD: Jaja. Immer woanders mit den Gedanken, Herr Wiesinger ...

WIESINGER: Ich bin nicht ganz auf der Höhe.[2] Ich habe schlecht geschlafen, die letzten Nächte. Man bildet sich allerhand ein, wenn man so daliegt, im Dunkeln. Aber bei Tag sieht das ganz anders aus.

---

98. **Sollte ... sein?** Is that which tomorrow will become reality hidden (out there) in the darkness?
99. *Wiesinger becomes more and more convinced that he has a unique prophetic intuition.*
1. **es ... soweit** the time has come again
2. **Ich ... Höhe** I am not feeling very well

ICH HÖRE NAMEN 27

IRMGARD: Ihre Nase ist so spitz geworden, Herr Wiesinger . . .
ich weiß nicht, was das soll³ . . . Hören Sie auf mich, gehen
Sie zum Arzt, lassen Sie sich mal gründlich untersuchen. In
der Poliklinik haben Sie es billig.⁴
WIESINGER: Ich weiß. Ich bin vor drei Monaten dort gewesen.
Und ich sollte vielleicht wirklich wieder hingehen . . . nur daß
es so unangenehm ist.
IRMGARD: Was ist da Unangenehmes dran?⁵
WIESINGER: Dieses Warten. Stundenlang warten, bis man dran
ist.⁶ Und ringsherum diese Menschen mit ihrer Armut und
ihren Krankheiten.
IRMGARD: Und was sagte der Arzt?
WIESINGER: Ich bin wieder weggegangen. Ich hielt es nicht aus.
Immer kamen andere dran,⁷ vor mir, wurden aufgerufen, vor
mir, obgleich ich länger wartete . . . Nein. Ich mag das nicht.
IRMGARD: Tja, Herr Wiesinger . . . Man muß sich eben damit
abfinden,⁸ daß man nichts Besseres ist als jeder andere. Wenn
man kein Geld hat, —
WIESINGER: Vielleicht ist man dann besonders empfindlich, und
aus irgend einem ganz geringen Grunde wird man plötzlich
zornig, — nun einfach, weil da ein anderer aufgerufen wird,
und eigentlich müßte man selber aufgerufen werden⁹; das ist
so, als ob es da überhaupt keine Rücksicht mehr gibt. Nein,
ich bin aufgestanden und weggegangen. Die Schwestern
schnauzen einen an. Ihr Name? Warten Sie. Setzen Sie sich
dorthin. Nein, der Herr ist vor Ihnen dran. Sie warten?

3. **was das (bedeuten) soll** what that might (mean)
4. **haben . . . billig** an examination is inexpensive
5. **Was . . . dran?** What is unpleasant about it?
6. **bis . . . dran** till one's turn comes
7. **Immer . . . dran** Others always had their turn
8. **Man . . . abfinden** One has to get accustomed to the idea
9. **nun . . . werden** now for the simple reason that another person was called when it was actually our turn

IRMGARD: Wissen Sie, was Sie sind, Herr Wiesinger? Ein Querulant sind Sie.
WIESINGER: Kann sein.
IRMGARD: Immer hübsch bescheiden,[10] damit kommt man am weitesten. Wenn jeder etwas Besonderes sein wollte...
WIESINGER: Etwas Besonderes, Fräulein Irmgard? Eine Fähigkeit haben, die kein anderer hat... Aber man sieht es ihm nicht an[11]...
IRMGARD: Wem sieht man es nicht an? Was haben Sie auf einmal?[12] Sie sind zuviel allein, Herr Wiesinger... Sie sitzen da und grübeln —
[*Entfernt der Lärm eines Motorrades, immer wieder, der Motor will nicht anspringen. Dann gleichmäßig pochendes Motorgeräusch*]
IRMGARD: Sie kommen da auf allerhand Gedanken, die Ihnen gar nicht zuträglich sind. Wie war das neulich mit den Namen, die Sie hörten? Was haben Sie sich da gedacht? Und was war es schließlich? Nichts. Oder hat einer Ihrer Namen Ihnen eine Stelle angeboten —?
WIESINGER: Still, bitte...
IRMGARD: Ist doch wahr.[13] Ich seh' ja, Sie rennen herum und tun alles Mögliche...
WIESINGER: Still, hören Sie?
IRMGARD: Was? Das Motorrad?
[*In dem gleichmäßigen Motorgeräusch, das entfernt zu hören ist, wird ein Gewisper hörbar, eine Stimme,*

---

10. **Immer hübsch bescheiden** (One should) always (be) quite modest (in one's demands)
11. **Aber ... an** But one can't tell it by looking at him
12. **Was ... einmal?** What's suddenly come over you? *(Irmgard doesn't understand his allusion.)*
13. **Ist doch wahr** But it's true, isn't it?

undeutlich, gerade nur[14] *als zusätzliches Rascheln und Murmeln erkennbar*]
WIESINGER: Hören Sie? Nein. Das kann nur ich hören ...
IRMGARD: Immer nur das Motorrad im Hof unten. Der soll es nicht laufen lassen,[15] der Doktor sagt auch immer —
WIESINGER [*horcht*]: ... „der Nächste" ... „der Nächste".
   [*Motorlärm und Wispern*]
   Der Nächste ... Gustaf Schiele ... Gustaf Schiele ...
IRMGARD: Nein, das ist der Sohn vom Hausmeister, und deswegen läßt er den Motor auch laufen, wenn der Hausmeister es ihm nicht verbietet ...
WIESINGER: Gustaf Schiele ...
   [*Motorrad fährt weg*]
IRMGARD: Sehen Sie, jetzt ist er weggefahren. Wohin wollen Sie denn auf einmal?
WIESINGER: Ich muß sofort ... sofort ... Jemand ... wartet auf mich ...
   [*Tür schnell auf und zu*]

[9. *Wiesinger — Schiele*]
[*Klopfen. Tür wird geöffnet*]
SCHIELE: Bitte? Was wünschen Sie?
WIESINGER: Könnte ich vielleicht Herrn Schiele sprechen?
SCHIELE: Bin ich selber.[16]
WIESINGER: Dann gestatten Sie, daß ich hereinkomme. Ich muß Sie sprechen.
SCHIELE: Mich? Bitte!

14. **gerade nur** barely
15. **Der soll ... lassen** He shouldn't let the motor run
16. **Bin ich selber** I am he

FRED VON HOERSCHELMANN

WIESINGER: Herr Gustaf Schiele, nicht wahr? Ich habe Ihre Adresse auf dem Einwohnermeldeamt erfahren.
SCHIELE: So? Und warum haben Sie danach gefragt?
WIESINGER: Ich komme gleich darauf zu sprechen.[17]
SCHIELE: Bitte, treten Sie näher. Nehmen Sie Platz. Kennen wir uns nicht schon? Irgendwo gesehen? Sie kommen mir so[18] —
WIESINGER: Kaum. Ich habe nur eine flüchtige Berührung mit . . . mit Ihrem Namen gehabt, sonst nichts. Und deswegen komme ich. Es ist . . . wie in einem höheren Auftrage[19] . . .
SCHIELE: Sind Sie Gerichtsvollzieher?
WIESINGER: Nein.
SCHIELE: Ja dann —? Neulich klingelte es, und ich mache die Tür auf, da steht draußen ein Mann, sieht mich durchdringend an und ruft: „Der jüngste Tag ist da!" Sie können sich denken, wie ich mich erschreckt habe. Gehören Sie auch zu dieser Sorte? Das kann ich nicht leiden.
WIESINGER: Nein. Es ist ein ganz persönliches Anliegen. Es wird Sie vielleicht wundern. Und ich möchte Sie gewissermaßen um Rat fragen . . .
SCHIELE: Gern bereit[20] . . . Aber wenn Sie von mir etwa — ein Darlehen erwarten —?
WIESINGER: Keineswegs. Darum handelt es sich keineswegs . . . Ich bitte Sie nur inständig, mir zu glauben.
SCHIELE: Sie machen mich einigermaßen neugierig . . .
WIESINGER: Wenn Sie wüßten, Herr Schiele . . . Ich bin auf einmal zu etwas ausersehen, wozu ich im Grunde gar nicht vorbereitet war. Ich bin ein schlichter Mensch, wie Sie mich hier sehen. Und trotzdem . . .

17. **Ich komme . . . sprechen** I was just coming to that
18. **Sie kommen mir so (bekannt vor)** you seem so (familiar) to me
19. **wie . . . Auftrage** as if I were sent by a higher power
20. **Gern bereit** Glad to oblige

SCHIELE: Ja nun also, — was?
WIESINGER: Jeden Tag sterben eine ganze Menge Menschen in dieser Stadt ...
SCHIELE: Ja, natürlich.
WIESINGER: Und kurz vorher höre ich den Namen von dem einen oder von dem anderen ...
SCHIELE: Das gibt's doch gar nicht.[21]
WIESINGER: Wenn ich es Ihnen sage. Der Name, — ein ganz fremder Name! — ist plötzlich da. Und ich habe jetzt zu entscheiden, — soll ich ihn aufsuchen, und es ihm sagen, oder nicht?
SCHIELE: Wenn es wirklich so wäre, — ich würde hingehen.
WIESINGER: Aber bedenken Sie, was es für einen Menschen bedeutet, wenn er erfährt, daß er sterben wird, ehe der Tag vorbei ist?
SCHIELE: Natürlich, für manche mag das schlimm sein ...
WIESINGER: Nicht für alle?
SCHIELE: Ich glaube nicht. Ich zum Beispiel ... Wenn mir einer sagen würde, daß ich noch heute sterben werde, — wissen Sie, was ich da antworten würde?
WIESINGER: Nun?
SCHIELE: Endlich!
WIESINGER: Sie würden sagen: endlich?
SCHIELE: Ja. Ich bin alt, zu nichts mehr zu gebrauchen.[22] Ich falle meiner Schwester zur Last. Ich habe keinerlei Freude mehr. Nur Plagen, und es wird von Jahr zu Jahr schlimmer, von Monat zu Monat, könnte ich fast sagen. Und keine Aussicht auf irgendeine Besserung. Nein, da würde ich bestimmt nichts anderes sagen, als: endlich!

21. **Das ... nicht** But that isn't possible!
22. **zu nichts ... gebrauchen** no good for anything (anymore)

WIESINGER: Ja, dann ... dann bin ich sehr erleichtert, Herr Schiele. Denn der letzte Name, verstehen Sie, —
SCHIELE: War es etwa mein Name?
WIESINGER: Ja.
SCHIELE: Ach so. Meiner.
WIESINGER: Sehen Sie, Herr Schiele, ich weiß nichts von Ihnen, ich kannte Sie nicht, ich habe Ihren Namen vorher nie gehört, —
SCHIELE: Sind Sie sicher? Ich denke immer, wir sind uns schon irgendwo begegnet[23] ...
WIESINGER: Nie. Das ist doch gerade das Rätselhafte daran[24] ... Ich höre einen fremden Namen, und auf dem Einwohnermeldeamt erfahre ich, daß es tatsächlich einen Menschen gibt, der so heißt.
SCHIELE: Und Sie wissen es genau, was es bedeutet, wenn Sie so auf einmal ... den Namen hören?
WIESINGER: Ja. Anfangs hatte ich es nicht begriffen. Obgleich irgendwie sogleich ... als ich die Namen hörte, etwas Dunkles dabei war[25] ... Und dann erfuhr ich, was es damit für eine Bewandtnis hat.[26]
SCHIELE: Und Sie glauben also ganz fest, daß ich —
WIESINGER: Ja. Es tut mir leid, Herr Schiele. Und der Weg zu Ihnen ist mir nicht leicht gefallen.[27] Aber Sie sagen ja[28] als Antwort: endlich.
SCHIELE: Ja, gewiß, endlich ... es ist richtig[29] ... Nur ... wenn man so auf einmal damit überrascht wird ... Man muß sich

23. **Ich denke ... begegnet** I keep thinking that we have met before somewhere
24. **Das ist ... daran** That is the strange part of it
25. **etwas ... war** a dark foreboding made itself felt
26. **was ... hat** what the connection was
27. **Und der Weg ... gefallen** And it wasn't easy for me to pay you this visit
28. **ja** don't you? *(suggests an affirmative answer)*
29. **es ist richtig** quite right

erst daran gewöhnen, nicht? Noch heute? Wissen Sie genau, daß es heute sein wird?

WIESINGER: Ich wundere mich nur, daß der Mensch, den es betrifft, es nicht selber spürt.

SCHIELE: Was heißt das?

WIESINGER: Ich ließ ein paar Tage verstreichen, — und da war es eben zu spät.³⁰

SCHIELE: Ach so.

WIESINGER: Ja.

SCHIELE: Sie sind aber ein sonderbarer Mensch, Herr Wiesinger. Entschuldigen Sie, daß ich das sage. Aber Sie gehen in der Stadt herum, wie ein schwarzer Engel...

WIESINGER: Ja, — daß gerade ich diese Gabe bekommen habe, wahrscheinlich war es schon lange so. Ich habe nur nicht darauf geachtet. Stellen Sie sich vor — wie ein Stromkreis, der sich schließt, und Bekanntes und Unbekanntes verbindet, und heute morgen in einem einzigen, gemeinsamen Funken zusammenschmilzt...

SCHIELE: Das klingt alles ein bißchen zu großartig, Herr Wiesinger... Trotzdem möchte ich Sie bitten, mir Ihre Adresse zu geben, auf alle Fälle.

WIESINGER: Gerne. Obgleich ich nicht verstehe, warum Sie das wünschen.

SCHIELE: Es könnte sein, daß ich Ihnen in den nächsten Tagen einen Gruß schicke...

WIESINGER: Bitte. Sie brauchen mir ja nicht zu glauben.

SCHIELE: Es klingt sehr unglaubwürdig. Aber wenn ich Sie sprechen höre, — Sie sind so fest überzeugt... Sie sind entweder wirklich ein Mensch, der mehr weiß als die anderen, oder...

---

30. und ... spät and then it was too late *(The other men whose names he had heard were already dead when he set out to visit them.)*

FRED VON HOERSCHELMANN

WIESINGER: Oder was?
SCHIELE: Oder ein Verrückter. Entschuldigen Sie. Und jetzt lassen Sie mich allein. Ich habe viel zu erledigen. Auf alle Fälle[31] ... noch viele Gänge[32] ... ich weiß gar nicht, wie ich
5 mit allem fertig werden soll, an einem einzigen Tage ...
WIESINGER: Dann will ich Sie nicht weiter aufhalten.
SCHIELE: Leben Sie wohl, Herr Wiesinger ... Ich bringe Sie noch zur Tür ... [Schritte]
SCHIELE: Und ... ich danke Ihnen ... ich danke Ihnen ... [Tür]
10 DIE SCHWESTER: Wer ist denn bei dir gewesen, Gustaf?
SCHIELE: Ach nichts. Ein Herr Wiesinger.
SCHWESTER: War es wegen der Rechnung?
SCHIELE: Nein.
SCHWESTER: Was denn? Deiner Schwester kannst du es doch sagen.
15 SCHIELE: Nein.
SCHWESTER: Geheimnisse?
SCHIELE: Herr Gott noch mal![33] Ein Herr, namens Wiesinger.
SCHWESTER: Wiesinger? Kennst du den?
SCHIELE: Nein ... obgleich ich mir immer noch einbilde ...
20 ich hätte ihn schon mal[34] gesehen ...
SCHWESTER: Was wollte er denn?
SCHIELE: Er brachte mir lediglich eine Botschaft.
SCHWESTER: Was für eine Botschaft? Und warum bist du so aufgeregt?
25 SCHIELE: Ich bin gar nicht aufgeregt. Ich habe nur eine Menge zu erledigen.
SCHWESTER: Auf einmal? Du solltest dich erst mal beruhigen.
SCHIELE: Ach, laß doch![35]

31. **Auf alle Fälle** Just in case
32. **noch viele Gänge** still many matters (to attend to)
33. **Herr Gott noch mal!** Oh, for heaven's sake!
34. **schon mal** before
35. **Ach, laß doch!** Oh, leave me alone!

ICH HÖRE NAMEN 35

[*10. Wiesinger — Fräulein Irmgard*]
[*Klopfen*]
IRMGARD: Herr Wiesinger, hier ist ein Brief für Sie. Schwarzer Rand.[36]
WIESINGER: Danke.
IRMGARD: Ist Ihnen jemand gestorben? Verwandte?
[*Brief wird aufgerissen*]
WIESINGER: Nein. Kein Verwandter. Es ist jemand, den ich nur ein einziges Mal gesehen habe.
IRMGARD: Und trotzdem schicken die Ihnen eine Anzeige.
WIESINGER: Ja.
IRMGARD: Das muß wohl eine besondere Bewandtnis haben?[37]
WIESINGER: Eine besondere Bewandtnis? Das schon.[38] Aber ich weiß trotzdem nicht, warum sie mir die Anzeige schicken. Ich wußte es ja auch ohne das.
IRMGARD: So feierlich, Herr Wiesinger ...
WIESINGER: Ich wünsche keinem Menschen den Tod. Keinem. Keinem. Keinem.
[*Entfernt, — auf dem Hof, — beginnt eine Drehorgel. Sie spielt die gleiche zähe Melodie, die in der Kneipe gespielt wurde*]
IRMGARD: Das glaubt ja auch niemand von Ihnen.[39]
WIESINGER: Man sollte aufhören, zu denken ... Ich bin seit einiger Zeit ein ganz veränderter Mensch, Fräulein Irmgard.
IRMGARD: Eigentlich ist mir noch nichts aufgefallen, einstweilen.
WIESINGER: Ich mag auch nicht mehr die Zeitung lesen. Ich denke, ich könnte etwas dabei[40] verpassen. Ich muß immerzu lauschen ... Was ist das für eine Musik draußen?

36. The black border indicates that the envelope contains notification of a death.
37. **Das muß ... haben?** There must be some special reason for that
38. **Das schon** Yes, to be sure
39. **Das glaubt ... Ihnen** No one thinks that you do.
40. **dabei** by so doing

IRMGARD: Ein Orgelmann. Stört er Sie?
WIESINGER: Geben Sie ihm einen Groschen.[41] Hier. Machen Sie das Fenster auf, werfen Sie ihm diesen Groschen hinunter, er soll aufhören ...
5 IRMGARD: Schön. Er soll aufhören. Mir gefällt's.[42]
[*Fenster wird geöffnet. Musik lauter*]
WIESINGER: Ich wünsche es keinem. Ich wünsche es keinem. Ich wünsche es keinem. Hören Sie, Fräulein Irmgard ...
IRMGARD: Er wird gleich aufhören.
10 [*In der Musik erscheint ein Raspeln, wie von einer Stimme*]
WIESINGER: Nein, Sie hören nichts.
IRMGARD: Ich höre nichts.
[*Musik hat aufgehört*]
15 WIESINGER: Dabei war es doch ganz deutlich[43] ...
[*Fenster wird geschlossen*]
IRMGARD: Herr Wiesinger? Man dreht sich um, und schon ist er weg. Herr Wiesinger! Sowas[44] ... Als ob er ein schlechtes Gewissen hätte ...

20 [*11. Kramer — Stimme der Sekretärin. Stimme eines Bankangestellten*]
BANKANGESTELLTER [*aus dem Telefonlautsprecher*]: ... es tut mir leid, Herr Kramer, aber ich kann Ihnen keine Auskunft geben.
25 KRAMER: Ich möchte den Kassierer fragen, ob Herr Klausberg schon bei Ihnen war.

41. **Groschen** *colloquially used to designate a German coin worth 10 pfennigs*
42. *Irmgard is a little put out since she likes the music.*
43. **Dabei ... deutlich** *And yet it (i.e., the voice) was very clear*
44. **Sowas** *that's a fine one!*

ANGESTELLTER: Den Kassierer?
KRAMER: Den Kassierer! Ja. Ist er nicht in der Bank?
ANGESTELLTER: Er wird in einer halben Stunde hier sein, er kann Ihnen das bestimmt erklären.
KRAMER: Da ist was versiebt worden.[45] Ich muß doch Auskunft kriegen,[46] ob Sie den Scheck über 42 000 Mark an Herrn Klausberg ausgezahlt haben oder nicht!
ANGESTELLTER: Es ist bestimmt alles in Ordnung, Herr Kramer. Aber bitte rufen Sie in einer halben Stunde nochmal an. Ich selbst weiß leider nicht Bescheid ...
KRAMER: Zweiundvierzigtausend ... Ist doch ein Unsinn ...
ANGESTELLTER: Ich kann Ihnen wirklich keine Auskunft geben. In einer halben Stunde spätestens ...
KRAMER: Danke.
[Hängt ein]
KRAMER: So ein Unsinn. Was die da anstellen ...
[Hebt ab]
SEKRETÄRIN [im Telefon]: Bitte, Herr Kramer?
KRAMER: Sagen Sie doch Herrn Klausberg, er möchte sofort zu mir kommen.
SEKRETÄRIN: Herr Klausberg ist heute nicht ins Geschäft gekommen.
KRAMER: Wieso? Was heißt das?
SEKRETÄRIN: Herr Klausberg ist krank. Er hat eine Karte geschrieben, daß er erkältet ist, und er wollte —
KRAMER: Krank, sagen Sie? Was fehlt ihm?
SEKRETÄRIN: Er wollte nach Monsdorf zu seiner Tante fahren und sich dort auskurieren, weil er hier keine Pflege hat.
KRAMER: Warum hat man mir das nicht gleich gemeldet?

45. Da ist ... worden   There must be something wrong
46. Ich muß ... kriegen   I should be able to find out

SEKRETÄRIN: Entschuldigen Sie, Herr Kramer, ich habe es auch erst eben gehört . . .
KRAMER: Und was wollte er? Nach Monsdorf? Die haben kein Telefon. Der ist, mit dem Auto, eine Stunde weg, nicht wahr? Eine Stunde Autofahrt, wie?
SEKRETÄRIN: [undeutlich, etwa: „ist nicht zu sprechen"[47] . . .]
KRAMER: Ich habe Sie was gefragt, Fräulein!
SEKRETÄRIN: Entschuldigen Sie, hier ist ein Herr, der Sie sprechen will, in einer . . . „persönlichen Angelegenheit" . . .
KRAMER: Soll sofort herein.[48] Das wird er sein.

[12. Wiesinger — Kramer. Dann Sekretärin]

KRAMER: Bitte kommen Sie 'rein, freut mich, freut mich, Kramer ist mein Name, nehmen Sie Platz, — also . . . was ist los?
WIESINGER: Ich . . . ich wußte nicht, daß Sie es sind, Herr Major.
KRAMER: Wieso wußten Sie das nicht? Schickt nicht die Bank Sie her?
WIESINGER: Bank? Nein. Ich komme aus eigenem Entschluß . . . niemand schickt mich.
KRAMER: Ach so. Ich dachte . . . Sie hätten mir eine Nachricht zu überbringen.
WIESINGER: Das allerdings. Aber es handelt sich um etwas, was nur Sie allein angeht, Herr Major . . .
KRAMER [etwas nervös]: Nennen Sie mich bitte nicht immer Herr Major. Ich werde jetzt [etwas verlegen] mit Direktor angeredet. Sie haben ja selber nach Direktor Kramer gefragt.

47. **ist . . . sprechen** is busy
48. **Soll sofort herein** Tell him to come right in

WIESINGER: Jawohl.
KRAMER: Also schießen Sie los.
WIESINGER: Es fällt mir nicht leicht, Ihnen das zu sagen, was ich zu sagen habe.
KRAMER: Übrigens... — jetzt erkenne ich Sie erst.[49] Sie sind doch der... Wiesinger... Natürlich. Noch vor ein paar Wochen haben wir von Ihnen gesprochen. Trinken Sie was?[50]
WIESINGER: Jetzt? Nein, danke.
KRAMER: Ein Schluck Whisky vielleicht? Steht immer da.
WIESINGER: Und die Würfel sind auch immer noch da.
KRAMER: Die Würfel? Ach so. Ja. Haben Sie das bemerkt? Damals?
WIESINGER: Ja. Öfters.
KRAMER: Quatsch, was? [*trinkt*]
WIESINGER: Sie haben damals mit sich selber gewürfelt, um zu sehen, ob Sie den Krieg überstehen würden?
KRAMER: Ganz richtig. Und ich habe ihn überstanden.
WIESINGER: Ja, den Krieg.
KRAMER: Hören Sie, Herr Wiesinger, — Sie haben vielleicht einen Groll gegen mich, — wegen damals. Und Sie denken vielleicht, Sie könnten mir jetzt irgendwie in die Quere kommen...
WIESINGER: Das denke ich nicht.
KRAMER: Ich habe meinen Namen geändert, das wissen Sie. Aber ich habe nichts auf dem Kerbholz.[51] Ich tat es nur, weil anfangs keiner wußte, was eigentlich geschehen könnte, mit Auslieferungen und so.[52] — Es ging ja alles drunter und drüber.[53] Ich wollte natürlich nicht vor irgendein Gericht,

49. **Übrigens... erst** Incidentally...—I recognize you only now
50. **Trinken Sie was?** Would you like a drink?
51. **Aber... Kerbholz** But I have nothing on my conscience
52. **mit... und so** with deportations and the like
53. **Es ging... drüber** Things were in utter confusion

das mir solange Dinge vorgeworfen hätte, die ich nicht begangen habe, bis es mich verurteilt hätte.[54]

WIESINGER: Ich weiß, daß Sie nichts begangen haben, was bestraft werden müßte.

KRAMER: Aber jeder Mensch benimmt sich in dem Augenblick wie ein Schuldiger, wo er spürt, daß er für schuldig gehalten[55] wird. [*Pause*] Man weiß nie, wieviel die anderen von einem wissen...

WIESINGER: Deswegen bin ich nicht zu Ihnen gekommen.

KRAMER: Ich wollte es Ihnen nur sagen.

WIESINGER: Es ist etwas sehr Ungewöhnliches... wenn Sie, Herr Major, zum Beispiel, diese Würfel hier...
    [*Schütteln im Lederbeutel, aber ohne Wurf*]
Nehmen wir an, Sie würfen... Und es kommt Null heraus.

KRAMER: Gibt's nicht.

WIESINGER: Nehmen wir trotzdem mal[56] an: Alle drei Würfel sind blind. Nichts. Null.

KRAMER: Ein Würfel hat sechs Seiten, und auf jeder Seite sind Augen.

WIESINGER: Das weiß ich. Und auf einmal sind keine Augen zu sehen. Was würden Sie da tun?

KRAMER: Ich würde mir eine Brille kaufen.

WIESINGER: Das habe ich dumm ausgedrückt...

KRAMER: Ich finde, unsere Unterhaltung ist ein wenig abwegig geworden.[57]

WIESINGER: Nein. Aber Sie sind irgendwie abgelenkt[58]... das merke ich schon... Sind Sie gesund?

---

54. **das mir ... hätte** that would have continued to accuse me of things I hadn't done until it had managed to sentence me
55. **für schuldig gehalten** considered guilty
56. **trotzdem mal** nevertheless
57. **ist ... geworden** has digressed a bit
58. **irgendwie abgelenkt** distracted for some reason

ICH HÖRE NAMEN 41

KRAMER: Kerngesund. Fünfundvierzig. Was soll das? Sind Sie Agent einer Versicherungsgesellschaft?
WIESINGER: Bitte lachen Sie mich nicht aus, ich flehe Sie an.
KRAMER: Setzen Sie sich, beruhigen Sie sich.
WIESINGER: Ich weiß nämlich, daß Ihnen etwas bevorsteht... *5*
Es dürfte wohl ein Unfall sein... Was könnte sonst geschehen? Noch heute... ich weiß es...
KRAMER: Was wissen Sie, bitte?
WIESINGER: [*leise, beschwörend, schnell*]: Ich kann nichts dafür, für dieses Wissen,[59] aber es trifft jedesmal zu. Ich höre Namen, *10* verstehen Sie, wenn ich still bin und gar nichts denke und tue, — plötzlich höre ich Namen. Ich höre den Namen eines Menschen, der sterben wird, noch am gleichen Tage, das ist mir schon dreimal passiert, und immer... es ist jedesmal... eingetroffen. Der letzte war... *15*
[*Papier knistert*]
... dieser hier... Ich hörte diesen Namen, und noch am gleichen Tage... Ich ging zu ihm, und sagte es ihm... Und noch am gleichen Tage... Begreifen Sie? Ich weiß nicht, warum Es[60] mich gewählt hat, unter allen Menschen, aber ich kann nichts *20* dafür... Ich höre es, ich höre es.
KRAMER: Und warum kommen Sie zu mir?
WIESINGER: Heute, vor einer halben Stunde... war es Ihr Name, den ich hörte.
KRAMER: Welcher? Klausberg? *25*
WIESINGER: Nein. Kramer.
KRAMER: Ich heiße eigentlich aber Klausberg, nicht wahr?
WIESINGER: Ja. —

---

59. **Ich kann nichts... Wissen** I can't help it that I have this knowledge
60. **Es.** *The E is capitalized to show respect for this unknown force as for a deity.*

KRAMER: Also!! Dann passen Sie mal auf. Wenn[61] Sie mein kleines Würfelspiel beobachtet haben, so will ich Ihnen sagen, daß es immer nur ein Spiel gewesen ist. Keinerlei Wahrsagerei, immer nur ein Spiel mit dem Möglichen. Aber was Sie da treiben, das ist ganz etwas anderes ... Und wenn Sie Ihre abwegige Spielerei im Stillen betrieben, wenn Sie diese makabre Tändelei für sich behielten ... bitte schön.[62] [*Er wird langsam zorniger, steigert*] Aber wenn Sie damit hausieren gehen, wenn Sie Ihre ärmlichen Hirngespinste zu den Leuten tragen ... Da hört die Gemütlichkeit auf. Das ist eine bodenlose Zudringlichkeit. Ein Unfug, dumm, frech, überheblich, jawohl! Wenn Sie wenigstens verrückt wären, das wäre eine Entschuldigung. Aber das sind Sie nicht. Sie sind nichts. Ein dünkelhaftes, böses Nichts.

WIESINGER: Herr Major ... —

KRAMER: Machen Sie, daß Sie 'rauskommen! Verstanden!

WIESINGER: Ich habe gesagt, was ich —

KRAMER: 'Raus!

[*Schritte. Tür fällt zu*]

[*Ein Glas wird gefüllt. Leergetrunken*]

KRAMER: Lächerlich ... So ein Traumtänzer ... [*trinkt*] Hört Stimmen. Und den Wisch hat er auch dagelassen. „Es hat dem Allmächtigen gefallen ..." Ein Herr Schiele ist gestorben ... Wenn schon.[63] [*trinkt*] War das nun Schwindel, oder glaubt er wirklich daran? ... Schwindel war es nicht. Verrückt ist er auch nicht ... Oder —? Nein, er meinte es ganz ernst, aber ich heiße Klausberg. Nicht Kramer.

[*Schütteln des Würfelbechers*]

61. **Wenn** Since
62. **Und ... bitte schön** And if you had carried on this odd game quietly, if you had kept this macabre tom-foolery to yourself ... I wouldn't have minded
63. **Wenn schon** So what!

ICH HÖRE NAMEN

Und was war das mit den Nullen? Blödsinn.
[*Würfelbecher wird hingestellt*]
Quatsch mit den Würfeln.
[*Schütteln des Würfelbechers*]
Lächerlich . . . mit den drei Nullen . . . die es gar nicht gibt.
Brauch' ich gar nicht erst zu . . . zu probieren.
[*Hinstellen des Würfelbechers ohne Wurf*]
Aber wozu reg' ich mich auf? Ich werde dem Unsinn nachspüren. Gleich der Sache auf den Grund gehen.[64] Wie . . .
[*Hörer wird abgenommen*]
SEKRETÄRIN: Bitte, Herr Direktor.
KRAMER: Ich bin in einer Stunde wieder zurück.
SEKRETÄRIN: Jawohl, Herr Direktor.

[*13. Wiesinger — ein Fremder — Straße — eine Dame*]
[*Straßenlärm*]
WIESINGER: Ich hätte nicht hingehen sollen . . . Null und nichts,[65] sagte er, Null und nichts . . . Er reißt einem die Haut ab, mit wenigen Worten, und schlägt sie einem um die Ohren.[66] Ich könnte[67] mich im dunkelsten Loch verkriechen . . . Weshalb bin ich hingegangen . . . Es gibt Mächtige von Natur aus,[68] und solche, die immer ohnmächtig sind . . . Null und nichts. Und wahrscheinlich habe ich mich verhört.

64. **Gleich . . . gehen** Get to the bottom of this whole matter as fast as possible
65. **Null und nichts** a complete nobody
66. **schlägt . . . Ohren** beats one about the ears with it (*i.e.*, with the flayed skin)
67. **Ich könnte** I wish I could
68. **von Natur aus** by nature

Und er wird ewig leben ... Der eine sagt: „Endlich" und der
andere sagt: „Machen Sie, daß Sie 'rauskommen ..."
FREMDER: Haben Sie was gesagt?
WIESINGER: Ich habe nur nachgedacht ... Der eine löscht beim
5 schwachen Windzug aus, der andere flackert nicht einmal[69]...
FREMDER: Wie? Verstehe nicht. Aber können Sie mir sagen, ob
hier die Dreizehn[70] vorbeikommt?
WIESINGER: Ja, die kommt hier vorbei. Alle zehn Minuten.
FREMDER: Danke.
10 WIESINGER [*wieder mit sich*]: Und Nullen kommen vorbei ...
klingelnde Nullen ...
[*Straßenbahn — läutend. Raspeln. Etwas wie
„Wiesinger ... Wiesinger"*]
WIESINGER: Ja? Hier bin ich!
15 FREMDER: Ich habe nichts gesagt.
WIESINGER: Jemand rief mich eben.
FREMDER: Ich nicht.
WIESINGER [*für sich*]: Dann war es Klettke, bestimmt war es
Klettke, vielleicht dort, von der Straßenbahn aus —
20 [*Straßenbahngeräusch. Raspeln*]
Wiesinger ... Jemand sagt: Wiesinger ... Wo ist er? Ent-
schuldigen Sie, — [*verlegen*] es ruft mich jemand,[71] aber ich
kann albernerweise nicht sehen, ich sehe nicht, wo er steht —
DAME: Ich höre nichts.
25 WIESINGER: Es ist ein Freund von mir, der mich sucht, aber ich
entdecke ihn nicht, ich höre nur, wie er mich ruft —
DAME: Sie müssen sich irren.

---

69. **Der eine ... einmal** the one is extinguished by a slight gust of wind, the other doesn't even flicker
70. **die Dreizehn** streetcar number 13
71. **es ... jemand** somebody is calling me

ICH HÖRE NAMEN

WIESINGER: Entschuldigen Sie. Wahrscheinlich habe ich mich geirrt.
[*Straßenlärm stark. Raspeln*]
[*für sich*]: Natürlich habe ich mich geirrt. [*im Gehen, immer schneller*] Vielleicht war es auch ein anderer, der gerufen wurde ... Es war undeutlich ... Ich muß hier weg[72] ... [*schneller gehend*] ... Außerdem kennt mich niemand ... Nein nein ... Null und nichts ... Unsinn ... Ich muß nach Hause ... Ich muß jetzt rasch nach Hause ... Nicht laufen, aber schnell gehen ... nicht auffallen[73] ... alter Mann, der läuft ... aber schnell gehen ... Fällt nicht auf ... Nach Hause.
[*Straßenlärm hört nach einer Weile auf. Treppe wird hastig genommen*][74]
[*im Steigen*]: Jetzt kann mir nichts geschehen ... So ein Unsinn ... Einfach hinlegen und schlafen ...
[*Tür geht auf*]
Hinlegen und schlafen ...
[*Bett knirscht*]
Ich will nichts hören!
[*Turmuhr schlägt, viele Schläge, klingend, hallend, daraus Musik, aufrauschend, die die Worte Wiesingers zudeckt*]
[*undeutlich, Mund in Kissen*]: Nein, nein, ich höre nichts!!! Ich höre nichts, — Verkriechen ins tiefe Loch, ins Dunkle, Kissen übers Gesicht ...

72. **Ich muß hier weg** I must get away from here
73. **nicht auffallen** so that I don't attract attention
74. **Treppe ... genommen** steps are climbed hastily

[*14. Wiesinger — Kramer*]
[*Hausklingel*]
WIESINGER [*fährt auf*]: Jetzt... Jetzt ist es soweit[75]...
  [*NB.:*[76] *Das Folgende ist kein Traum*]
5   [*Hausklingel nochmals. Lauter*]
Das kann natürlich... auch zu jemand anderem sein...
  [*Tür draußen wird geöffnet. Stimmen, Schritte*]
Nach wem fragt er? „Wiesinger"? Zu mir, also zu mir...
[*Klopfen*] Herein.
10 KRAMER: Tag, Herr Wiesinger. Geschlafen?[77]
WIESINGER: Guten Tag, Herr Major... ich sage immer noch „Herr Major" zu Ihnen, ich kann natürlich auch, wenn Sie wünschen, Herr Kramer sagen —
KRAMER: Herrgottnochmal![78] Seien Sie doch nicht so ver-
15 flucht servil! Und hören Sie bitte auf, mich so anzustarren. Ich bin nicht Ihr Vorgesetzter.
WIESINGER: Es liegt mir in den Knochen.[79] Wenn ich Sie sehe... wenn ich auch nur Ihre Stimme höre —
KRAMER: Bin ich wirklich so unausstehlich? Nichts, als furcht-
20 einflößend? Ein widerwärtiger, brutaler, despotischer Unmensch?
WIESINGER: Vorhin haben Sie mich angebrüllt. Genau so, wie vor zehn Jahren.
KRAMER: Sie müssen mir das verzeihen, Wiesinger. Ich bin
25 eigens hergekommen, um Sie um Entschuldigung zu bitten.
WIESINGER: Ja, gewiß, Herr Major.
KRAMER: Wirke ich auf alle Menschen so?
WIESINGER: Das werden Sie selber am besten wissen.

75. **Jetzt... ist es soweit** Now... now the time has come
76. **N.B.** = **Nota Bene** mark well
77. **Geschlafen?** Were you asleep?
78. **Herrgott noch mal!** Oh for heaven's sake!
79. **Es liegt... Knochen** It's in my bones, *i.e.*, I can't help it

ICH HÖRE NAMEN 47

KRAMER: Sagen Sie es ehrlich. Auf alle?
WIESINGER: Ich glaube wohl, Herr Major.
KRAMER: Hören Sie, Wiesinger ... Ich habe einen Sohn. Wenn ich für den auch nichts mehr bin,[80] als ein Schreckgespenst, ein herrschsüchtiger alter Mann —
WIESINGER: Ach, Sie sind doch noch gar nicht so alt.
KRAMER: Aber eisig, ja? Nichts Freundliches, nichts, wozu man Vertrauen haben könnte. Da weicht er mir natürlich aus, wo[81] er kann, er liebt mich nicht. Er liebt mich nicht ... Verstehen Sie etwas davon, Wiesinger? Sind Sie verheiratet? Haben Sie Kinder?
WIESINGER: Ich habe eine Tochter. Aber sie ist zusammen mit meiner Frau damals in Berlin umgekommen.
KRAMER: Damals? —
WIESINGER: Ja. Ich hatte vorher um Urlaub gebeten. Ich wollte die beiden aus Berlin wegbringen, aufs Land. Aber der Urlaub wurde mir gestrichen.
KRAMER: Von mir. Ich erinnere mich.
WIESINGER: Ja. Von Ihnen.
KRAMER: Und seitdem halten Sie mich für die Ursache[82] Ihres Unglücks.
WIESINGER: Hätte ich damals den Urlaub bekommen —
KRAMER: Mensch, hören Sie auf! Wollen Sie wissen, wie es eigentlich gewesen ist? Sie hatten damals diesen blödsinnigen Brief nach Hause geschrieben, und der General wollte Sie deswegen vors Kriegsgericht stellen. Sie wären zu einem Strafbataillon gekommen, und wissen Sie, was das bedeutet? Sie hätten das auch nicht zwei Wochen überlebt.[83] Ich habe

---

80. **Wenn ... bin** If he, too, thinks of me only
81. **wo** whenever
82. **für die Ursache** to be the cause
83. **Sie hätten ... überlebt** you wouldn't have survived two weeks (of that life)

mir den Mund fusselig geredet,[84] Ihretwegen. Schließlich verzichtete der Alte[85] aufs Kriegsgericht. Nur der Urlaub wurde Ihnen gestrichen.

WIESINGER: So ist das gewesen?[86]
KRAMER: Ja, so, mein Lieber.
WIESINGER: Ich habe Sie zehn Jahre lang gehaßt.
KRAMER: Sie können mich ruhig weiterhassen. Das ist mir egal.
WIESINGER: Ganz ohne Grund gehaßt.
KRAMER: Und nach zehn Jahren jetzt, — da haben Sie sich eine schlaue Rache ausgedacht.
WIESINGER: Wieso? Ich wußte ja nicht einmal, daß Sie das sind. Sie hießen doch Kramer! Erst als ich Ihnen gegenüberstand —
KRAMER: Ich habe Ihre Geschichte nicht geglaubt. Es kam mir vollkommen hirnverbrannt vor. Inzwischen ... bin ich etwas unsicher geworden. Und jetzt habe ich eine kleine Fahrt vor. Eine Stunde ... Nach Monsdorf etwa. Eigentlich wollte ich sie allein unternehmen, aber plötzlich fiel mir ein — der Wiesinger muß mit.[87]
WIESINGER: Wohin?
KRAMER: Sagen wir — nach Monsdorf. Ich habe dort zu tun.[88] Kommen Sie?
WIESINGER: Sie wollen mich mitnehmen?
KRAMER: Genau erraten. Ich will sie mitnehmen.
WIESINGER: Gleich?
KRAMER: Ja, gleich. Kommen Sie. Worauf warten Sie noch?[89]

---

84. **Ich habe ... geredet** I talked myself hoarse
85. **der Alte** *referring to the general*
86. **So ist das gewesen?** So that's the way it was!
87. **muß mit** has to come along
88. **Ich habe ... tun** I have some business there
89. **Worauf ... noch?** What are you waiting for?

WIESINGER: Ich will mich nur noch einmal umschauen.[90]
KRAMER: Besonders schön ist es nicht, was Sie sich da eingerichtet haben.
WIESINGER: Es war[91] gut genug. Ein Bett und ein Tisch und ein Fenster.
KRAMER: Sogar eine Art Bild an der Wand. Ja, die Häuslichkeit.[92]
WIESINGER: Ich verstehe noch immer nicht.
KRAMER: Hören Sie zu! Ich hasse das Undeutliche. Und was Sie da losgelassen haben, diese ganze staubige Beschwörung, dieses Gespinst, diese Drohung —
WIESINGER: Nicht ich! Was kann denn ich[93] —
KRAMER: Egal! Es ist auf einmal da, ich will das nicht. Es gibt nur eine einzige Art, einer Gefahr zu begegnen, — man muß ihr entgegengehen. Mit was wird denn da gedroht?[94] Soll mein Herz plötzlich stehenbleiben? Es ist kerngesund. Was kann einem kerngesunden Menschen zustoßen? Ein Unfall. Natürlich, ein Unfall. Soll ich mich verkriechen, in Watte verpackt? O nein. Hier bin ich. Bitte sehr, es soll sich zeigen.[95] Kommen Sie, unten steht mein Wagen. Es soll sich zeigen.
[*Straßenlärm*]
Los, steigen Sie ein.
WIESINGER: Was ist denn das für 'n Wagen?
KRAMER: Alter Bugatti, noch sehr tüchtig. Sie werden sehen. Es wird genau eine Stunde dauern. Eben ist es — drei Uhr zehn.

90. *He takes a long last look as he feels that he, too, will die in the impending accident.*
91. **war.** *The past tense reinforces the impression that his life in the room now belongs to the past.*
92. **Ja, die Häuslichkeit** *Yes, very homey indeed!*
93. **Was kann denn ich** *It's not my fault!*
94. **Mit ... gedroht?** *What kind of danger will it be?*
95. **Bitte sehr ... zeigen** *All right, let come what may*

Und jetzt [*Motor springt an*] — können wir abfahren.
[*Wagen fährt*]
WIESINGER: Sie sagten vorhin: man muß der Gefahr entgegengehen. Sie meinen: herausfordern.
5 KRAMER: Das ist das Gleiche.
WIESINGER: Und wie soll das enden?
KRAMER: Das endet entweder mit einem großen Gelächter, über mich selber, und über Sie, und Sie werden mitlachen, Wiesinger, —
10 WIESINGER: Oder?
KRAMER: Oder es gibt einen Trümmerhaufen am Rande der Straße, einen brennenden Wagen.
WIESINGER: Haben Sie nicht bedacht, daß ich mich geirrt haben könnte?
15 KRAMER: Wieso geirrt?
WIESINGER: Wenn alles nur ein Irrtum war?
KRAMER: Ach, sieh an.[96] Jetzt wollen Sie es auf einmal zurücknehmen.
WIESINGER: Ich muß mich getäuscht haben.
20 KRAMER: Auf einmal. Aber der Mann, bei dem Sie vorher waren, der ist wirklich tot.
WIESINGER: Vielleicht war das ein Zufall.
KRAMER: Ein merkwürdiger Zufall.
WIESINGER: Aber es kann doch ein Zufall sein!
25 KRAMER: Ich bin nämlich dort gewesen. Ich habe alles erfahren. Auch von Ihrem Besuch kurz vorher.
WIESINGER: Es gibt solche Zufälle.
KRAMER: Und die übrigen?
WIESINGER: Welche übrigen?
30 KRAMER: Es ist Ihnen doch schon mehrmals passiert?

96. **Ach, sieh an** Oho! look at this, will you!

WIESINGER: Ja, da waren noch zwei.
KRAMER: Wie kam das? Erzählen Sie.
WIESINGER: Ich hörte die Namen.
KRAMER: Genau! Wann, wie.
WIESINGER: Ich saß in meinem Zimmer.
KRAMER: In Ihrem staubigen Loch.
WIESINGER: Ich tat nichts. Ich dachte nichts ...
KRAMER: Und auf einmal hörten Sie die Namen.
WIESINGER: Ja.
KRAMER: Und da gingen Sie hin, und —?
WIESINGER: Ich ging nicht hin.
KRAMER: Warum nicht?
WIESINGER: Ich wußte noch nicht, was diese Namen bedeuten.
KRAMER: Und wann erfuhren Sie es?
WIESINGER: Ein paar Tage später.
KRAMER: Genau! Wieviel Tage später?
WIESINGER: Ich weiß es nicht. Bei mir ist ein Tag wie der andere. An einem solchen Tage war es.
KRAMER: Und Sie fanden?
WIESINGER: Beide waren gestorben.
KRAMER: Wann?
WIESINGER: Kurz vorher.
KRAMER: Was heißt das, „kurz vorher"?
WIESINGER? Ich war so bestürzt darüber —
KRAMER: Sie haben das nicht ganz genau erfragt? Nachgeforscht Tag und Stunde?
WIESINGER: Nein.
KRAMER: Und wie kamen Sie auf diese Namen?
WIESINGER: Das weiß ich nicht.
KRAMER: Sie saßen da —?
WIESINGER: Ohne zu denken. Die Zeitung auf dem Schoß.
KRAMER: Vorher hatten Sie gelesen?

WIESINGER: Stellenangebote. Aber es war nichts für mich dabei.[97]
KRAMER: Hören Sie mal... Wissen Sie genau, daß diese beiden Männer noch lebten, als Ihnen plötzlich die Namen einfielen?
5 WIESINGER: Genau kann ich das nicht sagen.
KRAMER: Aha.
WIESINGER: Aber es muß wohl so gewesen sein.[98]
KRAMER: Warum?
WIESINGER: Weil... ich weiß nicht... ich dachte es mir so.
10 KRAMER: Es kann auch umgekehrt gewesen sein.
WIESINGER: Umgekehrt?
KRAMER: Daß die Leute gestorben waren, und dann hörten Sie die Namen —
WIESINGER: Nein, wieso denn?
15 KRAMER: Daß Sie in der Zeitung vielleicht zwei Todesanzeigen gelesen hatten, ohne besonders darauf zu achten, und die Namen waren in Ihrem Gedächtnis hängen geblieben... Und Sie grübelten vor sich hin, und dann —
WIESINGER: Es könnte... könnte es so gewesen sein?
20 KRAMER: Natürlich! Genau so![99]
WIESINGER: Ja, dann aber —
KRAMER: Dann war's nichts mit Vorahnungen.
WIESINGER: Und der Mann, zu dem ich hinging, Herr Schiele, der so gern sterben wollte — „endlich", sagte er...
25 KRAMER: Den kannten Sie.
WIESINGER: Nein. Ich habe seinen Namen nie vorher gehört!
KRAMER: Ich bin dort gewesen. — Ich habe alles erfahren.

97. **dabei** in there
98. **Aber... sein** But that must have been the case
99. *The earlier scene in the census office would indicate that one of the men had not died but gone abroad. However, deaths and departures are often listed close to one another in the newspaper, so that Kramer might be nearly right.*

ICH HÖRE NAMEN 53

Seine Schwester sagte mir, es wäre ihm, als Sie gegangen waren, eingefallen, woher er Sie kannte.[1]
WIESINGER: Der,[2] ich habe den Mann nie gesehen.
KRAMER: Sind Sie in der Poliklinik gewesen?
WIESINGER: Nur einmal — 5
KRAMER: Wann?
WIESINGER: Vor einigen Monaten.
KRAMER: Und waren Sie ungeduldig geworden, weil Sie zu lange warten mußten? Und hatten Sie sich darüber geärgert, daß ein Herr vor Ihnen zum Arzt gerufen wurde? 10
WIESINGER: Ja
KRAMER: Vor Ihnen aufgerufen? „Der Nächste: Herr Schiele..."
WIESINGER: War er das gewesen?
KRAMER: Ja! Erzählte mir die Schwester.
WIESINGER: Aber den Namen — Schiele... 15
KRAMER: Hatten Sie inzwischen vergessen.
WIESINGER: Ja.
KRAMER: Und dann ging es weiter mit lauter vergessenen Namen![3] Dann kam ich dran.
WIESINGER: Ja. 20
KRAMER: Und es wäre immer weiter gegangen, und Sie wären plötzlich aufgetaucht,[4] „Ich habe Ihren Namen gehört"! So erschreckt man die Leute, die einen mal geärgert haben.
WIESINGER: Dann ist das alles[5] — Einbildung, Überheblichkeit, Selbsttäuschung, — wie Sie vorhin gesagt haben. Es bleibt 25 aber der merkwürdige Zufall, daß Herr Schiele an jenem Tage wirklich gestorben ist.

1. **woher ... kannte** where he had gotten to know you
2. **Der** That chap!
3. **Und dann ... Namen!** And then the process continued with a string of forgotten names!
4. **aufgetaucht** appeared (to this person and that)
5. **Dann ist das alles** Then all this was (nothing but)

KRAMER: Vielleicht war es gar kein Zufall. Der alte Mann war schwer herzleidend.
WIESINGER: Sie meinen, der Schreck könnte ihn getötet haben?
KRAMER: Und daß[6] er den Tag[7] herumgelaufen ist, aufgeregt,
5 mit der Angst im Herzen, daß es zu Ende geht, —
WIESINGER: Aber er hatte keine Angst! Er sagte: „endlich".
KRAMER: Sagte er!
WIESINGER: Also kein Schreck!
KRAMER: Vermutlich doch.[8]
10 WIESINGER: Und ich — ich wäre daran schuld?[9]
KRAMER: Sie sind nicht hingegangen, um ihm zu sagen, daß er sterben wird, sondern er ist gestorben, weil Sie zu ihm gekommen sind, und das gesagt haben.
WIESINGER: Dann war das alles wirklich nur ein wüster Selbst-
15 betrug ... und obendrein ...
KRAMER: Jetzt ist der Spuk vorbei. Leben wir noch? Wir leben! Und ist es nicht ... im Grunde ... ziemlich lächerlich gewesen? [*lacht kurz*] Und daß auch ich —! Nein, zu doll sowas![10] [*lacht lange und herzlich*] Lachen Sie, Wiesinger. Es
20 bleibt Ihnen nichts anderes übrig, als sich auszulachen![11]
WIESINGER: Ich weiß nicht ... ob es wirklich schon vorbei ist ...
KRAMER: Was?
WIESINGER: Das, was Sie den Spuk nannten.
25 KRAMER: Natürlich! Was soll denn noch passieren?
WIESINGER: Ich weiß nicht ... Die Stunde ist noch nicht vorbei.

6. **daß** the fact that
7. **den Tag** the whole day
8. **Vermutlich doch** Apparently there was
9. **ich ... schuld?** I'm to blame?
10. **zu doll (toll) sowas!** too silly for words!
11. **Es bleibt ... auszulachen!** There's nothing left for you to do but to laugh at yourself!

ICH HÖRE NAMEN 55

KRAMER: Erledigt! Von selbst! Erzählen Sie mir nur noch, — wie kamen Sie eigentlich auf diese abstrusen Vorstellungen?
WIESINGER: Ich finde es entsetzlich, nichts zu sein als ein Staubkorn.
KRAMER: Ein Staubkorn?
WIESINGER: ... das sich an anderen Staubkörnern reibt, bis es zerrieben ist. Diese dumpfe, wilde Mühle finde ich entsetzlich, nirgends über sich hinauszugelangen, blind, in einer rüttelnden Finsternis.[12]
KRAMER: Damit hat man sich abzufinden.
WIESINGER: Ich habe ein paar Tage lang in einem sonderbaren Zustande gelebt, ich sah die Sterne über meinem Fenster, ich fühlte etwas, wie einen lautlosen Donner, etwas von der Ewigkeit, den Wind von den Sternen ... Verstehen Sie, das ist das Band zwischen dem kleinen Nichts, das man ist, und dem ungeheuren Weltall, das keiner zu Ende denken[13] kann.
KRAMER: Eigentlich sind Sie geradezu rührend.
WIESINGER: Und dieses Bewußtsein zu haben, ein paar Tage lang, das war herrlich.
KRAMER: Sie haben zu viel gegrübelt. Sie haben wohl nichts zu tun.
WIESINGER: Seit zwei Jahren.
KRAMER: Wollen Sie bei mir eintreten?
WIESINGER: Bei Ihnen? Als Buchhalter?
KRAMER: Ich dachte eher ... als Lagerverwalter. Aber vielleicht auch als Buchhalter. — Mal sehen.[14]
WIESINGER: Ich kann es mir nicht erlauben, so etwas abzulehnen.[15]

12. *Wiesinger rebels at the idea that he is merely an insignificant speck in an impersonal, mechanistic universe.*
13. **zu Ende denken** comprehend
14. **Mal sehen** we'll see
15. *a stiff but not unappreciative acceptance of Kramer's offer*

KRAMER: Aber keine Sterne mehr. Keine Hirngespinste. Und ich habe selber wahrhaftig mit Ihrer albernen Geschichte das Wichtige vergessen. Wir halten hier, tanken, und ——— dann fahren wir gemächlich nach Hause.

WIESINGER: Ich komme mir vor wie ein Verbrecher ...

KRAMER: Sie können nichts mehr rückgängig machen.[16] Und im Grunde war es nichts als ein kleiner Schwindel, ein unbewußter Schwindel ...
Und ich selber, muß ich zugeben, habe auch ein bißchen geschwindelt ...

WIESINGER: Sie nicht, nur ich.

KRAMER: Doch,[17] ich auch. Als ich Sie mitnahm.

WIESINGER: Ich verstehe nicht.

KRAMER: Ich stand doch als letzter Name auf Ihrer Todesliste. Und da dachte ich, — wenn ich den Wiesinger mitnehme, das ist so eine Art[18] Talisman ... Der kleine Prophet, dem kann doch selber nichts passieren.[19]

WIESINGER: Ihr Name war aber gar nicht der letzte.

KRAMER: So?

WIESINGER: Den letzten Namen hatte ich gehört, kurz bevor Sie zur mir kamen.

KRAMER: Noch einen?

WIESINGER: Ja. Meinen eigenen.

KRAMER: Sie selber? Sie hörten Ihren eigenen Namen?

WIESINGER: Ja.

KRAMER: Und Sie waren überzeugt —? Und mit Ihnen bin ich losgefahren? [*lacht von neuem*] Na, da sind wir ja gerade noch, — um ein Haar, — dem Deibel entwischt[20] ...

16. **Sie können ... machen** You can no longer change anything
17. **Doch** Yes
18. **so eine Art** a kind of
19. **dem ... passieren** nothing can happen to him
20. **Na ... entwischt** Then we just escaped the devil's clutches by a hair!

ICH HÖRE NAMEN 57

[*15. Tankwart — Wiesinger — Kramer*]
TANKWART: Guten Tag.
KRAMER: 20 Liter[21] und Luft nachsehen! Kann ich bei Ihnen telefonieren?
TANKWART: Im Büro bitte.
KRAMER: Füllen Sie unterdessen den Tank und sehen Sie bitte die Luft nach.
TANKWART: Jawohl.
[*Klappen der Motorhaube*]
TANKWART: Schöner alter Bugatti. Sieht man selten heutzutage. Macht noch seine hundertzwanzig, was?[22]
WIESINGER: Ich weiß nicht. Der Wagen gehört nicht mir.
TANKWART: Hundertzwanzig allemal.[23] Ist ja ein bißchen hart in der Steuerung, aber wenn man's versteht[24] . . . So. Der Tank ist voll. Und jetzt . . . Au-weh![25] Was ist denn das?
WIESINGER: Ist da etwas kaputt?
TANKWART: Kaputt nicht gerade . . . sonst wären Sie nicht hier. Aber der Reifen vorn links ist beinahe durch. Der muß erneuert werden. Mit dem kommen Sie nicht mehr weit. Und schön langsam fahren,[26] sagen Sie das dem anderen Herrn — der telefoniert gerade — aber — wissen muß er's doch.
[*aufblenden zu:*]
KRAMER: Ist da die Kommerzbank? . . . Bitte den Kassierer . . . Ja? Hier ist Direktor Kramer. Ich habe schon vorhin angerufen. Aber da waren Sie nicht da. Können Sie mir sagen, ob gestern ein Scheck über zweiundvierzigtausend für unseren Betrieb bei Ihnen ausgezahlt wurde? . . .

21. **Liter**   *liquid measure* = 1.057 *quarts*
22. **Macht ... was?**   I'll bet it can still do 120 kilometers per hour *(a kilometer = 1000 meters or almost 5/8 mile)*
23. **allemal**   at least
24. **Ist ... versteht**   It steers a little hard, but if one knows (how to handle it)
25. **Au-weh!**   Oh my!
26. **Und ... fahren**   And be sure to drive nice and slowly

58 FRED VON HOERSCHELMANN

Ja, ein Barscheck... Also doch.²⁷ Danke. Können Sie sich erinnern, wer den Betrag abgeholt hat? — Danke. Nein, der Scheck war völlig in Ordnung... Ja, ich hatte ihn ja selbst unterschrieben. Ja. Danke.
5 [*Einhängen*] [*Zwei schwere Atemzüge*]
[*leise*] Mein Sohn.
[*Hinausgehen*]
TANKWART: Macht Vierzehn - sechzig.²⁸
KRAMER: Hier.
10 TANKWART: Fünfzehn.
KRAMER: Behalten Sie²⁹...
[*Schlag fällt zu. Motor springt an*]
WIESINGER: Wieso fahren wir nicht zurück?
KRAMER: Nein. Jetzt muß ich nämlich wirklich nach Monsdorf.
15 WIESINGER: Aber nicht so rasch, bitte.
KRAMER: So schnell wie möglich. [*schaltet*] Sogar noch schneller.³⁰
WIESINGER: Der Mann an der Tankstelle hat mir gesagt, der Reifen vorne links —
20 KRAMER: Ist ganz gleichgültig³¹ —
WIESINGER: War es das Telefongespräch? Haben Sie etwas erfahren? Etwas Unangenehmes?
KRAMER: Schweigen Sie.
WIESINGER: Der Reifen vorn links, sagte der Mann. Wenn der
25 Reifen platzt —
KRAMER: Hören Sie auf.
WIESINGER: Was würde geschehen —?

27. **Also doch** Then it was (paid out)
28. **Macht Vierzehn - sechzig** (That will make) 14 marks and 60 pfennig
29. **Behalten Sie** Keep (the change)
30. **Sogar noch schneller** Even faster than that
31. **Ist ganz gleichgültig** It doesn't matter

ICH HÖRE NAMEN 59

KRAMER: Der Wagen stellt sich quer und überschlägt sich.[32]
Das geht so schnell, das bemerkt man kaum —
WIESINGER: Aber vorhin wollten Sie doch —
KRAMER: Ich hab's mir anders überlegt.[33]
WIESINGER: Bitte nicht so schnell —
[Quietschen]
KRAMER: Ich erzählte Ihnen vorhin von meinem Sohn. Ich habe eben erfahren, daß er mich bestohlen hat.
WIESINGER: Bestohlen?
KRAMER: Gestern kam er zu mir ... ein Haufen Sachen zur Unterschrift.[34] Redete auf mich ein, lenkte mich ab, ich unterschrieb, paßte nicht auf. Der Scheck, den er dann einlöste, trug meine Unterschrift ... wenigstens hat er sie nicht gefälscht ... Da habe ich geradezu noch Glück mit ihm gehabt.[35]
WIESINGER: Eine große Summe?
KRAMER: Ziemlich. Und es ist nicht einmal mein Geld. Ich selber habe nichts. Ich bin meinem Teilhaber verantwortlich.
WIESINGER: Dann müssen Sie es entweder anzeigen —
KRAMER: Ich zeige meinen Sohn nicht an.
WIESINGER: Oder Sie nehmen es auf sich.
KRAMER: Es ist entwürdigend, einem Menschen das zu schenken, was er einem gestohlen hat. Für beide.
WIESINGER: Es gibt nur die beiden Möglichkeiten.
KRAMER: Vielleicht treffe ich ihn noch in Monsdorf, mitsamt dem Gelde. Er hat sicher nicht gedacht, daß es so schnell herauskommen würde ... aber ich würde ihn lieber nicht treffen, verstehen Sie das? Am liebsten — am liebsten würde

---

32. **Der Wagen ... sich** The car would veer and then overturn
33. **Ich hab's ... überlegt** I've changed my mind
34. **ein Haufen ... Unterschrift** a pile of things to sign
35. **Da habe ... gehabt** In that regard I was still lucky

ich gar nicht erst[36] ankommen. Wollen Sie mich nicht lieber allein fahren lassen?
WIESINGER: Nein —
KRAMER: Leichtsinnig von Ihnen. Warum?
WIESINGER: Weil Sie bestimmt, — ob Sie wollen oder nicht, — weniger unvorsichtig sind, solange noch ein anderer neben Ihnen sitzt.[37]
KRAMER: Meinen Sie.
WIESINGER: Und es sollte doch eine Stunde dauern. Die ist noch nicht um.[38]
KRAMER: Fangen Sie schon wieder an... mit diesem Unsinn —
WIESINGER: Wieviel fehlt denn noch?[39]
KRAMER: Hören Sie auf!
WIESINGER: Siebenundzwanzig Minuten noch... Herr Kramer.
KRAMER: Verschonen Sie mich mit Ihrem Trost —
WIESINGER: Vorhin war es lächerlich geworden. Wie konnte ich mich so geirrt haben. Lauter Täuschungen... Aber jetzt ist alles wieder da, — die Toten und die vorbestimmte Bahn.
KRAMER: ... und mit Ihren Hirngespinsten!
WIESINGER: Dann ist es doch so gewesen,[40] daß diese Namen aus dem eisigen Raum[41] direkt in mein Herz fielen. Ein Blitz flog über das Kommende.[42] Einiges wurde hell, ich konnte es sehen. Vielleicht kann das einem Menschen wirklich genau so passieren...
KRAMER: Und was hätten Sie davon?

36. **gar nicht erst** not even
37. **Weil ... sitzt** Because—whether you want to or not—you will certainly be less reckless when somebody is with you
38. **Die ist ... um** It is not yet over
39. **Wieviel ... noch?** How much (time) is there left?
40. **Dann ... gewesen** Then it was true after all
41. **eisigen Raum** icy space
42. **flog ... Kommende** illuminated the future

ICH HÖRE NAMEN

WIESINGER: Vielleicht ist ein einziger Augenblick, eine Sekunde, in der man das erfährt, mehr wert als das ganze übrige Leben.

KRAMER: Ich seh', was Sie wollen...

WIESINGER: Ein einziger Moment, und sei es der des Todes... Wenn man nur dadurch erführe, daß es etwas Größeres gibt, als man selbst ist, und daß nicht alles stimmt, und nicht ausgedacht, zu Ende gedacht werden kann, — daß es das Unausdenkbare gibt[43]...

KRAMER: Sie wollen mich nur dazu bringen, daß ich Ihnen Ihren Traum vom Vorbestimmten zerstöre.

WIESINGER: Noch sechsundzwanzig Minuten.

KRAMER: Aber ich laß' mich nicht fangen.

WIESINGER: Das Höhere wäre, — zu widerstehen.[44] Die Gefahr ist da, die schrecklichen Zufälle.[45]

KRAMER: Ein Trümmerhaufen, aus dem die Flammen schlagen.

WIESINGER: Aber liegt nicht ein Hauch von Güte in der Welt? Alles ist durchsichtig... Ein Strömen der Freiheit?

KRAMER: Ein Trümmerhaufen...

WIESINGER: Wir sind nicht gefangen.

KRAMER: Jetzt widersprechen Sie sich selber. Aber wir fahren trotzdem weiter.

WIESINGER: Fünfundzwanzig Minuten.

KRAMER: Wir fahren weiter.[46]

[*abblenden*] [*Das Geräusch des Wagens verhallt*]

ENDE

43. **Wenn man nur ... gibt** If one only learned from it that there was something greater than oneself, and that not everything can be confirmed, thought out, fully comprehended—that some things remain incomprehensible
44. **Das Höhere ... widerstehen** The nobler thing would be to resist
45. Wiesinger implies that if Kramer doesn't believe in his ominous prediction, there still are "the terrible coincidences" to be reckoned with.
46. See page 62.

This **Hörspiel** *is essentially a mystery drama and it would be futile to probe everywhere for hidden meanings. Still the final scene would indicate that here the author has striven to create a picture with universal symbolism. The occupants of the car clearly represent antithetical philosophical positions: Wiesinger is an idealist, Kramer a complete pessimist. Although it is not likely that Wiesinger has gone back to romantic idealism based on his psychctic voices, it is clear that he has the courage and idealistic conviction to risk his life in an attempt to save that of a fellow man. He wants, at least, to believe that there is moral freedom and "a breath of goodness in the world." Kramer, whom the course of the action has shown to be cold and domineering but by no means evil, is brought by his son's act to an attitude of utter pessimism and nihilism—a feeling that all events are caused by "terrible coincidences" and that the world is a meaningless chaos. These two men, representing hope and lack of hope, idealism and pessimism, plunge along in a car that is almost certain to crash fatally within minutes. The author may mean to imply that idealism is powerless to save the world from pessimism and self-destruction.*

This interpretation may be far-fetched, although the philosophic remarks on the last page would seem to warrant such an explanation. In any case, the mood evoked by the last scene is not untypical of the cynicism and pessimism in postwar Germany, when it became evident that utter destruction and millions of deaths had brought mankind no closer to brotherhood among men; rather that the two most powerful victor nations were engaged in bitter competition to invent and mass-produce terrible new weapons capable of annihilating not only each other but the entire human race.

DAS GNADENBRINGENDE STRAFGERICHT

Hörspiel von

HEINZ HUBER

A literary theme that frequently appears in the aftermath of war is a plea for renewed good will among men. Immediately after the First World War an intense appeal for "humanity" and "brotherhood" was made in Germany by a group of writers called Expressionists, some of whom combined socialist convictions with their abhorrence of war. When Expressionism with its terse, stylized form began to lose force in the early 1920's the theme was picked up by writers using a more realistic style. The most famous of these is the German author Erich Maria Remarque, whose novel All Quiet on the Western Front *(1918) has sold in the millions of copies and been translated into twenty languages.*

Das gnadenbringende Strafgericht *may also be classified as a postwar plea for tolerance and understanding. However, it differs from Expressionist writing in the delightfully light quality of its wit and humor, and from the practice of the Realists in its greater use of phantasy. The play is cast as a* Legendenspiel *of the type so popular during the Middle Ages, in which the Virgin Mary intercedes for the penitent sinner.*

The opening scene takes place in heaven where an Italian painter of the Renaissance, Dorio Perucci, who for the past four hundred years has been happily painting children's toys in celestial space, is talking with a little angel named Angelino. In the course of the conversation, Dorio discovers that his best earthly painting, a Madonna, has disappeared from its place on the altar of the Church San Giorgio dei Greci in Venice.

Heinz Huber was born in 1922 and grew up in a Black Forest hamlet. After attending the Gymnasium and a school of arts and crafts, he was called to the colors and subsequently captured during World War II. Since his release he has been engaged as a commercial artist.

Huber's first attempts at writing were made in 1946 in a prisoner-of-war camp. He has since written a number of radio plays, among them 12 Uhr 2 Minuten 14 Sekunden, *printed in the* Hörspielbuch *for 1952, and* Früher Schnee am Fluß, *which appeared in the* Hörspielbuch *for 1953. His one-act play,* Draußen, das gibt es nicht *(1951), won first prize in a competition sponsored by the theatrical society of the University of Erlangen.*

It should be noted that in the following pages the author capitalizes the familiar form of the second person plural (Ihr, Euch) only when he wishes to imply a tone of respect or formality.

Die Stimmen

DIE HEILIGE MARIA
DER ERZENGEL GABRIEL
DER HEILIGE PETRUS
ANGELINO, EIN KLEINER ENGEL
DORIO PERRUCCI, MALER
GIACOMO, KÜSTER
PAOLO, WIRT
LORENZO MIT DER AUGENKLAPPE

SANTOMASO OHNE ELTERN
JACOPO SCHIELAUG
MADDALENA MIT DEN ROTEN HAAREN
WACHTMEISTER
POLIZIST
1. SÜNDER
2. SÜNDER

MALER: Holzpferdchen — blaue, braune, rote und weiße mit Apfelschimmeltupfen. Holzpferdchen zu bemalen, ist eine gute Beschäftigung für einen Maler im Himmel, — auch wenn er nur mit knapper Not[1] in die Ewigkeit geschlüpft ist. Angelino, gib mir einen neuen Wolkenfetzen, damit ich meinen Pinsel abwischen kann!

ANGELINO: Ach, spritz' doch deinen Pinsel einfach aus, Dorio —

MALER: Ja, und dann fallen die Farbtropfen durch den Weltraum und erstarren zu bunten Glaskugeln und hängen sich drunten auf der Erde in die Kinderträume und die Weihnachtsbäume, — das würde mir selber Spaß machen, aber wenn es der Heilige Petrus sieht, dann tadelt er mich wieder wegen der Farbverschwendung.

ANGELINO: Ach, der ...

MALER: Er hat so wenig Sinn für bunte Glaskugeln und dergleichen — nicht einmal an Weihnachten. Dreh' mir die Giraffen um, damit sie auf der anderen Seite trocknen.

ANGELINO: Hast du früher auf der Erde auch immer Giraffen und Holzpferdchen bemalt, Dorio?

MALER: Nein, Angelino, damals habe ich Bilder gemalt, große

---

1. **mit knapper Not** with great difficulty, barely

Gemälde — den bleichen Herzog von Aosta[2] und die Schlacht von Venta Segure[3] und so. Ich bin froh, daß ich nichts mehr damit zu tun habe.

ANGELINO: Holzpferdchen, Elefanten und Giraffen mag ich auch lieber.

MALER: Aber einmal habe ich sogar die Mutter Gottes gemalt..

ANGELINO: Die Heilige Madonna?

MALER: Ja, vor einer blauen Berglandschaft, und weil mir auch noch die schönsten Farben ihre Leuchtkraft versagten,[4] habe ich den Mantel der Madonna aus reinem Gold getrieben, um ihren Glanz richtig darzustellen. Das Metall habe ich dann auf die Holztafel geschmiedet, und die Aureolen der Engel habe ich mit den Splittern edler Steine besetzt, Rubine, Saphire, Topas ...

ANGELINO: War es ein schönes Bild?

MALER: Ich glaube, mein schönstes. Aber das ist schon so lange her, über vierhundert Jahre. Heute steht es da unten[5] in der Kirche San Giorgio dei Greci[6] zu Venedig. Siehst du es — ganz weit da unten auf der Erde?

ANGELINO: Nein, Dorio, — ich sehe die Erde hell im schwarzen Raum hängen und sehe Italien und Venedig und die Kirche und den Altar, aber nirgends das Bild.

MALER: Hm ... das ist seltsam ... Wir im Himmel sehen doch sonst alles auf der Erde und durch alles hindurch, und als ich mich das letzte Mal an das Bild erinnerte, war es noch da. Aber so wichtig ist es auch gar nicht. Reib' mir noch ein bißchen Giraffengelb an!

2. **Aosta** *a city in northern Italy near Turin*
3. **Venta Segure** *fictitious name*
4. **ihre ... versagten** *were not brilliant enough*
5. **da unten** *down there (on earth)*
6. **Kirche San Georgio dei Greci** *fictitious church in a poor section of Venice*

DAS GNADENBRINGENDE STRAFGERICHT 67

ANGELINO: Gut, ich reibe...
[*Geräusch der kreisenden Bewegung eines Stössels in einer Steingutschale. Angelino beginnte zu diesem Dreiviertel-Takt-Geräusch die Melodie „Das muß ein Stück vom Himmel sein"[7] zu summen*] 5
MALER: Du scheinst heute gut aufgelegt.
ANGELINO: Bin ich auch. Ich freu' mich eben so — ganz schrecklich — wegen Weihnachten!
MALER: Paß' nur auf, daß dich der alte Petrus nicht hört mit deinem leichtfertigen Gesang — heute an Weihnachten! 10
ANGELINO [*seufzt*]: Ach ja — Sankt Petrus — der ist immer gleich so streng...
MALER: Vor allem in letzter Zeit: Früher war er nicht so. Sonst wäre ich vielleicht gar nicht in den Himmel gekommen. Aber wie er neuerdings die Leute an der Himmelstür ab- 15 kanzelt [*ausblenden*], das ist wirklich nicht sehr schön von ihm...
[*Raumwechsel, einblenden*]

PETRUS: ... Fort, sage ich, und marsch in die Hölle! Du kommst mir nicht durch die Himmelstür, so wahr ich Petrus 20 heiße! Keinen Schritt! Taschendiebstahl! Eine Unverschämtheit! Eine Sünde! Eine Todsünde! Und du verschwindest auch, aber schnell,[8] mit deinen hundertsechzehn täglichen Notlügen. Und so einer will in den Himmel[9]... Wo kämen

---

7. **Das muß... sein** that must be a little bit of heaven (*dance hit in Germany*)
8. **Und du... schnell** And you better get going too, and quickly (*addressing a second sinner*)
9. **Und so... Himmel** And such a fellow expects to enter heaven

wir denn da hin?[10] Die Menschen werden immer schlechter und die Himmelswiesen immer voller — das sind doch keine Zustände![11] Wo bleibt denn da die himmlische Gerechtigkeit?!
1. SÜNDER: Nachsicht, Heiliger Petrus!
2. SÜNDER: Nachsicht!
PETRUS: Wenn ich bei euch nachsehen wollte, kämen womöglich noch schwärzere Sünden zu Tage. Nein, solange Sankt Petrus hier steht, kommt ihr nicht in den Himmel!
1. SÜNDER: Aber heute ist doch Weihnachten, Heiliger Petrus —
2. SÜNDER: Könntest du nicht wenigstens heute —
1. SÜNDER: Eine Ausnahme —
2. SÜNDER: An Weihnachten —
PETRUS: Ich mache grundsätzlich keine Ausnahme. Ich tue nur meine Pflicht. Und nun nehmt eure Beine in die Hand[12] und macht, daß ihr in die Hölle kommt! [*ausblenden*] Im Himmel ist nun einmal[13] kein Platz für Sünder, und die Menschen werden immer sündhafter in letzter Zeit ...

[*Raumwechsel*]

ANGELINO: Und das[14] am Heiligen Weihnachtsfest, an dem sich alle Leute freuen sollten!
MALER: Es gibt eben solche und solche,[15] — Leute, die schimpfen, und Leute, die Holzpferdchen bemalen. Auf welche

---

10. **Wo ... hin?** That would create a fine state of affairs!
11. **das ... Zustände!** things can't go on like this!
12. **Und ... Hand** And now stop your dawdling
13. **nun einmal** once and for all, simply
14. **Und das** And (to think he can act like) that
15. **Es gibt ... solche** There are all kinds of people in the world

DAS GNADENBRINGENDE STRAFGERICHT 69

Wolke habe ich denn nun wieder das verdammte Leinöl hingestellt?
ANGELINO: Dorio, — der Heilige Erzengel Gabriel![16]
GABRIEL: Der Friede Gottes, der höher ist als alle Vernunft, sei mit euch.[17]
ANGELINO: Amen.
MALER: Amen.
GABRIEL: Du bist sehr fleißig, Dorio Perrucci.
MALER: Ein Maler muß fleißig sein. Reden ist Sache der Türhüter.
GABRIEL: Ich weiß, wen du damit meinst. Aber laß das meine Sorge sein.
MALER: Ja, Heiliger Erzengel Gabriel.
GABRIEL: Ist sonst alles in Ordnung hier?
ANGELINO [vorlaut]: Hier schon,[18] aber drunten auf der Erde —
GABRIEL: Was ist[19] auf der Erde, Angelino?
ANGELINO: Das schöne Madonnenbild, das Dorio für die Kirche San Giorgio dei Greci gemalt hat, ist nicht mehr da.
GABRIEL: Ich weiß, Angelino, ich habe es selbst — nun, sagen wir einmal: verschwinden lassen, und ich habe meine Gründe dafür.[20] Aber Sankt Petrus wird es wieder herbeischaffen.
MALER: Sankt Petrus?
ANGELIO: Ausgerechnet der?
GABRIEL: Auch dafür habe ich meine Gründe, die ihr gleich begreifen werdet. [ruft]: Petrus!
[Pause, lauter] Sankt Petrus!

16. *Angelino tries to warn Dorio to stop cursing.*
17. **Der Friede ... mit euch** The peace of God, that passeth all understanding, be with you
18. **Hier schon** Here yes
19. **Was ist** What is wrong
20. **Ich weiß ... dafür** I know, Angelino. I myself have caused it to—well, let us say,—disappear and I have my reasons for doing so.

[*Pause, streng*] Heiliger Sankt Petrus!
[*einblenden*]
PETRUS: Ja ja ja, ich komm' ja schon — man ist schließlich auch nicht mehr der Jüngste mit seinen zweitausend Jahren.[21]

5 GABRIEL [*tadelnd*]: Vor dem Herrn[22] sind tausend Jahre wie ein Tag.

PETRUS: Schon gut,[23] — aber etwas älter als zwei Tage bin ich nun denn doch.

GABRIEL: Schon gut, — aber höre jetzt, was ich dir zu sagen
10 habe! Mir ist aufgefallen, wie selten du in letzter Zeit die Himmelstür bewegst. Ich frage mich, ob das an dir oder an den Menschen liegt.[24]

PETRUS: Die Welt wird immer schlechter, mit Verlaub zu sagen,[25] Heiliger Erzengel Gabriel, und die Menschen sind
15 allzumal Sünder, in diesem Jahr noch mehr als im vorigen und im vorigen noch mehr als im vorvorigen.

GABRIEL: Ich frage mich, ob das am Maß oder am Gemessenen[26] liegt, am Tuch oder an der Elle.

PETRUS: Das Tuch, das ich neuerdings zu messen habe, ist sehr
20 fadenscheinig, Heiliger Erzengel Gabriel.

GABRIEL: Und die Elle, die das Tuch mißt, sehr hart, Heiliger Petrus.

PETRUS: Muß ich das nicht sein? Sagte nicht der Herr selbst zu mir: „Du bist der Fels, auf den ich ..." und so

---

21. **Ja ja ja ... Jahren** All right, all right, I'm coming! After all I'm not the youngest fellow any more with my two thousand years
22. **Vor dem Herrn** In the eyes of the Lord
23. **Schon gut** That may be true
24. **Ich frage ... liegt** I ask myself whether the fault lies with you or with mankind
25. **Mit Verlaub zu sagen** if I may be permitted to say so
26. **am Maß oder am Gemessenen** with the measure or (the thing to be) measured

weiter — du kennst das ja genau. Ich halte es deshalb für meine Pflicht —

GABRIEL: Ich glaube nicht, daß der Herr gemeint hat, du solltest dich wie einen Felsen vor die Himmelstür rollen, wenn die Menschen von der Erde heraufkommen.

PETRUS: Sünder sind sie, einer wie der andere!

GABRIEL: Du siehst nur das schäbige Tuch, in dem sie ankommen, aber du spürst den Wind nicht, der dieses Tuch zerschlissen hat. Auf der Erde weht ein bitterer Wind, den du dir einmal um die Nase wehen lassen solltest.

PETRUS: Wie soll ich deine Worte auslegen, Heiliger Erzengel Gabriel? Als Tadel des Herrn?

GABRIEL: Du sollst weder meine Worte noch die Worte des Herrn irgendwie auslegen, sondern du sollst tun, wie dir gesagt wird.

PETRUS: Du weißt, daß ich alles tue. Soll ich jemandem ein Ohr abschlagen?[27]

GABRIEL: Nichts dergleichen. Du hast einen ganz friedlichen Auftrag. Du mußt hinunter auf die Erde, da ist etwas nicht in Ordnung.

PETRUS: Auf der Erde ist immer irgendetwas nicht in Ordnung. Das ist nichts Besonderes.

GABRIEL: Diesmal ist es aber etwas Besonderes. Höre: aus der Kirche San Giorgio dei Greci zu Venedig wurde gerade jetzt auf Weihnachten ein ebenso schönes wie[28] wertvolles Bild der Heiligen Mutter Gottes gestohlen.

PETRUS: Ich sage, die Menschen werden immer schlechter. Jetzt stehlen sie sogar noch die Marienbilder vom Altare weg. Es ist eine Schande!

---

27. *While on earth, Peter had struck off a man's ear in his religious zeal.*
28. **ebenso ... wie** both ... and

ANGELINO: Vielleicht ist es gar nicht gestohlen, sondern nur verschwunden?

GABRIEL: Das muß man untersuchen. Deshalb, Sankt Petrus, gebe ich dir im Namen des Herrn den Auftrag, unverzüglich
5 nach Venedig zu eilen, den Täter ausfindig zu machen und ein Strafgericht über ihn zu halten, — wenn du es verantworten kannst, nachdem du den bitteren Wind der Erde gespürt hast.

PETRUS: Ich glaube, die Absicht des Herrn mit diesem Strafgericht zu verstehen: es soll endlich einmal ein strenges
10 Exempel statuiert werden.[29]

GABRIEL: Die Absichten des Herrn sind vielgestaltig und vielschichtig wie die Sternbilder des Himmels und dennoch aus einem Lichte gemacht. Gehe hin und tu', wie dir gesagt ist, so wirst du die Absichten des Herrn am ehesten erkennen.

15 PETRUS [demütig]: Ja, Heiliger Erzengel Gabriel. Ich gehe.

GABRIEL: Es ist gut, Heiliger Petrus. Und du, Angelino, wirst Sankt Petrus zur Erde begleiten.

ANGELINO: Au fein![30]

GABRIEL: Das ist gar nicht fein — ihr habt einen schweren
20 Auftrag.

PETRUS: Ho — ich werde den Täter schon finden, und dann werde ich ihn —

GABRIEL: Du wirst sehen und hören und dann urteilen, — wenn du kannst. Geht nun, — der Friede des Herrn, der höher ist
25 als alle Vernunft, sei mit euch!

PETRUS: Amen.

ANGELINO: Amen. Komm', Sankt Petrus, — [ausblenden] wir fliegen am besten über die Milchstraße . . .

GABRIEL: Da fliegen sie hin . . . Ein notwendiger Ausflug . . .

30 MALER: Heiliger Erzengel Gabriel, ich bin beschämt. Soviel

---

29. **es soll ... werden** a stern example is finally to be made
30. **Au fein!** Wonderful!

Aufhebens[31] wegen meines Bildes, das ich schon halb vergessen hatte —

GABRIEL: Es ist nicht wegen deines Bildes.

MALER: Ich wäre einer solchen Aufmerksamkeit auch gar nicht würdig, denn ich bin selbst heute, nach vierhundert Jahren irdischer Zeitrechnung, noch gar nicht sicher, ob ich ganz zu Recht in den Himmel gekommen bin.[32] Ich habe damals in Venedig kein sehr wohlgefälliges Leben geführt, um nicht zu sagen: ein sündhaftes. Ich habe geflucht, gespielt, geküßt und die Türklinken der Tavernen häufiger in die Hand genommen als die der Domportale, ich habe Flaschen an die Wand geworfen und reicher Leute Gondeln angebohrt,[33] und ab und zu — ja, ab und zu hab' ich ein Bild gemalt.

GABRIEL: Du hast in deinem Leben ein wirklich schönes Bild gemalt.

MALER: Die Madonna von San Giorgio dei Greci.

GABRIEL: Ja, und ich sage dir: ein gutes und frommes Bild als Ergebnis eines liederlichen Lebens ist genug. Einmal hast du's gesehen, gespürt, geahnt, einmal bist du verzweifelt an dir selbst und deiner Kraft,[34] einmal hast du begriffen und bereut. So und nur so[35] wurdest du der Gnade wert, ein gutes Bild zu malen und am Ende deines liederlichen Lebens doch durch die Himmelstür zu gehen. So war von je die himmlische Gerechtigkeit, und damals übte sie auch Petrus noch.

MALER: Und du meinst . . . ? Ich glaube, jetzt verstehe ich dich, heiliger Erzengel, Sankt Petrus soll sich selbst —

---

31. **Soviel Aufhebens** So much fuss
32. **ob ich . . . bin** whether I was really entitled to enter heaven
33. **reicher . . . angebohrt** bored holes in the gondolas of the rich
34. **eimal bist . . . Kraft** once you despaired in yourself and in your own strength
35. **So . . . so** Because of that

GABRIEL: Sich selbst und das Bild der gnadenreichen Mutter Gottes wiederfinden . . . Das ist eine rechte Weihnachtsaufgabe für ihn — und da du, Dorio Perrucci, jenes Bild gemalt hast, kannst du gleich den Weg der beiden im Auge behalten[36] und mir von Zeit zu Zeit Bericht erstatten.

MALER: Ich will es tun, Heiliger Erzengel Gabriel. Da fliegen sie nun hin, Petrus und der kleine Engel, zwischen den Sternenhaufen und Spiralnebeln hindurch, von tiefem Schwarz durch Schwarzblau und Ultramarin in immer hellere Schichten von Blau hinein, der Erde zu,[37] — Angelino leichtflügelig voraus und Petrus mürrisch hinterdrein. Und jetzt, Heiliger Erzengel Gabriel, bleibt Petrus stehn im Raum [*ausblenden*] und lehnt sich schnaufend an den Sirius[38] . . .

[*Raumwechsel*]

PETRUS: Angelino! He, Angelino — hüpf' doch nicht so, flieg' doch nicht so schnell! Ich bin nicht mehr der Jüngste mit meinen zweitausend Jahren auf dem Rücken. Du mit deinen Flügeln hast gut hüpfen.[39]

ANGELINO: Ich glaube nicht, daß es die Flügel sind, — es ist die Freude.

PETRUS: Worüber freust du dich denn?

ANGELINO: Über Weihnachten.

PETRUS: Weihnachten, ja — aber die Schlechtigkeit der Welt —

ANGELINO: Deswegen ist doch Weihnachten.

[*Er beginnt die Melodie „Das muß ein Stück vom Himmel sein" vor sich hin zu summen*]

36. **kannst . . . behalten** you can keep an eye on the two as they travel along
37. **der Erde zu** toward the earth
38. **Sirius** *the brightest star in the heavens*
39. **Du . . . hüpfen** It's easy enough for you to jump along with your wings

DAS GNADENBRINGENDE STRAFGERICHT 75

PETRUS: Angelino, dieses Lied oder was das sein soll,⁴⁰ ist sehr unpassend für Weihnachten.

ANGELINO: Aber Sankt Petrus, es kommt doch nicht auf das Lied an, sondern darauf, daß man sich freut,⁴¹ — und ich freu' mich eben — ganz schrecklich!

PETRUS: Kindskopf. Warte, wir wollen uns ein wenig setzen und verschnaufen.

ANGELINO: Ich kann nicht still sitzen, ich muß herumhüpfen.

PETRUS: Dann hüpfe meinetwegen, aber laß mich in Ruhe, — ich muß über etwas nachdenken.

[*Pause — Angelino hüpft mit seiner Melodie — bald näher, bald ferner — herum*]

Angelino — komm' doch einmal her.

ANGELINO: Ja, Sankt Petrus?

PETRUS: Paß' auf: der Heilige Erzengel Gabriel weiß doch Bescheid über alles?

ANGELINO: Ja, er ist allwissend.

PETRUS: Dann weiß er also auch alles, was auf der Erde passiert?

ANGELINO: Ja.

PETRUS: Gut. Wenn er aber allwissend ist, dann müßte er doch auch schon wissen, wer das Bild da unten gestohlen hat?

ANGELINO: Sicher weiß er das.

PETRUS: Dann verstehe ich nicht, warum er mich noch hinunterschickt, um den Dieb zu suchen und ein Strafgericht über ihn zu halten. Dann könnte er dem Burschen doch ganz einfach einen Ziegelstein auf den Kopf fallen lassen oder ihm das Reißen in die Glieder jagen⁴² oder so etwas. Dazu braucht er mich doch nicht.

40. **oder ... soll** or whatever it is
41. **Aber Sankt Petrus ... freut** But, Saint Peter, the song doesn't matter as long as one is happy
42. **ihm ... jagen** smite him with acute pains

ANGELINO: Er wird schon seine Gründe haben. [*Er beginnt wieder zu trällern*]
PETRUS: Dummkopf. Du kannst nur herumhüpfen und leichtfertige Lieder summen.
5 ANGELINO: Ich freue mich eben.
PETRUS: Wir haben uns aber nicht zu freuen, sondern ein Strafgericht abzuhalten. Los, gehen wir weiter . . . [*ausblenden*]
[*Raumwechsel*]

MALER: Nun nähern sich die beiden dem Dunstkreis der Erde,
10 Heiliger Gabriel, — hörst du mich?
GABRIEL: [*von weitem*]: Ich höre, Dorio.
MALER: Sankt Petrus zieht schon seine Nase kraus. Nun ja, ich weiß, Venedig riecht nicht gut. Es riecht eben, wie alles auf der Erde, nach Verfall und Fäulnis — nach Sünde, würde Petrus
15 sagen. Jetzt fliegen die beiden über den schmalen Schluchten der schwarzen Kanäle, und der kalte Wind bauscht ihre Mäntel, ehe sie auf einem verlassenen Platze landen, der vor Nässe glänzt. Angelino schaudert, wie sie auf dem winterlichen Boden von Venedig stehen, Sankt Petrus aber blickt
20 sich suchend um, als erwarte er, den Bilderdieb schon reuig aus dem Regen schleichen zu sehen. So einfach aber ist das in Venedig nicht. Ich habe zu meiner Zeit lange genug unter Bettlern und Dieben gelebt, um sie zu kennen, Heiliger Erzengel Gabriel.
25 GABRIEL [*von weitem*]: Du sollst mir nicht erzählen, was du denkst, Dorio Perrucci, sondern was du siehst.
MALER: Ich sehe, wie sich aus den Ecken der Tavernen und den Winkeln der Kirchen zerschlissene Gestalten lösen und sich an die beiden Fremden heranschieben.
30 [*Raumwechsel*]

LORENZO: Fremd hier, der Herr?
SANTOMASO: Braucht einen Führer?
JACOPO: Kenne mich aus in Venedig —
LORENZO: Zeige dem Herrn die Palazzi[43] —
SANTOMASO: Museen — 5
JACOPO: Tavernen —
LORENZO: Braucht der Herr ein Hotel?
SANTOMASO: Ein Zimmer?
JACOPO: Ein Bett?
[*Alle drei kichern*] 10
PETRUS: Laßt mich in Ruhe! Ich brauche nichts.
LORENZO: Der Herr braucht nichts.
SANTOMASO: Kein Zimmer —
JACOPO: Kein Bett —
LORENZO: O Herr, es ist schlecht in Venedig, im Regen, an 15
  Weihnachten ohne Bett, ohne Zimmer zu sein —
SANTOMASO: Ohne Wein —
JACOPO: Ohne Essen im Bauch —
LORENZO: Wenn Ihr schon nichts braucht,[44] Herr —
SANTOMASO: Wenn Ihr habt, was Ihr braucht — 20
JACOPO: Wenn Ihr reich seid, Herr, —
LORENZO: Wir sind arm, Herr —
SANTOMASO: Ohne Bett —
JACOPO: Ohne Wein —
LORENZO: Und heute ist Weihnachten, Herr — 25
SANTOMASO: Einen Lire,[45] Herr —
JACOPO: Einen halben —
LORENZO: Es ist kalt —
SANTOMASO: Und naß —

43. **Palazzi** *(Italian)* palaces
44. **Wenn ... braucht** Although you may not need anything
45. **Lire** *Italian currency (approximately 625 lire = one dollar)*

JACOPO: Und Weihnachten, Herr!
PETRUS: Ich werde sie fortjagen, Angelino. Sie sehen aus wie Sünder.
ANGELINO: Sie haben kein Bett, sie haben Hunger und Löcher in den Schuhen, Sankt Petrus.
PETRUS: Gib ihnen einen Sterntaler.[46] Vielleicht wissen sie etwas von diesem Bild, nach dem wir suchen müssen.
ANGELINO: Hier habt ihr ein Goldstück —
LORENZO: Grazie![47]
SANTOMASO: Mille grazie![48]
JACOPO: Die Madonna segne Euch, Herr!
PETRUS: Sagt, meine Söhne, wißt ihr etwas — hier in Venedig ist ein Bild gestohlen worden —
LORENZO: Wir wissen nichts —
SANTOMASO: Gar nichts —
JACOPO: Wir sind keine Diebe, Herr!
LORENZO: Wir sind harmlose Leute, Herr, und arme Teufel. Ich bin Lorenzo mit der Augenklappe. Ich habe mein Auge beim Marmorsprengen in den Brüchen von Carrara[49] verloren. Die Gesellschaft hat mir dann gekündigt, — keine Arbeit, keine Rente, keine Unterstützung, weil der Staat noch über das Gesetz berät — seit zwanzig Monaten —
SANTOMASO [*fällt ein*]: Und ich bin Santomaso ohne Eltern — ohne Eltern, weil sie bei einem Erdrutsch in Kalabrien[50] verschüttet wurden, als ich vierzehn war. Ich habe nichts gelernt, und niemand nimmt mich, weil ich keine Fachkenntnisse habe, wie sie sagen —

---

46. **Sterntaler** star dollar *(currency used in heaven!)*
47. **Grazie!** *(Italian)* thanks
48. **Mille grazie!** A thousand thanks!
49. **Carrara** *city in Tuscany noted for its marble quarries*
50. **Kalabrian** Calabria *(province in the extreme southern part of Italy)*

DAS GNADENBRINGENDE STRAFGERICHT 79

JACOPO [*fällt ein*]: Und ich, Jacopo Schielaug,⁵¹ habe was
gelernt: ich spielte Geige in den Kaffeehäusern von Milano,
und dann hab' ich die linke Hand verloren, Herr, im Feldzug
gegen Abessinien. Jetzt bin ich vierzig und zu alt, und meine
Frau — 5
PETRUS: Ich habe keine Zeit, mir deine Familiengeschichte
anzuhören. Ich habe einen Auftrag auszuführen. Was ihr da
erzählt, ist alles sehr traurig, aber das Strafgericht der himmlischen Gerechtigkeit geht vor. Ordnung muß sein. Wie komme
ich nun am schnellsten zur Kirche San Giorgio dei Greci? 10
LORENZO: Der Herr will also in die Kirche?
SANTOMASO: Das ist gut — dort ist es warm und trocken —
JACOPO: Dort weht kein Wind wie hier —
LORENZO: Geht in die Kirche, Herr, dort habt Ihr Eure Ruhe —
geht [*ausblenden*] immer geradeaus ... 15
MALER: Heiliger Erzengel Gabriel, nun ist Sankt Petrus, unbeirrt
vom bitteren Winterwind Venedigs, unterwegs nach der
Kirche San Giorgio dei Greci, und Angelino trippelt hinter-
her. Angelino hüpft nicht mehr — es ist auch nicht leicht, auf
der Erde zu hüpfen, — der feuchte Nebel da unten hängt sich 20
in die Flügel, hemmt und legt sich auf die Lungen.⁵² Die
beiden werden das zu spüren bekommen,⁵³ Heiliger Erzengel
Gabriel.
GABRIEL (*von weiten*]: Erzähle mir nicht, was ich schon weiß,
Dorio Perrucci, sondern das, was du siehst. 25
MALER: Ich sehe, daß sich Sankt Petrus nun zwischen den
vielen Gassen, Kanälen und Brücken Venedigs verlaufen hat
und durch dunkle Torgänge in Hinterhöfe gerät, wo faden-

---

51. **Jacopo Schielaug** Jacob Squinteye (!)
52. **legt ... Lungen** affect one's lungs
53. **Die beiden ... bekommen** They both will get a taste of that

scheinige Wäsche hängt und Pfandverleiher ihre Höhlen haben.

GABRIEL [*von weitem*]: Ich wollte es so.

MALER: Ich sehe ihn durch endlose Gänge von Ämtern und Behörden irren,[54] in Parteilokale, Kinos und Versicherungsvertretungen geraten —

GABRIEL [*von weitem*]: Ich wollte es so.

MALER: Und da ich glaube, daß er einige Zeit brauchen wird, um wieder herauszufinden,[55] sehe ich mir inzwischen schon einmal den Küster von San Giorgio dei Greci an. Er stakt mit seinem Holzbein[56] über die weihnachtlich gekehrten Kirchenfliesen, eine Kanne mit Öl in der einen und eine Korbflasche mit rotem Wein in der anderen Hand, füllt noch einmal die Ewigen Lampen nach und murmelt dabei vor sich hin ...

[*Ausblenden, Raumwechsel, einblenden*]

GIACOMO: ... ich weiß, ich weiß, Heilige Madonna, ich sollte wirklich nichts mehr trinken oder nicht so viel, — aber sieh mal,[57] was kann man denn anderes tun, wenn man diesen ganzen Jammer ansieht? Weihnachten — die reichen Leute rennen in die Warenhäuser und Juwelierläden und die armen zum Pfandleiher. Ich habe einen schlechten Geschmack auf der Zunge, den muß ich hinunterspülen.

[*trinkt*]

„O du fröhliche, o du selige, gnadenbringende hm-hm-hm

---

54. **Ich sehe ... irren** I see him wandering through endless corridors of offices and bureaus
55. **um wieder herausfinden** to find his way out
56. **Er stakt ... Holzbein** He is hobbling on his wooden leg
57. **Aber sieh mal** But consider for a moment

DAS GNADENBRINGENDE STRAFGERICHT 81

..."[58] Bitte schön,[59] sie haben Parteilokale und Kinos und Versicherungsvertretungen, und was ist dabei herausgekommen?[60]

GIACOMO: Lorenzo friert, Jacopo hungert, Santomaso muß stehlen und Maddalena auf die Straße gehn[61] mit ihren achtzehn Jahren und das an Weihnachten! Verstehst du, daß ich noch einen Schluck aus meiner Flasche nehmen muß, Heilige Madonna?

[*trinkt*]

Siehst du, Heilige Madonna, Santomaso ohne Eltern hat mir heute wieder einen Opferstock ausgeleert, das ist wahr, und es ist wahr, daß ich es zugelassen habe, und es ist auch wahr, daß die guten Leute ihr Geld nicht für Santomaso in den Opferstock gelegt haben, sondern für arme Waisenkinder in Afrika. Aber ich sehe da keinen großen Unterschied, Heilige Madonna, da doch Santomaso auch ein Waisenjunge ist.

[*Er summt ein paar Töne des Weihnachtsliedes*]

Außerdem kannst du dich darauf verlassen, daß er die paar Lire nicht verjubeln wird, — er braucht sie doch für Brot und Käse, wenn er an Weihnachten nicht hungern will. Und für Wein ... Der Mensch braucht einfach ab und zu einen Schluck in all dem Elend und dem nassen Wind, das mußt du verstehen, Heilige Madonna.

[*trinkt*]

---

58. „**O du fröhliche, o du selige, gnadenbringende (Weihnachtszeit)**" Oh you merry, oh you blessed, grace-bringing Christmas-time. *This is the first line of a well-known German Christmas carol. As will be seen, the playwright has cleverly woven the carol, with its message of good will, like a musical motif through Giacomo's speech. He has further linked the carol with the Hörspiel as a whole, by his use of* **gnadenbringend** *in the play's title.*
59. **Bitte schön** If I may be so bold *(addressing the Madonna)*
60. **und ... herausgekommen** and what has come of it? *i.e.*, what good has it done them?
61. **auf die Straße gehen** walk the streets

„Hm-hm-hm-m-m — uns zu versühnen ..."[62] Natürlich ist Santomaso ein Sünder, wenn du es genau nimmst, und Lorenzo und Jacopo und Maddalena auch — um von mir selber ganz zu schweigen[63] —, aber sieh mal, Heilige Madonna — ich kann dir das nicht so erklären — vielleicht, wenn ich noch einen kleinen Schluck nehme ...

[*trinkt*]

GIACOMO: Was sollen sie denn machen, Heilige Madonna? Wir sind hier nun einmal[64] nicht im Himmel, sondern auf der Erde, und du weißt genau, wie die Dinge hier liegen,[65] sie haben dich ja selbst von einem Stall zum andern gejagt.

[*singt*]

„Freue dich, freue dich, o Christenheit..."[66] Hm... Und was soll ich denn machen? Soll ich sie anzeigen? Jetzt, in der fröhlichen, seligen Weihnachtszeit? Nein, so geht das nicht,[67] habe ich mir gesagt, und deshalb habe ich gestern —

[*Klopfen am Portal*]

Da will doch nicht etwa einer in die Kirche[68] — heute an Weihnachten? Das ist doch heutzutage gar nicht mehr üblich?

[*Stärkeres Klopfen*]

Ja, schon gut. Und deshalb habe ich mir also gesagt, Heilige Madonna, man sollte diesen armen Sündern eine Freude machen, und deshalb — na ja, du weißt ja ... Verdammt, jetzt ist die Flasche leer —

[*Ungeduldiges Klopfen*]

62. *Giacomo hums and sings the next line of the carol (second stanza)*
„**Christ ist erschienen, uns zu versühnen**" Christ has come to redeem us
63. **um ... schweigen** indeed, not to speak of myself
64. **nun einmal** whether we like it or not
65. **wie ... liegen** how things stand here
66. „**Freue dich, freue dich, o Christenheit**" Rejoice, rejoice, oh Christianity *(last line of carol)*
67. **Nein ... nicht** No, that won't do
68. **Da will ... Kirche** Don't tell me that somebody wants to enter the church!

DAS GNADENBRINGENDE STRAFGERICHT 83

Ja ja ja, ich komm' ja schon — man ist schließlich auch
nicht mehr der Jüngste mit seinen zweiundsechzig Jahren.[69]

[*Raumwechsel*]

MALER: Heiliger Erzengel Gabriel, jetzt schließt der Küster
die Kirchentür vor Sankt Petrus auf, der sie nun endlich   *5*
gefunden hat. Angelino ist schon ganz durchfroren vom
irdischen Wind und vollgesogen wie ein Schwamm vom
Regen und der Erbärmlichkeit der Menschenwelt, und auch
Sankt Petrus scheint seiner Sache nicht mehr ganz so sicher.[70]
GABRIEL [*von weitem*]: Dorio Perrucci, du sollst mir nicht   *10*
immer berichten, was dir zu sein scheint, sondern was du
siehst.

MALER: Ich sehe, wie sich Sankt Petrus den Regen aus dem
Bart wischt und den schon rotweinseligen Küster fragt:

[*Raumwechsel*]   *15*

PETRUS: Dies ist doch die Kirche San Giorgio dei Greci, mein
Sohn?
GIACOMO: Gewiß, Herr, aber ich bin nicht Euer Sohn, sondern
Giacomo, der Küster, ein ausgedienter Veteran von der
Piave,[71] Giacomo, der Holzfuß, der Rotweintrinker —   *20*
PETRUS: Das merke ich, mein Freund, aber wenn du einen
Augenblick aufhören könntest, Rotwein zu trinken, —

69. *humorous parallel to Peter's complaint about being old*
70. **Sankt Petrus ... sicher** St. Peter no longer appears so sure of himself
71. **Piave** *a river flowing into the Mediterranean slightly north of Venice.
An Austrian offensive was stopped here in June 1918 and an Italian counter-
offensive begun in October of the same year.*

GIACOMO: Kann ich aber nicht, denn heute ist Weihnachten und Friede und Freude und ein Wohlgefallen allen Menschen, — auch den armen Sündern wie dem Giacomo und dem Lorenzo und —

5 PETRUS: Höre, Giacomo, ich möchte das berühmte Madonnenbild dieser Kirche besichtigen.

GIACOMO: Ihr seid wohl hinterm Mond zu Hause,[72] Ihr beide?

ANGELINO: Ja, ganz weit hinterm Mond und sogar noch hinter der Milchstraße!

10 PETRUS: Pschsch![73]

GIACOMO: Das scheint mir auch so, weil Ihr nicht wißt, daß unser Bild verschwunden ist.

PETRUS: So so, verschwunden, Giacomo . . .

GIACOMO [*heiter*]: Ja, ja einfach weg,[74] — feiert Weihnachten.

15 [*Er summt ein paar Töne des Weihnachtsliedes*]

PETRUS: Nimm dich zusammen, Giacomo! So ein wertvolles Bild kann doch nicht einfach verschwinden, — da ist doch irgendetwas nicht in Ordnung!

GIACOMO: Doch, doch — das ist völlig in Ordnung, Herr!

20 PETRUS: Wie?

GIACOMO [*lenkt ab*]: Ich meine, da ist vieles nicht in Ordnung, Herr. [*Er kommt in Fahrt*] Oder ist es etwa in der Ordnung, daß Lorenzo mit der Augenklappe keine Unterstützung mehr bekommt vor Weihnachten, so daß er stehlen muß, wenn er

25 nicht hungern will, und —

PETRUS: Wer muß stehlen? Wer ist Lorenzo mit der Augenklappe?

GIACOMO: Ein guter Mensch und armer Hund, so gut und arm wie einer,[75] Herr, und außerdem mein Freund.

72. **Ihr seid . . . Hause** I suppose you two live somewhere behind the moon!
73. **Pschsch!** Sh! Hush!
74. **einfach weg** simply gone
75. **wie einer** as one (*Giacomo is tipsy and apparently merges his antecedents.*)

PETRUS: Der mit der Augenklappe ... der kam mir gleich verdächtig vor.

GIACOMO: Und ist es in der Ordnung, Herr, daß Maddalena mit den roten Haaren auf Kundschaft gehen muß, wenn sie sich eine Kerze leisten will, und Santomaso ohne Eltern meine Opferstöcke leeren muß, wenn er von Weihnachten nur einen Hauch verspüren will,[76] — ist das in Ordnung, Herr?

PETRUS: Die Opferstöcke leeren? Wer — wie sagtest du?

GIACOMO: Santomaso ohne Eltern und Maddalena mit den roten Haaren und Lorenzo mit der Augenklappe und Jacopo, — sind alles arme Hunde, Herr, doch gute Menschen und meine Freunde, die besten Freunde von Giacomo dem Rotweintrinker, der auch ein armer Hund ist, weil sein Bein an der Piave —

PETRUS: Schon gut, doch sage mir, wo ist das Bild?

GIACOMO: Das Bild! Das Bild! Laßt doch das alte Bild in Ruhe, Herr! Heute ist Weihnachten und Friede und Freude und Wohlgefallen allen Menschen — das ist wichtig, und sonst ist gar nichts wichtig, Herr!

PETRUS: Höheren Orts ist man anderer Meinung.[77]

GIACOMO: Die höheren Orte[78] interessieren mich nicht! Ich bin ein armer Hund, niedrigenorts, und außerdem der Meinung, daß heute alle armen Hunde aller niedrigen Orte Weihnachten feiern sollten, und deshalb gehe ich jetzt zu Paolo, wo's den besten Rotwein gibt,[79] und wo die andern armen Hunde sitzen und darauf warten, daß ihnen einer eine Weihnachtsfreude macht. [*summt*]

„Freue dich, o Christenheit ..."

---

76. **wenn er ... will** if he wants to have any Christmas at all
77. **Höheren ... Meinung** Higher up one thinks differently
78. *The sexton thinks Peter is referring to the authorities or to the rich.*
79. **zu Paolo ... gibt** to Paolo's place, where they have the best red wine

PETRUS: Geh', mit dir ist ja nichts anzufangen.[80]
ANGELINO: Giacomo, weißt du wirklich nicht, wo das Bild ist, das mit der Madonna und den Engeln aus Rubin?
GIACOMO [*fröhlich*]: Weg — unterwegs — auf dem Wege zu Paolo oder sonstwo — fröhliche Weihnachten feiern oder so.
PETRUS: Giacomo, — du bist betrunken.
GIACOMO: Natürlich bin ich betrunken, aber außerdem oder trotzdem oder deswegen bin ich auch voll Wohlgefallen und Freude wie eine Chiantiflasche,[81] die man gegen eine Kerze hält, und alle Menschen sollen fröhlich sein wie ich, [*ausblenden*] und deshalb gehe ich jetzt zu Paolo ...

[*Raumwechsel*]

MALER: Heiliger Erzengel Gabriel, ich muß dir leider berichten, daß Sankt Petrus mit der Suche nach meinem Bild noch keine Spur weiter gekommen ist, da der einzige, der meiner Ansicht nach etwas davon wissen könnte, der Küster Giacomo nämlich, ihn einfach vor der Kirchentür hat stehen lassen[82] und nun singend durch die schwarzen, verlassenen Gassen von Venedig zur Taverne schwankt, immer den bitteren Wind dieser erbärmlichen Erde da unten im Gesicht, und dennoch fröhlich, dennoch seines Ziels gewiß. Sankt Petrus aber steht verwirrt und ratlos vor der Stadt und seinem Auftrag.
GABRIEL [*von weitem*]: Ich wollte es so.
MALER: Ich bin froh, Heiliger Gabriel, daß ich Holzpferdchen bemalen darf, statt Strafgerichte abhalten zu müssen.
GABRIEL [*von weitem*]: Rede nicht, Dorio Perrucci, sondern beobachte.

80. **Geh' ... anzufangen** Go, nothing can be done with you
81. **Chiantiflasche** bottle of Chianti *(a popular Italian red wine)*
82. **ihn ... stehen lassen** has simply left him standing in front of the church door

DAS GNADENBRINGENDE STRAFGERICHT

MALER: Angelino — wie gut, daß du ihn mitgeschickt hast — Angelino deutet jetzt mit seinem Zeigefinger auf das für die irdischen Verhältnisse Nächstliegende:[83] auf die Polizeiwache neben der Kirche. Es ist eine gewöhnliche Polizeiwache, so trostlos wie Polizeiwachen eben sind, auch an Weihnachten. Mehr kann ich darüber nicht berichten. Am Tisch sitzt ein uniformierter Nußknacker[84] und dreht sich eine Zigarette, und ein zweiter sieht ihm gelangweilt zu, während — habe ich dir übrigens schon berichtet, Heiliger Gabriel, daß Angelino auf der Straße ein nasses, viereckiges, in Zeitungspapier gewickeltes Paket aufgelesen hat? Ich habe aber keine Zeit, schärfer hinzusehen, was darin ist, da Sankt Petrus schon die Wachtstube betreten hat.

[*Raumwechsel*]

PETRUS: Der Friede Gottes, der höher ist als alle Vernunft, sei mit euch.
WACHTMEISTER: 'n[85] Abend. Sie wünschen?
PETRUS: Ich komme wegen des verschwundenen Madonnenbildes aus der Kirche San Giorgio dei Greci und möchte —
WACHTMEISTER: Sie heißen?
PETRUS: Ich bin der Heilige Petrus.
WACHTMEISTER: Bitte?
PETRUS: Ich bin der Heilige Petrus.
WACHTMEISTER: Zeigen Sie mal Ihre Papiere.
PETRUS: Im Himmel braucht man keine Papiere.

83. **das für ... Nächstliegende** that which is most appropriate for earthly conditions
84. **uniformierter Nußknacker** policeman in uniform *(In Germany the nutcracker is a derisive symbol of overbearing authority.)*
85. **'n = Guten**

WACHTMEISTER: Möglich. Wir sind hier aber nicht im Himmel.
PETRUS: Das merkt man. Ich bin aber wirklich Sankt Petrus.
WACHTMEISTER: Da könnte ja jeder daherkommen.[86] Keine Papiere, und dann behaupten, man sei der Heilige Petrus persönlich, — das kennen wir. Mein lieber Mann, ich glaube, ich muß sie in Untersuchungshaft nehmen, — Sie scheinen mir verdächtig.
POLIZIST: Moment, Herr Wachtmeister, ich will ja nicht sagen, daß mir dieser Mann nicht auch verdächtig vorkommt, — ich wäre sonst ein schlechter Polizist —, aber wenn er nun vielleicht wirklich ein geistlicher Herr ist, und wir bekämen nachher Schwierigkeiten mit der Kurie[87] ... ich meine ...
WACHTMEISTER: Hm — ja ... da hast du recht, man kann heutzutage gar nicht vorsichtig genug sein.
POLIZIST: Außerdem dürfen wir nicht übersehen, daß das Kind, das der Alte da bei sich hat, so etwas Ähnliches wie zwei Flügel an den Schultern trägt, was möglicherweise darauf schließen läßt, daß es ein Engel ist.
WACHTMEISTER: Ein schwieriger Fall ... Was steht in der Dienstvorschrift über die Behandlung von Engeln?
POLIZIST: Nichts, Herr Wachtmeister.
WACHTMEISTER: Es gibt sie eben nicht.
ANGELINO: Ich bin aber einer, und das ist der Heilige Petrus.
WACHTMEISTER: Tja — als Christ halte ich das durchaus für möglich, als Polizist aber gebe ich euch den guten Rat, uns keine weiteren Schwierigkeiten zu machen. Ihr seid nun einmal nicht vorgesehen in der Dienstvorschrift.
PETRUS [*wütend*]: Vorgesehen oder nicht — wir sind nun einmal da und haben den Auftrag, ein Strafgericht abzuhalten und damit basta.[88]

86. **Da ... daherkommen** Do you expect me to believe that?
87. **Kurie** curia, papal court
88. **und damit basta** and that's that

DAS GNADENBRINGENDE STRAFGERICHT

WACHTMEISTER: Ein Strafgericht? Über uns? Wir haben doch gar nichts getan?

PETRUS: Eben. Ihr habt es unterlassen, etwas zu tun, und seid deshalb Sünder, — läßliche Sünder also. Hier in Venedig wurde vor zwei Tagen ein wertvolles Madonnenbild gestohlen, und ihr habt nichts getan, die Sache aufzuklären.

WACHTMEISTER: Wir haben ein Protokoll aufgenommen.

PETRUS: Und mehr habt ihr nicht getan?

WACHTMEISTER: Was hätten wir denn tun sollen — an Weihnachten?

PETRUS: Ich sehe, man geht heute noch immer nicht sorgsamer mit der Mutter unseres Herrn um[89] als vor zweitausend Jahren, und in Venedig gibt man sich nicht mehr Mühe um sie als damals in Bethlehem. Es ist eine Schande.

WACHTMEISTER: Hätten wir vielleicht am Weihnachtsstage Streifen einsetzen sollen, Spürhunde, eine große Fahndungsaktion mit Sirenen?[90]

PETRUS: Ihr hättet lediglich fünf Schritte vor die Tür zu gehen brauchen —

ANGELINO: Da haben wir es nämlich eben gefunden, das Bild, — eingewickelt wie ein ausgesetztes Kind. Hier ist es.

WACHTMEISTER: Na bitte, dann ist doch alles in Ordnung!

PETRUS: Gar nichts ist in Ordnung! Da — seht euch doch das Bild einmal genau an!

[*Raumwechsel*]

---

89. **Ich sehe ... um** I see that people today are no more considerate of the Mother of our Lord
90. **Hätten wir ... Sirenen?** I suppose on Christmas day we should have sent out patrols, unleashed the bloodhounds, and initiated a large-scale search with sirens roaring?

MALER: Ja, Heiliger Erzengel Gabriel, — wie sieht mein Bild nun aus!⁹¹ Es sieht aus wie — ein abgeholzter Wald oder ein ausgeräumtes Zimmer — kahl, nackt und glanzlos, die Tafel aus dem Rahmen gerissen, und wo goldene Gewänder waren, dehnen sich farblose Flächen, erkennbar nur an den Konturen, Holz ohne Glanz, ohne Gold, Gestalten ohne Hoheit, Engel ohne Aureolen, ohne Rubine, Saphire, Topas ... Obwohl ich das Bild schon halb vergessen hatte, könnte ich weinen, wenn ich es jetzt ansehe. Ich möchte nur wissen, in wessen Hände es gefallen ist, Heiliger Gabriel.

GABRIEL [*von weitem*]: Sankt Petrus wird es erfahren.

MALER: Und warum, warum dieser Raub an der Heiligen Madonna?

GABRIEL [*von weitem*]: Sankt Petrus wird es erfahren. Du aber male weiter an deinen Holzpferdchen und erzähle weiter, was in Venedig geschieht.

MALER: Die beiden uniformierten Nußknacker stehen um das Bild herum, das ihnen Angelino hinhält, und reiben sich das Kinn und sagen:

[*Raumwechsel*]

POLIZIST: Jaa —
WACHTMEISTER: Hm –
POLIZIST: Einfach abmontiert —
WACHTMEISTER: Juwelendiebstahl —
POLIZIST: Fachmännische Arbeit —
WACHTMEISTER: Gut gemacht —
PETRUS: Und mehr habt ihr nicht dazu zu sagen?
WACHTMEISTER: Tja — — der Schaden dürfte sich auf 170 000

---

91. **wie ... aus!** what a sight my picture is!

DAS GNADENBRINGENDE STRAFGERICHT

Lire belaufen,[92] [*ausblenden*] schätze ich nach meinen Unterlagen ...

[*Raumwechsel*]

MALER: 170 000 Lire, Heiliger Erzengel Gabriel, — hast du das gehört? Soviel Geld würde mir mein Bild heute einbringen ... Es ist doch eine eigenartige Sache um den Wert der Kunst: Mir brachte das Bild damals ein wenig Ruhm und fast kein Geld; eben noch[93] war es 170 000 Lire wert, und jetzt ist es weniger wert als ein gerupftes Huhn ... Nein, Heiliger Erzengel Gabriel, — da sind mir meine Holzpferdchen und Giraffen schon lieber,[94] und wenn sie mir nur das Lächeln eines Kindes einbringen.

GABRIEL [*von weitem*]: Dorio Perrucci, du redest schon wieder, statt mir von Sankt Petrus zu berichten.

MALER: Sankt Petrus hat den uniformierten Nußknacker, den Vertreter der irdischen Gerechtigkeit, inzwischen davon überzeugt, daß nach dieser gotteslästerlichen Bilderschändung etwas geschehen müsse, um der himmlischen Gerechtigkeit Genüge zu tun, und daß man vor allem den Täter haben müsse, ehe man ein fürchterliches Strafgericht über ihn halten könne. Himmlische und irdische Gerechtigkeit sind sich einig,[95] beide unbeirrt von Weihnachten, beide unbeirrt vom bitteren Wind der Kanäle.

GABRIEL [*von weitem*]: Dorio Perrucci, nicht dich habe ich

---

92. **Tja ... belaufen** Well—the damage will probably amount to about 170,000 lire
93. **eben noch** only a short time ago
94. **da sind ... lieber** if that's the way things are, then I prefer my wooden horses and giraffes
95. **sich einig** in agreement

bestellt, ein Strafgericht zu halten, sondern Sankt Petrus. Du hast mir nur zu sagen, was dein Auge sieht.

MALER: Ich sehe, wie die strenge Kavalkade[96] der Gerechtigkeit sich wieder aufmacht in die Nacht, die Nässe und den Wind, der bunte Nußknacker-Wachtmeister vorweg, dann Angelino mit dem kahlen Bild und, etwas zögernd hinterdrein, Sankt Petrus mit dem andern Polizisten, der eben etwas fragen möchte.

[*Raumwechsel*]

POLIZIST: So so — Ihr seid also Sankt Petrus?
PETRUS: Ja, mein Sohn, der bin ich.
POLIZIST: So so . . . Ihr kommt also gerade vom Himmel?
PETRUS: Ja, mein Sohn. Von der Himmelstür.
POLIZIST: Ja, ja, Ihr steht an der Himmelstür . . . Kommen viele Menschen in den Himmel?
PETRUS: In der letzten Zeit nicht mehr.[97] Das heißt . . . nun ja, je nachdem . . .
POLIZIST: So so . . . Kommen auch Polizisten in den Himmel?
PETRUS: Manchmal. Aber nicht, weil sie Polizisten waren, sondern weil sie keine Sünder waren, — wenn sie keine waren.
POLIZIST: Polizisten sind nie Sünder.
PETRUS: So. Meinst du, mein Sohn?
POLIZIST: Dienstlich gesehen, meine ich.
PETRUS: Ich weiß nicht recht — im großen und ganzen[98] finde ich, daß die Menschen immer schlechter werden auf der Erde.

96. **Kavalkade** cavalcade, procession
97. **In ... mehr** Not recently
98. **im ... ganzen** on the whole

DAS GNADENBRINGENDE STRAFGERICHT

POLIZIST: Och[99] — das möchte ich nicht unbedingt sagen, Sankt Petrus. Bei uns auf der Wache[1] ist der Verkehr eigentlich immer gleich: ein paar Bettler, ein paar Taschendiebe, ein paar leichte Mädchen — wie das eben so ist. Nicht besonders schlimm.

PETRUS: Schlimm genug in den Augen des Himmels.

POLIZIST: Mag sein, vom Himmel aus[2] gesehen. Wenn man es aber von hier unten aus[3] betrachtet, über die hölzerne Schranke der Wachtstube hinweg, dann sieht sich das alles irgendwie anders an.[4] Man muß da so vieles bedenken, Heiliger Petrus: die kleinen Wohnungen und die großen Kriege und die kleinen Renten und die großen Versicherungsanstalten und die Kommunisten und das Kino und was weiß ich, was alles,[5] — ist gar nicht so einfach.

PETRUS: Ich weiß nicht, was das alles ist, und ich will es auch gar nicht wissen. Es verwirrt nur.

POLIZIST: Man sollte es aber eigentlich wissen.

PETRUS: So so, meinst du ...

POLIZIST: Ja ja.

PETRUS: So.

POLIZIST: Ja.

PETRUS: Hm.

POLIZIST: Hm.

[*Raumwechsel*]

---

99. **Och** = **ach** *(dial.)*
1. **Bei ... Wache** In our police station
2. **vom Himmel aus** from a divine point of view
3. **von ... aus** from an earthly point of view
4. **dann ... an** then that all appears different somehow
5. **was weiß ... alles** all sorts of things

MALER: Das Gespräch zwischen Petrus und dem Polizisten ist versiegt. Der Wind, der in Venedig weht, hat ihnen das Reden verleidet, und nun machen sie beide nachdenkliche Gesichter,[6] soweit ich das in der Dunkelheit sehen kann. Der Wachtmeister, dieser uniformierte Nußknacker, aber denkt, wenn einer ein Verbrechen begangen hat, dann muß man ihn unter den armen Teufeln suchen, das ist am einfachsten. Und darum steuert er nun die Taverne von Paolo an. Dort sitzen am Weihnachtstage auch wirklich die einsamen Seelen von Venedig und spülen ihre Einsamkeit mit rotem Wein aus bastumflochtenen[7] Flaschen durch die Kehlen. Den Rotwein zwar läßt sich der Wirt Paolo zahlen,[8] doch stiftet er an diesem Tag die Kupfermünzen fürs Orchestrion, denn auch Paolo hat an Weihnachten ein weiches Herz. Die nackte Birne ist an diesem Tag vom Fliegenschmutz gereinigt, der Espressoapparat blinkt beinah festtäglich, und das Orchestrion spielt unentwegt.

[*Kurze Orchestrionmusik*]

Giacomos Freunde sind da und Giacomo selber, Giacomo, der Küster, der Holzfuß, der Rotweintrinker ...

[*Raumwechsel*]

GIACOMO [*leicht angetrunken*]: He — Santomaso! Lorenzo! Jacopo! He — Maddalena! Auf! Was drückt ihr eure Nasen in die leeren Gläser, als wäre Aschermittwoch statt Weihnachten?

  6. **machen sie ... Gesichter** they both appear lost in thought
  7. **bastumflochtenen** enclosed in woven bast *(a fibrous bark)*. *Chianti and similar wines are packed in this manner.*
  8. **Den Rotwein ... zahlen** To be sure, Paolo the innkeeper lets them pay for the red wine

DAS GNADENBRINGENDE STRAFGERICHT

LORENZO [*bitter*]: Weihnachten!
MADDALENA: Wir und Weihnachten!
GIACOMO: Warum freut ihr euch nicht, ihr Holzköpfe, ihr Elendsgesichter? Freuen sollt ihr euch! [*singt, falsch und heiser*] „Freue dich, freue dich, o Christenheit...!"
JACOPO: Hört euch das an —
SANTOMASO: Giacomo, der Küster —
LORENZO: Giacomo, der Rotweintrinker —
MADDALENA: Du bist wohl hinter den Meßwein geraten, wie?[9]
GIACOMO: „... freue dich, o Christenheit!"
JACOPO: Du hast gut[10] Hallelujah singen —
SANTOMASO: Wärmst dir[11] deine Nase am Weihrauchfaß —
LORENZO: Und holst dir vom Bischof dein Weihnachtsgeschenk —
MADDALENA: Aber wir —
GIACOMO [*mit erhobener Stimme*]: „Denn siehe, ich verkündige euch große Freude —"
LORENZO: Betrunken, der alte Giacomo!
GIACOMO: „— die allen Menschen widerfahren ist!"[12]
JACOPO: Der spinnt.
GIACOMO [*unbeirrt*]: Die allen Menschen widerfahren ist!
MADDALENA [*zynisch, mit heller, leiernder Stimme*]: — denn euch ist heute der Heiland geboren[13] und Hallelujah und gestopfte Gänse und Friede auf Erden allen reichen Leuten —
GIACOMO: Wirst du ruhig sein, du Rotznase! Ja, ich bin Giacomo, — Giacomo, der Holzfuß, Giacomo, der Rotwein-

---

9. **Du bist ... wie?** You've been drinking the communion wine again, haven't you?!
10. **Du hast gut** It's easy for you
11. **Wärmst dir** You can warm
12. **„— die allen Menschen widerfahren ist!"** which shall be to all people (Luke 2 : 10)
13. **— den euch ... geboren** For to you is born this day a Saviour (Luke 2 : 11)

trinker, ein versoffener Küster und armer Sünder wie ihr —
aber ich sage dir, Maddalena mit den roten Haaren, und dir,
Lorenzo mit der Augenklappe, und dir, Santomaso ohne
Eltern, und dir, Jacopo Schielaug, — euch allen sage ich, daß
heute Weihnachten ist und sein soll und für alle Menschen.

MADDALENA: Aber nicht für uns.

GIACOMO: Auch und gerade für uns, denn eher geht ein Kamel
durch ein Nadelöhr als ein Gerechter ins Himmelreich,[14] und
Weihnachten ist ein Stück Himmelreich, pflegte meine
Mutter — Gott hab' sie selig[15] — zu sagen. Also werden
wir uns heute ein Stück Himmelreich machen, das sich ge-
waschen hat[16] wie die Milchstraße nach dem Regen. Paolo!

PAOLO [*im Hintergrund, mürrisch*]: Ja, was gibt's denn?

GIACOMO: Komm' ein bißchen näher zu mir, Paolo, sofern du
deinen Wanst noch so weit tragen kannst.

PAOLO [*wie oben*]: Seit wann kommt der dicke Paolo zu
Giacomo dem Hungerleider?

GIACOMO: Ho — ich bin nicht Giacomo, der Hungerleider, ich
bin für heute — sagen wir einmal: der Weihnachtsmann!

[*Großes Gelächter der anderen*]

MADDALENA: Giacomo der Weihnachtsmann!

SANTOMASO: Der heilige Nikolaus![17]

JACOPO: Wo ist denn dein Sack?

[*Kurze Pause*]

GIACOMO: Hier ist er.

[*Er wirft einen Beutel mit Geldstücken auf den Boden,
daß sie klirrend umherspringen*]

---

14. **Auch ... Himmelreich** Also and especially for us, for it is easier for a camel to go through the eye of a needle, than for a rich man to enter the kingdom of God *(Matt. 19 : 24)*
15. **Gott hab' sie selig** God rest her soul
16. **das sich ... hat** that is as cleanly washed
17. **Der heilige Nikolaus!** St. Nicholas!

DAS GNADENBRINGENDE STRAFGERICHT

MADDALENA: Oh!
JACOPO: Gold!
SANTOMASO: Goldstücke!
LORENZO: Ein ganzer Beutel voll Goldstücke!
GIACOMO: Ja — Gold! Schimmerndes, glänzendes Weihnachtsgold — genug Glanz und Schimmer auch für uns an diesem Tag! Freut ihr euch nun, ihr Holzköpfe, ihr Elendsgesichter?
JACOPO: Wieso —
SANTOMASO: Warum —
LORENZO: Was —
MADDALENA: Ist denn das für uns?
GIACOMO: Für euch und alle armen Hunde, die heut' nacht noch zu Paolo finden.[18] Paolo — kommst du nun zu Giacomo, dem Hungerleider?
PAOLO: Giacomo, mein lieber, guter, alter Giacomo, warum sitzt du denn noch trocken da? Ist dir mein Wein nicht gut genug — Chianti,[19] Asti spumante,[20] Falerner?[21] Du wirst doch Weihnachten nicht trocken feiern, Giacomo, mein bester Freund?
GIACOMO: Ich werde es nicht trocken feiern, und diese da, die sollen es nicht hungrig feiern. Mit leerem Magen feiert sich's so schlecht. Hier, Paolo, sieh dir mal die spitze Nase an von Maddalena und die graue Haut von Santomaso, fühl' Jacopos dürre Rippen und Lorenzos eingefall'ne Wangen, und dann erzähle uns, was du zu bieten hast an Weihnachten.
PAOLO: Tauben, Hühner und gestopfte Gänse mit Maroni,[22] —

---

18. **die ... finden** *who come to Paolo's tonight*
19. **Chianti** *a popular red wine*
20. **Asti spumante** *sparkling wine from the city of Asti*
21. **Falerner** *fiery white wine (liked by the Romans)*
22. **Maroni** *chestnuts*

Spaghetti, Maccaroni und Zucchini,[23] — Wurst und Käse: Gorgonzola,[24] Provolone,[25] Salami —
GIACOMO: Gut, gut, ich sehe schon, es reicht zu einem Weihnachtsmahl, wie Giacomo, der Sünder, sich das denkt.[26] Ich bin kein Engel, Heilige Madonna, — nein, das bin ich nicht, aber warum soll nicht auch ein armer Sünder zu den andern Sündern sagen: Siehe, ich verkündige euch eine große Freude? Warum sollen das bloß Engel dürfen?[27]
GIACOMO: Wo gibt es denn noch Engel? Man muß schon selber Engel spielen heutzutage ...
[*Er brummt ein paar Töne des Weihnachtsliedes*]
Ich weiß, ich weiß, Santa Maria,[28] mit der Weihnachtsfreude sind nicht gestopfte Gänse gemeint[29] und Maccaroni und Salami, aber glaubst du, Heilige Madonna, daß meinen ausgehungerten Freunden hier ein ordentliches Weihnachtsessen eine größere Freude bereitet als alle Juwelen der Welt? Und deshalb habe ich auch deine — na ja, Schwamm drüber[30] — du verstehst mich schon. Mit was man eine Freude macht, ist schließlich gleichgültig, wenn man nur eine Freude macht.
MADDALENA: Giacomo, wir haben Hunger —
LORENZO: Wenn du uns schon[31] einladen willst, Giacomo —
SANTOMASO: so halte keine Reden an die Wand[32] und die Madonna —
JACOPO: sondern bestell' uns etwas, Giacomo!

23. **Zucchini** squash
24. **Gorgonzola** ewe-milk cheese
25. **Provolone** soft cheese
26. **sich das denkt** thinks it should be
27. **Warum ... dürfen?** Why should only angels be permitted to do that?
28. **Santa Maria** *(Italian)* Holy Mary
29. **mit der ... gemeint** Christmas rejoicing shouldn't mean stuffed geese
30. **Schwamm drüber** enough said
31. **schon** really
32. **so halte ... Wand** Then don't make speeches to the wall

DAS GNADENBRINGENDE STRAFGERICHT 99

GIACOMO: Ja, los, Paolo — tisch' ihnen auf! Nein, halt, — laß jeden, der hier sitzt, bestellen, wünschen, was er selbst am liebsten will. Lorenzo, los — bestell' dir was![33] Hühner, Enten, Gänse! Santomaso, auf — 's ist Weihnachten[34] und Wohlgefallen allen Menschen, — wünsch' dir, was dein Herz begehrt, Falerner und Salami! Und Jacopo! Maddalena! Redet, wünscht, bestellt! 's ist Weihnachten, und die Madonna gibt ein großes Mahl heut' für die armen Sünder von Venedig! Wärmt eure Knochen, eßt und trinkt und freut euch — Giacomo, der Rotweintrinker mit dem einen Bein, zahlt heute alles — und im Namen der Madonna!

SANTOMASO: Ich weiß zwar nicht mehr genau, ob es eine Madonna gibt —

JACOPO: Und einen Himmel —

LORENZO: Und so etwas wie Weihnachten —

MADDALENA: Und Wunder oder so[35] —

SANTOMASO: Ich wünschte aber, es gäbe sie[36] —

JACOPO: Die Madonna und den Himmel und die Wunder —

LORENZO: Dann wären wir vielleicht gar keine so schlechten Menschen —

MADDALENA: Und das sind wir ja nun wirklich —

SANTOMASO: Wie dem aber auch sei[37] —

JACOPO: Habe ich Hunger und bestelle Maroni —

LORENZO: Gorgonzola —

MADDALENA: Und Falerner!

GIACOMO: Falerner her, Paolo, und gestopfte Gänse und Maroni!

SANTOMASO: Und Giacomo, der Küster, —

33. **bestell' dir was!** order yourself something!
34. **auf ... Weihnachten** get going, it's Christmas!
35. **Und Wunder oder so** And such things as miracles
36. **es gäbe sie** there were such things
37. **Wie ... sei** However that may be

JACOPO: Und die Madonna —
MADDALENA: Und die Wunder —
LORENZO: Wenn es welche gibt —
SANTOMASO: Sollen leben![38]
ALLE: Sollen leben!
    [*Allgemeiner fröhlicher Lärm, ausblenden, Raumwechsel*]

MALER: Welch ein Bild für einen Maler, Heiliger Gabriel! Wie aus dem stumpfen Grau der trüben Taverne mit einem Mal die Farben springen und die Fröhlichkeit! Runde Gesichter, Gelächter und roter Wein, maisgelb gebratene Hühner und milchweiße Zähne und braune Maroni — eine ganze Palette der Freude, bereitet von Giacomo, dem Sünder!
GABRIEL [*von weitem*]: Und wo bleibt Petrus, der den Dieb des Bildes sucht?
MALER: Sankt Petrus nähert sich mit Angelino und den uniformierten Nußknackern der Gerechtigkeit dem Eingang der Taverne, und das Strafgericht steht schon auf seinem Gesicht geschrieben.[39] Muß er denn die Fröhlichkeit der armen Teufel stören, Heiliger Erzengel Gabriel, — ausgerechnet an Weihnachten?
GABRIEL [*von weitem*]: Es muß sein — um der himmlischen Gerechtigkeit und aller armen Sünder willen...
MALER: Nun gut. Sankt Petrus öffnet die Taverne...
    [*Raumwechsel, einblenden den fröhlichen Lärm der Taverne*]

---

38. **Sollen leben!** Long may they live! *(a toast)*
39. **das Strafgericht ... geschrieben** the sentence is written clearly on his face

DAS GNADENBRINGENDE STRAFGERICHT

PETRUS [*verschafft sich Gehör*]: Meine Brüder — [*Der Lärm bricht ab*] der Friede Gottes, der höher ist als alle Vernunft, sei mit euch.
[*Pause*]
SANTOMASO [*verlegen*]: Jaaa —
JACOPO: Hmmm —
GIACOMO [*flüstert*]: Amen müßt ihr sagen, ihr Holzköpfe!
MADDALENA [*frech*]: Amen.
LORENZO [*schon stark angeheitert*]: Von mir aus [40] auch Amen. Komm' her, Alter,[41] setz' dich an den Tisch, wärm' deine Knochen und lang' zu! Gibt's alles umsonst, was da steht, und noch mehr, reicht auch für die Herren Polizisten — bitte Platz zu nehmen!
GIACOMO [*halblaut*]: Lorenzo!
LORENZO: Gar nichts Lorenzo — hier, Giacomo, der ist heute der Weihnachtsmann, — Giacomo, mußt du wissen, Alter, — Giacomo ist sonst auch ein armer Hund wie wir alle, aber heute hat er Geld und Gold und Goldstücke in dicken Säcken.
MADDALENA: Gott weiß, wo er's her hat.[42]
PETRUS: Ja, Gott weiß, wo er's her hat ...
LORENZO: Uns ist das egal. Wir wollen nur sein Geld verfressen und versaufen und auf den Kopf hauen[43] — zu Ehren[44] der Madonna. Prost[45] — auf die Madonna!
PETRUS [*schlägt krachend auf den Tisch und donnert*]: Genug! Genug, sage ich, der Lästerung! Im Namen der Madonna und des Heiligen Erzengels Gabriel — die Gläser auf den Tisch![46]

40. **Von mir aus** As far as I'm concerned
41. **Alter** old man *(addressing Peter)*
42. **Gott weiß ... hat** God only knows where he got it
43. **Wir wollen ... hauen** As long as we can gobble up and swill up and use up his money
44. **zu Ehren** in honor of
45. **Prost** let's drink (to)
46. *a command*

Die Hände weg vom Wein, vom Essen, und die Hände weg von diesem Geld — von diesem Schandgeld, Sündengeld und Judaslohn![47] Ja, ihr Sünder, ihr Säufer, ihr Weihnachtsschänder, — der Himmel weiß nun, wo der Küster Giacomo das Geld her hat, und ich, Sankt Petrus, bin als Vertreter des Himmels und der himmlischen Gerechtigkeit ausgesandt, ein Strafgericht —

POLIZIST: Halt! Hiergeblieben,[48] Giacomo! Du brauchst dich gar nicht durch die Tür zu drücken[49] — komm', mein Freund, bleib' hier!

PETRUS: Dem Himmel wirst du nicht entgehen, und wenn du Flügel der Morgenröte nähmest! Der Himmel ist immer hier! Los, her zu mir! Noch näher — so! Nur eines kannst du noch:[50] gesteh'n und bereu'n.

ANGELINO [*will sich für Giacomo verwenden*]: Sankt Petrus —

PETRUS: Schweig', Angelino, — ich kenne meine Pflicht. Und nun gestehe, Giacomo: Wer hat das Bild mit der goldenen Madonna aus der Kirche San Giorgio gestohlen?

[*Pause, dann eindringlich, aber etwas milder*]

PETRUS: Heute ist Weihnachten, Giacomo!

[*Pause, noch eindringlicher*]

Unser Heiland ist heute geboren, Giacomo!

[*Pause*]

ANGELINO: Der die Sünden der Welt trägt, Giacomo!

[*Pause*]

GIACOMO [*leise*]: Ich habe es gestohlen ...

[*Raumwechsel, Hallraum*]

---

47. **Judaslohn** Judas money. *(He implies that the money was obtained by betraying the Virgin Mary.)*
48. **Hiergeblieben** stay here
49. **Du brauchst ... drücken** There's no need for you to slip out the door
50. **Nur eines ... noch** there's only one thing left for you to do

DAS GNADENBRINGENDE STRAFGERICHT

PETRUS: Heiliger Erzengel Gabriel — ich habe den Dieb gefunden!
GABRIEL [*von weitem*]: So vollziehe das Strafgericht.
PETRUS: Ja — aber —
GABRIEL: Gibt es ein Aber?
PETRUS: Er ist ein armer Hund, ein alter Küster ohne linkes Bein.
GABRIEL: Vollziehe das Strafgericht, wie du es für richtig hältst.
PETRUS: Ich weiß nicht mehr genau, was ich für richtig halten soll. Der Wind, der bittere, nasse Wind hier in den Gassen hat meinen Kopf ganz dumm gemacht.
GABRIEL: Die Madonna wird dir beistehen. Doch vollziehe nun das Strafgericht.
PETRUS: Ja, Heiliger Erzengel Gabriel.

[*Raumwechsel, Taverne*]

PETRUS: Also, Giacomo, nachdem du nun gestanden hast, daß du —
LORENZO [*streitsüchtig*]: Moment mal,[51] Alter, — hier hat gar niemand etwas gestanden, und falls Ihr von der Polizei seid, so laßt Euch gesagt sein[52] —
PETRUS [*ruhig, aber sehr nachdrücklich und überzeugend*]: Nein, ich bin nicht von der Polizei, sondern vom Himmel, und im Namen des Himmels [*Drei Glockenschläge*] erkläre ich, der Heilige Petrus, das große Strafgericht über den Sünder Giacomo für eröffnet.

[*Die folgenden Sätze steigen sich, leise beginnend, bis zu dem Ausbruch der Maddalena*]

51. **Moment mal** Just a moment
52. **so ... sein** you might as well know right now

LORENZO [*ernüchtert*]: Verdammt, das klingt ernst!
SANTOMASO: Ich glaub', der ist wirklich —
JACOPO: Habt ihr das gesehen?
MADDALENA: Er trägt auf einmal einen roten Mantel —
5 LORENZO: Wie ein Kardinal —
SANTOMASO: Und seine Augen —
JACOPO: Und die Augenbrauen —
MADDALENA: Und der Bart —
SANTOMASO: Ich glaube, der ist wirklich sowas Himmlisches —
10 LORENZO: Und wir —
JACOPO: Wir sind wirklich —
SANTOMASO: Alle miteinander —
LORENZO: Allzumal —
JACOPO: Wir sind wirklich alle —
15 MADDALENA [*bricht aus*]: Alle miteinander Sünder, Heiliger Sankt Petrus, Sünder, was immer man darunter versteht,[53] Sünder, ja... aber was sollten wir denn tun, Heiliger Sankt Petrus, was blieb uns denn übrig? Kein Zimmer, kein Bett, keine Arbeit, keine Unterstützung — was blieb uns denn
20 übrig? Wir mußten doch leben, wir —
PETRUS: Sei ruhig, meine Tochter — gesündigt hat nur Giacomo.
[*Drei Glockenschläge*]
PETRUS: Giacomo Pisano, Veteran von der Piave, heute Küster zu Venedig, du bist im Namen des Herrn angeklagt, in deinem
25 zweiundsechzigsten Jahr und am Tage vor Weihnachten ein schönes und kostbares Bild der Heiligen Mutter Gottes vom Altar der Kirche San Giorgio dei Greci gestohlen zu haben. Bekennst du dich schuldig?
GIACOMO: Ja, Heiliger Sankt Petrus.
30 PETRUS: Ich erkläre dich deshalb der schwersten Strafen des Himmels zwischen Fegefeuer und ewiger Verdammnis für

53. **was ... versteht** in any sense of the word

würdig. [*Drei Glockenschläge*] Ferner bist du angeklagt, Giacomo, das heilige Bild nicht nur gestohlen, sondern auch geschändet zu haben, indem du den goldenen Mantel der Madonna abgerissen und alle Rubine, Saphire und Topase aus den Aureolen der Engel gebrochen hast. Bekennst du dich schuldig?

GIACOMO: Ja, Heiliger Sankt Petrus.

PETRUS: Ich erkläre dich deshalb zum andern Male der schwersten Strafen des Himmels zwischen Fegefeuer und ewiger Verdammnis für würdig. [*Drei Glockenschläge*] Zum dritten endlich bist du angeklagt, Giacomo, das Gold und die edlen Steine nicht nur ausgebrochen, sondern aus niedriger Geldgier auch versetzt zu haben — und dies am Tage der Geburt unseres Herrn. Bekennst du dich schuldig, Giacomo?

GIACOMO [*Zögernd*]: J — ja ...

MARIA: Nein — das ist nicht wahr!

LORENZO [*flüstert erschreckt*]: Heilige Maria, Mutter Gottes!

SANTOMASO: Das Bild —

JACOPO: Die Madonna —

MADDALENA: Sie steigt heraus —

LORENZO: Sie redet! —

PETRUS: Auf die Knie mit euch[54] vor der Madonna!

MARIA: Nein, steht auf, meine Söhne, steh' auf, Maddalena, und auch du, Petrus, erhebe dich und walte weiter deines Richteramtes. Ich bin nur hier, dir zu helfen, Wahrheit und Gerechtigkeit zu finden, nicht als Königin des Himmels in goldenem Mantel, sondern als einfache Zeugin in braunem Gewand wie diese hier,[55] denn ich bin schließlich die einzige, die bei Giacomos Tat zugegen war, und so will ich schildern, wie es war am Tage vor Weihnachten. Vor meinem Altar

54. **Auf ... euch** On your knees
55. **wie diese hier** like these people here

brannten die ewigen Lampen, stille Rubine vor dem stilleren Schwarz und Gold des Kirchenschiffes[56] von San Giorgio, und der Küster Giacomo füllte noch einmal frisches Öl in die Lampen, und dann kniete er vor meinem Altare nieder und
5 betete —

[*Akustikwechsel,*[57] *einblenden*]

GIACOMO [*murmelt*]: Heilige Maria, Mutter Gottes, bitt' für uns Sünder, jetzt und in der Stunde unseres Todes. Amen. Heilige Maria, Mutter Gottes, bitt' für uns Sünder, jetzt und
10 in der Stunde unseres Todes. Amen. Heilige Maria, Mutter Gottes, bitt' für uns Sünder — und ich bin wirklich ein Sünder, jetzt und in der Stunde meines Todes. Amen. Heilige Maria, Mutter Gottes, ich bin nur ein versoffener Küster, Giacomo der Rotweintrinker, und ich
15 habe auch jetzt wieder Rotwein getrunken, Heilige Maria, Mutter Gottes, bitt' für mich Sünder, denn es war wieder der Meßwein. —

MARIA: Das war eine Sünde, Giacomo.

GIACOMO: Ich weiß, Heilige Maria, Mutter Gottes, aber du
20 weißt auch, daß ich mein linkes Bein an der verdammten Piave verloren habe, und daß das nicht in Ordnung ist, und daß ich immer Schmerzen habe, vor allem bei diesem verdammten nassen Weihnachtswetter in Venedig —

MARIA: Du sollst nicht fluchen, Giacomo.

25 GIACOMO: Heilige Maria, Mutter Gottes, bitt' für mich, denn ich bin wirklich ein großer Sünder, ich trinke und fluche, ja — aber soll man da nicht fluchen und nicht trinken, wenn die nasse Kälte Tag für Tag aus den Kanälen schwabbt und schmutzig glänzend auf den Straßen liegt und in die Schuhe

---

56. **stille ... Kirchenschiffes** like quiet rubies against the even more subdued black and gold of the nave
57. **Akustikwechsel** change of acoustic *(to indicate the coming flashback)*

kriecht — und die Schuhe, Heilige Maria, Mutter Gottes, haben Löcher, das weißt du genau.

MARIA: Ja, Giacomo, ich sehe deine Schuhe jeden Tag.

GIACOMO: Und du weißt auch genau, daß mich deine Heilige Kirche so schlecht bezahlt, daß ich mir keine neuen Schuhe kaufen kann. Nichts gegen[58] deine Heilige Kirche —

MARIA: Meine Kirche ist nicht von dieser Welt.

GIACOMO: Aber meine Schuhe sind von dieser Welt, sehr sogar,[59] und die Nässe ist auch von dieser Welt, und deshalb mußt du für mich bitten, Heilige Maria, Mutter Gottes.

MARIA: Ja, Giacomo, ich werde für dich bitten.

GIACOMO: Ich danke dir, Heilige Maria, und ich küsse den Saum deines goldenen Mantels in Dankbarkeit und Demut, denn ich bin ein großer Sünder. Aber wenn du schon für mich bittest, so könntest du noch ein wenig mehr für mich bitten, denn ich bin auch ein läßlicher Sünder und lasse es zu, daß Santomaso ohne Eltern regelmäßig meine Opferstöcke ausleert.

MARIA: Ich weiß, Giacomo, und das ist, genau genommen, gar nicht in der Ordnung.

GIACOMO: Nein, Heilige Maria, das ist wirklich nicht in Ordnung, aber ich bitte dich — ist es vielleicht in Ordnung, daß Santomaso keine Eltern mehr hat und keine Rente bekommt und keine Arbeit und nichts?

MARIA: Nein, das ist natürlich auch nicht in Ordnung.

GIACOMO: Siehst du! Und genau so wenig ist die Sache mit Jacopo Schielaug in Ordnung und die mit Maddalena mit den roten Haaren und die mit Lorenzo mit der Augenklappe. Das sind alles arme Hunde, jetzt und in der Stunde ihres Todes, Amen, und das ist nun mal nicht in Ordnung, am

---

58. **Nichts gegen** No offense meant to
59. **sehr sogar** very much so in fact

allerwenigsten heute an Weihnachten — das meinst du doch auch?

MARIA: Ja, Giacomo.

GIACOMO: Andre Leute haben Geld und rennen in die Warenhäuser und packen sich die Taschen voll, oder in die Juwelierläden und kaufen zu Weihnachten Rubine, Saphire, Topas —

MARIA: Aber das ist nicht der Sinn des Weihnachtsfestes, Giacomo.

GIACOMO [abwesend]: Rubine, Saphire, Topas ...

MARIA: Was hast du denn auf einmal, Giacomo, wo starrst du denn hin?

GIACOMO: Nichts, Heilige Maria, gar nichts.

MARIA: Es kommt nicht auf die großen Geschenke, sondern auf die Freude an. Erinnerst du dich, was in der Nacht, da ich meinen Sohn geboren habe, der Engel den Hirten verkündete? „Siehe, ich verkündige euch große Freude."

GIACOMO: „— die allen Menschen widerfahren ist." Aber das ist es eben,[60] Heilige Mutter Gottes: die allen Menschen widerfahren ist! Lorenzo mit der Augenklappe und Santomaso ohne Eltern und Jacopo Schielaug und Maddalena mit den roten Haaren ist bis jetzt gottverdammt wenig Freude widerfahren in ihrem Leben —

MARIA: Giacomo!

GIACOMO: Verzeih', Heilige Maria, aber es ist so, und denen wird auch an diesem Weihnachten keine Freude widerfahren,[61] verlaß dich darauf, wenn du ihnen keine machst oder ich, und das ist einfach nicht in Ordnung. Hab' ich recht, Heilige Maria, Mutter Gottes?

MARIA: Ja, du hast recht, Giacomo.

GIACOMO: Ich bin zwar nur ein versoffener Küster, der ein Bein

---

60. **Aber ... eben** But that's just it
61. **denen ... widerfahren** no joy will come to them this Christmas

zu wenig hat, ein alter Mann, der friert und flucht, und ein läßlicher Sünder obendrein, aber ich meine, Heilige Maria, es müßte nicht sein, daß Santomaso ohne Eltern und die andern keine Weihnachtsfreude haben.

MARIA: Aber was willst du denn tun, Giacomo?

GIACOMO: Paß' auf: Ich habe eine großartige Idee — aber erlaubst du, daß ich erst noch einen Schluck Rotwein nehme, ehe ich sie dir erkläre?

MARIA: Meßwein, Giacomo?

GIACOMO [*kleinlaut*]: Nun ja . . .

MARIA: [*lächelnd*]: Meinetwegen, Giacomo.

GIACOMO: Ich danke dir, Heilige Mutter Gottes, und ich küsse den Saum deines goldenen Mantels voll Dankbarkeit!

[*trinkt*]

GIACOMO: Also paß' auf: wenn man jemandem eine Freude machen will, braucht man auf dieser Welt Geld und Gold und Edelsteine oder so was ähnliches.

MARIA: Nicht unbedingt.

GIACOMO: Aber meist, wie die Dinge nun mal bei uns liegen.[62] Außerdem hast du selbst gesagt, daß es nicht so sehr auf die Wertsachen ankommt, als auf die Freude.[63]

MARIA [*lächelnd*]: Richtig, Giacomo.

GIACOMO: Gut, ich habe nun weder Geld, noch Gold, noch Edelsteine — aber du hast sie.

MARIA: Arm wie ich bin?

GIACOMO: Nun ja — hier auf deinem Bild — dein goldener Mantel und die Edelsteine und die Engelsköpfe.

MARIA: Ach so meinst du . . . ich beginne zu verstehen.

GIACOMO: Und dieses Zeug brauchst du doch nicht, meine ich.

---

62. **Aber . . . liegen** But usually, the way things stand
63. **daß es . . . Freude** that it doesn't depend so much on the value of the gifts as on the joy they bring

Das ist doch nur ein Bild, und du bist doch nicht in diesem Bild.

MARIA: Drin bin ich schon.[64]

GIACOMO: Natürlich, aber sieh mal — ich meine — Herrgott,[65] wie soll ich dir denn das erklären? Ich meine: du bist nicht das Bild selbst oder so ähnlich —

MARIA: Ich glaube, Giacomo, das ist eine Frage, über die sich selbst gelehrtere Leute als wir beide noch nicht ganz klar sind.

GIACOMO: Auf jeden Fall ist es doch so: wenn du diesen Mantel hier — sagen wir einmal: verlieren solltest, dann hast du immer noch tausend andere zum Anziehen.

MARIA: Da hast du allerdings recht.

GIACOMO: Siehst du, und mit den Edelsteinen deiner Engel ist es genau so. Die Engel stecken doch auch nicht hier in diesem Bild drin, sondern fliegen irgendwo in der Luft herum oder so — das weißt du selber viel besser als ich.

MARIA: So ungefähr ist es.

GIACOMO: Also, und wenn ihr diesen ganzen Schmuck nun gar nicht braucht, so könnte man ihn doch genau so gut auch nehmen und Santomaso und den andern eine Freude damit machen.[66]

MARIA: Wer ist: man?

GIACOMO: Wenn du mir noch den Rest des Meßweines genehmigen würdest, Heilige Mutter Gottes —: ich vielleicht.

MARIA: Du, mein eigener Küster?

GIACOMO: Nun ja — bei mir käme es nicht mehr darauf an,[67] ich bin ohnehin schon ein Sünder, — und meine Freunde

---

64. **Drin bin ich schon** But I am in it
65. **Herrgott** Lord *(Giacomo forgets himself.)*
66. **eine Freude damit machen** use it to make ... happy
67. **Nun ja ... darauf an** Well—it wouldn't matter so much in my case

DAS GNADENBRINGENDE STRAFGERICHT 111

hätten dann wenigstens ihre Weihnachtsfreude — und was für eine!⁶⁸ Darf ich, Heilige Madonna?
MARIA: Du fragst mich, Giacomo, aber ich sage nicht ja, und ich sage nicht nein. Frage nicht, handle.
GIOCOMO: Und wenn es eine Sünde ist, Heilige Madonna? Wirst du mir verzeihen?
MARIA: Wirst du bereuen, Giacomo? Dies und jede Sünde deines Lebens?
GIACOMO: Ja, Heilige Madonna, ja! Ich bin zwar betrunken, aber du mußt mir glauben, Heilige Madonna, was ich sage: ich weiß, daß ich ein schlechter Mensch bin und nicht wert, das Öl in deine Lampen zu füllen. Ein sündiges, vertanes Leben, schlecht und schwach — und doch, Heilige Madonna: wenn ich einmal etwas täte, für die andern — einmal, Heilige Madonna — Wein in ihre Gläser, Wärme in die Glieder, Freude in die Herzen — einmal, Heilige Madonna — wäre ich dann noch ein Sünder?
MARIA: Frage nicht, handle.
GIACOMO: Wirst du mir verzeihen?
   [*Kurze Pause*]
MARIA: Ich habe dir verziehen, denn du hast bereut.
GIACOMO: Dank! Tausend Dank, Heilige Maria, Mutter Gottes! Ich werde dir ewig dankbar sein und ewig den Saum deines goldenen Mantels küssen — [*etwas betreten*] das heißt, die Stelle, wo er einmal war.
MARIA: Laß nur, Giacomo, und paß' auf, daß dich außer mir niemand sieht bei deinem guten Werk — da gibt es noch die Polizei...
GIACOMO: Tausend, zehntausend, hunderttausend Dank, Heilige

---

68. **und was für eine!** and what a (fine) one!

Maria, Mutter Gottes — und ich werde den andern bestimmt auch eine Freude, eine große Freude machen ...
[*Ausblenden, Akustikwechsel, Taverne*]
MARIA: So war das, als Giacomo am Tage vor Weihnachten allein mit mir in der stillen Kirche von San Giorgio dei Greci war, und ich möchte dich bitten, Sankt Petrus, dies zu bedenken, ehe dein strenges Strafgericht das Urteil fällt über meinen Sohn Giacomo.
[*Raumwechsel*]

MALER: Heiliger Erzengel Gabriel, ich bin nur ein einfacher Maler, der Holzpferdchen und Giraffen bemalt — wie hätte ich Worte finden sollen, dies zu schildern, dieses Bild in der Taverne: an den Wänden, staunend, stumm und dennoch froh, die armen Sünder von Venedig, in der Mitte Giacomo, gesenkten Hauptes,[69] gesenkten Hauptes aber auch Sankt Petrus — wo ist seine Strenge, seine Sicherheit, sein Pflichtgefühl? Wo seine Überzeugung, Recht zu tun, Recht zu sprechen und die himmlische Gerechtigkeit zu haben wie die Haare seines Barts?[70] Weggeflogen ist dies alles, aufgesogen von dem hellen Licht in der Taverne, von dem Licht, das die Madonna ist, die Madonna ohne Mantel, ohne Gold und ohne Glanz und dennoch leuchtend, dennoch schön, wie ich sie niemals hätte malen können.
GABRIEL [*von weitem*]: Du bist nicht wichtig, Maler, wichtig ist das Strafgericht.

69. **gesenkten Hauptes** with lowered head
70. **Wo seine ... Barts?** Where is his conviction that he acts justly, that he speaks justly, and that divine justice is as much a part of him as the hair in his beard?

DAS GNADENBRINGENDE STRAFGERICHT

MALER: Auch das Strafgericht ist nicht mehr wichtig, jedenfalls für Petrus nicht. Die Madonna hat geendet, und nun löst sich Petrus aus der Starre,[71] aus dem Schweigen, lächelt — Petrus lächelt! Endlich wieder! — und beginnt zu reden:
[*Raumwechsel*]

PETRUS: Heilige Maria, ich danke dir für deinen Bericht oder deine Zeugenaussage zugunsten des Angeklagten. Deine Worte lassen seine Tat in einem ganz neuen Lichte erscheinen. Erlaube mir jedoch noch eine Frage: Fühlst du als die Bestohlene dich von Giacomo geschädigt?

MARIA: Nein, Petrus. Ich lege keinen Wert auf goldene Mäntel — sie sind so unbequem.

PETRUS: Danke. Der Ordnung halber sollte ich nun noch die anderen Bestohlenen vernehmen, die Engel nämlich. Angelino du könntest doch für die Engel sprechen?

ANGELINO: Ja, Sankt Petrus.

PETRUS: Glaubst du, daß die Engel sich geschädigt fühlen, weil ihnen Giacomo ihre Saphire, Rubine und Topase weggenommen hat?

ANGELINO: Ach wo — die mußten sie doch immer nur putzen.[72]

PETRUS: Schön. Dann wäre das auch in Ordnung. Nun rufe ich noch auf als Zeugen Lorenzo mit der Augenklappe. Was bist du von Beruf?

LORENZO: Taschendieb.

PETRUS [*empört*]: Lorenzo —! [*besinnt sich*] Ach, lassen wir das — wenigstens an Weihnachten. Santomaso ohne Eltern, was treibst du?

---

71. **löst ... Starre** Peter recovers from his stupefaction
72. **Ach wo ... putzen** Of course not—they had to clean them all the time anyway

SANTOMASO: Ich leere Opferstöcke.
PETRUS [*halb lachend, halb ärgerlich*]: Nur immer zu![73] Und du, Jacopo Schielaug?
JACOPO: Ich bin Bettler.
5 PETRUS: Ja ja — jetzt ist's ohnehin schon gleichgültig. Und welches Gewerbe betreibst du, Maddalena mit den roten Haaren?
MARIA [*mit sanftem Tadel*]: Welche Frage, Sankt Petrus!
PETRUS: Verzeih', Heilige Maria. Also, meine Freunde, ihr seid
10 zwar alle miteinander Sünder, aber darauf kommt es im Augenblick wohl gar nicht so sehr an,[74] und überdies habt ihr bereits bereut. Ich möchte nur noch wissen: was habt ihr über Giacomo auszusagen?
LORENZO: Giacomo ist ein feiner Kerl.
15 SANTOMASO: Er hat uns eine Freude gemacht.
JACOPO: Eine große Freude.
MADDALENA: Er hat uns Falerner bestellt.
LORENZO: Und gestopfte Gänse.
SANTOMASO: Und Maroni.
20 JACOPO: Und Salami.
MADDALENA: Wir waren richtig fröhlich.
LORENZO: Wie an Weihnachten.
SANTOMASO: Ja, wie an Weihnachten.
JACOPO: Wie zu Hause.
25 MADDALENA: Als wir klein waren ...
LORENZO: Und da haben wir begriffen —
SANTOMASO: Zum erstenmal begriffen —
JACOPO: Wie schlecht wir sind —
MADDALENA: Und haben es bereut —
30 LORENZO: Und das hat Giacomo bewirkt —

73. **Nur immer zu!** Better and better!
74. **aber darauf ... an** but that isn't so very important at the moment

DAS GNADENBRINGENDE STRAFGERICHT 115

SANTOMASO: Ganz allein Giacomo —
JACOPO: Weil er uns eine Freude gemacht hat —
MADDALENA: So ist es.
[Pause]
PETRUS [räuspert sich]: Ich danke euch. [Drei Glockenschläge] 5
Heilige Maria, Mutter Gottes, Heiliger Erzengel Gabriel,
Giacomo, Angelino und alle, die ihr anwesend seid — ihr
wißt, daß ich die Pflicht habe, ein großes Strafgericht über
den Sünder Giacomo abzuhalten, und es wäre ja auch notwendig, aber — [die Rührung übermannt ihn] Kinder, ich 10
kann das doch nicht![75] Ich kann es einfach nicht, versteht
ihr? Der Wind hier auf der Erde . . .
[Pause]
PETRUS: Schließlich hat Giacomo doch nur gestohlen, um ein
paar armen Hunden eine Freude zu machen . . . und schließ- 15
lich ist heute Weihnachten . . . und überhaupt.[76] Also [Drei
Glockenschläge]:
. Im Namen des Herrn, des Heiligen Erzengels Gabriel und
der himmlischen Gerechtigkeit spreche ich dich frei von jeder
Schuld, Giacomo [Drei Glockenschläge]. Der Friede Gottes, 20
der höher ist als alle Vernunft, sei mit dir.
GIACOMO: Amen.
ALLE: Amen.
[Raumwechsel]

MALER: Wenn ich jetzt eine Leinwand hätte, Heiliger Erzengel 25
Gabriel, und Pinsel aus Marderhaar wie einst, als ich noch
Maler war, — ich würde diesen Augenblick in der Taverne,

75. **Kinder . . . nicht!** People, I simply can't do it!
76. **und überhaupt** and anyway *(incomplete thought)*

diesen Augenblick der Gnade malen, und ich weiß, daß es mein bestes Bild würde.

GABRIEL: Die Gnade kann man nicht malen.[77] Bescheide dich, Dorio Perrucci, male weiter Holzpferdchen und Giraffen, wie ich dich geheißen habe. Aber sage mir noch, ob Petrus nun zurückkehrt, da er gelernt hat, was er lernen sollte.

MALER: Ja, er kommt zurück, er schüttelt lächelnd jedem seiner neuen Freunde noch die Hand und wendet sich mit Angelino nun zur Tür. Da — Heiliger Gabriel, da schießt ein bunter Blitz schnell hinterm Tisch hervor und bellt:

WACHTMEISTER: Moment mal — wenn die Polizei noch etwas sagen darf: die himmlische Gerechtigkeit in Ehren,[78] aber Diebstahl bleibt Diebstahl, und da der Dieb nun einmal gefaßt, überführt und geständig ist, habe ich als Wachtmeister des zweiten Polizeireviers die Pflicht, denselben der irdischen Gerechtigkeit zuzuführen. Giacomo — im Namen des Gesetzes —

PETRUS: Moment mal — im Namen des Himmels, Wachtmeister, — das wollen wir doch sehen, ob die himmlische oder die irdische Gerechtigkeit mehr gilt! Giacomo bleibt hier, und wenn du nochmals Hand an ihn legst oder gar Handschellen, werde ich dich dereinst von der Himmelstür in die ewige Verdammnis stürzen, du Pharisäer, du Zöllner, du — du —

WACHTMEISTER: Schon gut, schon gut[79] — ich wollte ja nur meine Pflicht tun.

PETRUS: Pflicht! Pflicht! Das fehlt gerade noch![80] Hier, setz' dich hin und iß und trink' und freu' dich wie die andern,

---

77. *Gabriel evidently feels that the subject is too sublime to be reproduced by a mortal artist.*
78. **in Ehren** all honor to
79. **Schon gut, schon gut** All right, all right
80. **Das fehlt gerade noch!** That's all that's lacking!

denn heute ist Weihnachten und Friede und Freude und Wohlgefallen allen Menschen — auch der Polizei, wenn sie guten Willens ist.
WACHTMEISTER: Ja, ich bin ja guten Willens, Heiliger Petrus. Ich dachte nur —
PETRUS: Schon gut, mein Sohn. Ich weiß, was du denkst, denn ich habe es selbst gedacht, ehe ich hier in die nassen, windigen Straßen von Venedig kam. Aber nun habe ich gelernt, worauf es ankommt, hier und an der Himmelstür: Nachsicht, meine Kinder, Nachsicht. Ihr seid alle Sünder, ja, und eure Welt ist schlecht, doch ganz schlecht ist sie nicht, solange es noch Sünder gibt wie Giacomo, den Küster, der einzig um der Freude anderer willen sündigte.
[*Kurze Pause*]
Wir wollen gehen, Angelino. Der Weg zum Himmel ist noch weit. Eßt und trinkt, meine Kinder, und vor allem freut euch, wie es unser aller Pflicht ist[81] jetzt am Weihnachtstage. Und wenn ihr dereinst an die Himmelstür kommt, ihr Sünder, dann erinnert mich bitte an unsere heutige Begegnung — ich werde euch schon hineinschlüpfen lassen! Lebt wohl!
[*Raumwechsel*]

MALER: Heiliger Erzengel Gabriel — da kommen sie nun die Milchstraße wieder herauf, die beiden, Angelino und Sankt Petrus, unverrichteter Dinge, wie ich dir erzählt habe, aber heiter wie zwei Lämmerwölkchen.
ANGELINO [*fern*]: „Das muß ein Stück von Himmel sein..."
MALER: Angelino hüpft, und Petrus lächelt drüber — wer hätte das gedacht...

---

81. **wie es ... ist** as is the duty of all of us

GABRIEL: Wo aber ist dein Bild, Perrucci?
MALER: Das ist doch nicht so wichtig, Heiliger Erzengel Gabriel, das war doch nur Mittel zum Zweck, zu einem Zweck, den ich jetzt so genau begriffen habe wie Sankt
5   Petrus. Nun ja, es steht wieder auf dem Altar, wo es Giacomo gestohlen,[82] geplündert zwar und kahl, aber es ist da, und in seiner ganzen Armut scheint es mir schöner zu sein als in seinem Glanz. Nun ist etwas hinzu gekommen, das ihm kein Maler geben konnte.
10 GABRIEL: Die Brüderschaft der armen Sünder von Venedig wird dein Bild hinfort das Gnadenbild der Heiligen Madonna von San Giorgio dei Greci nennen.
MALER: Ich aber werde mich weiter und freudig mit dem Bemalen von Holzpferdchen und Giraffen bescheiden, denn
15   das ist eine gute Beschäftigung für einen Maler im Himmel.
GABRIEL: Ich danke dir, Dorio Perrucci, für deinen Bericht und entlasse dich nun wieder zu deinen Holzpferdchen, denn da kommt Sankt Petrus, und Angelino hüpft voraus.
ANGELINO [einblenden]: „Das muß ein Stück vom Himmel
20   sein." —
PETRUS [leise]: Pst — der Heilige Gabriel!
[Angelinos Trällern bricht ab]
GABRIEL: Der Friede Gottes, der höher ist als alle Vernunft, sei mit euch.
25 BEIDE: Amen.
GABRIEL: Sankt Petrus, hast du das Strafgericht ausgeführt?
PETRUS: Ja, Heiliger Erzengel Gabriel.
GABRIEL: Hast du den Sünder bestraft?
PETRUS: Nein, Heiliger Erzengel Gabriel.
30 GABRIEL: Warum nicht?

82. **wo es ... gestohlen** from where Giacomo stole it

DAS GNADENBRINGENDE STRAFGERICHT

PETRUS: Weil er zwar ein Sünder, aber dennoch ein guter Mensch ist, Heiliger Erzengel Gabriel.
GABRIEL: Das freut mich, Sankt Petrus. Wir haben es zwar schon vorher gewußt, aber wir wollten, daß auch du es erkennen mögest, und lernen mögest, daß es sich mit den 5 meisten Sündern, die an die Himmelstür kommen, nicht anders verhält.[83] Nachsicht, Sankt Petrus, Nachsicht!
PETRUS: Ich habe es gelernt.
GABRIEL: Dann können wir ja nun auch im Himmel frohen und dankbaren Herzens Weihnachten feiern. Angelino, 10 stimme ein Weihnachtslied an!
ANGELINO [singt mit Nachdruck]: „Das muß ein Stück vom Himmel sein —"
GABRIEL [ohne Strenge]: Angelino, das geht nun wirklich nicht mehr.[84] Stimme ein richtiges Weihnachtslied an. 15
ANGELINO: Nachsicht, Heiliger Erzengel Gabriel, Nachsicht!
„O du fröhliche —"
PETRUS [fällt ein]: „O du selige —
CHOR: „Gnadenbringende Weihnachtszeit . . ." [usw., die 1. Strophe bis „Freue dich, freue dich, o Christenheit"]. 20

---

83. daß es ... verhält that the situation is no different for most of the sinners who knock at the gates of heaven
84. Angelino ... nicht mehr Angelino, that really won't do any longer

DIE SCHNAPSIDEE

Hörspiel von
HANS HÖMBERG

In essence Die Schnapsidee *is another humanitarian appeal for good will among men. However, it goes a step further than* Das gnadenbringende Strafgericht *in suggesting both a cause and a cure for intolerance. The cause is seen to lie in man's hectic and selfish addiction to his daily routine. The cure proposed is that people live at a more leisurely pace and learn to appreciate the world and the beauties of nature. (The notion that aesthetic feeling would make men better was also a favorite theme of Germany's greatest dramatist, Friedrich Schiller.)*

This gay little Hörspiel *opens in a bus terminal where the driver, Emil Pilkins, is being lauded by the director of the bus company for having served the company faithfully for thirty years.*

Heinz Hömberg *was born in 1903. He worked first as a journalist in Berlin, but later moved to the Austrian Tyrol where he has been active as a critic, translator, dramatist, and novelist. His book*, Schnee fällt auf den schwarzen Harnisch *(1947), had only fair success. However his comedies*, Kirschen für Rom *(1940) and* Der tapfere Herr S. *(1942) have become quite popular. He has written several radio plays including* Fahr wohl, Benjowski! *(1951) and* Die chinesische Witwe *(1954).*

von hier aus
sich um etwas handeln
um etwas bitten
sich kurz fassen
sich etwas ansehen
etwas anstimmen
am Steuer
knapp

Die Stimmen

REPORTER
FAHRER PILKENS
EIN SCHAFFNER
DIREKTOR HORNEMANN
BANKDIREKTOR SCHNORPS
EINE ALTE KÜCHENFRAU (MUTTCHEN)
CILLY

GROBIAN
DAME
MATTHIAS HAMMER
HUMORIST
KELLNERIN
ZOLLBEAMTER
2. ZOLLBEAMTER

REPORTER: Meine sehr verehrten Hörerinnen! Meine sehr verehrten Hörer! Ich stehe hier im Direktionsbüro der Omnibusgesellschaft. Wohin man sieht: Glas, Glas, Glas. Ja, wohin man starrt, eben Glas.[1] Von hier aus kann man die große Halle übersehen, wo die Omnibusse — sie sehen aus, wie 5 Elefanten im Nachthemd[2] — zwanglos umherstehen. Einige Fahrzeuge scheinen startbereit, und die emsigen Schaffner, die rührigen Fahrer werfen noch einen Blick auf die Thermosflasche und, ja natürlich, auch auf den Kühler. — Ich öffne jetzt das Fenster, damit Sie, meine 10 Damen und Herren, das brodelnde Gewirr des Autohofes vernehmen können. Bei diesem Eindruck der Bienenemsigkeit möchte ich nunmehr den Anlaß unseres heutigen Besuches hier bekanntgeben. Ja, heute ist es ein kleiner und doch so bescheidener Omnibuslenker, dem unsere Wißbegierde gilt.[3] 15 Ich spreche von Emil Pilkens. Kennen Sie ihn? Sie kennen ihn nicht! Aber weil es sich um einen unbekannten Ritter vom Steuer[4] handelt, werden Sie ihn kennenlernen. Dreißig Jahre lang hat Emil Pilkens den Omnibus, oder besser gesagt, viele Omnibusse der Linie E zügig durch unsere Stadt ge- 20

1. **Ja ... Glas** Yes, wherever one looks, nothing but glass
2. *a reference to the bulky but streamlined appearance of the busses*
3. **dem ... gilt** in whom we are interested
4. **Ritter vom Steuer** knight of the (steering) wheel

123

124 HANS HÖMBERG

fahren. Heute ist Emil Pilkens ein rüstiger Endachtund-
fünfziger⁵ mit einem klugen, ja kantigen Kopf, einer sicheren
Hand. Ja, aber hierüber wird genauer Direktor Hornemann
sprechen, der gerade jetzt — ich sehe es ganz deutlich, er
5 steht dort unten auf dem Hof — die Hand erhebt zum
Zeichen, daß er spricht.

[*Geräusche eines Omnibusbahnhofes*]

DIREKTOR HORNEMANN: Ich bitte um absolute Ruhe. Männer
der Omnibus-AG!⁶ (Ich fasse mich kurz,) weil nicht ich,
10 sondern eure Wagen unserer Zeit befehlen. Wir haben heute
Anlaß, einen wackeren Streiter in unseren Reihen zu be-
glückwünschen. [*Rufe*] Fahrer Pilkens!

PILKENS: Hier!

DIREKTOR: Wo ist der Mann? Fahrer Pilkens ist mit dem
15 heutigen Tage dreißig Jahre lang treu und sauber⁷ in unseren
Diensten. Im Jahre 19 . . .

PILKENS: 22, Herr Direktor.

DIREKTOR: . . . hat er zum ersten Mal den Chauffeursitz
erklommen, um ihn, bildlich gesprochen, nie zu verlassen.
20 Und vorher, mit weißem Zylinder und flotter Peitsche, hat
Emil Pilkens sechs Jahre lang den Pferdeomnibus Linie . . .

PILKENS: H, Herr Direktor.

DIREKTOR: . . . im Volksmund „Der feurige Elias" genannt,⁸
geführt. Männer! Wie gesagt,⁹ ich fasse mich kurz. Die
25 Arbeit ruft. Geht an dieselbe und nehmt euch Pilkens als
Beispiel, als Vorbild, besonders ihr Jüngeren! Das sind die
Männer, die wir brauchen! Und nun, Männer vom fahrenden

5. **Endachtundfünfziger** man almost fifty-nine years old
6. **Omnibus-AG (AG = Aktiengesellschaft)** bus company
7. **sauber** with a clean record
8. **im Volksmund . . . genannt** commonly known as the "fiery Elijah"
9. **Wie gesagt** As I have said

DIE SCHNAPSIDEE

Volk,[10] stimmt an. Stimmt an die kleine Ehrung[11] für unseren
Kameraden Emil Pilkens.
GESANG: Dreißig Jahre bist du hier,
treu und stets zum Dienst bereit.
Alle Freunde wünschen dir:
Fahr' noch lange Zeit!
— — — Emil Pilkens Hoch! Hoch! Hoch!
PILKENS: Oh, ich danke euch!
DIREKTOR: Kommen Sie, lieber Pilkens, Sie haben noch acht
Minuten Zeit. Kommen Sie mit ins Büro. Da ist einer vom
Rundfunk, der Sie interviewen will.
PILKENS: Vom Rundfunk...
DIREKTOR: Kommen Sie!

REPORTER: Hier spricht wieder Franz Xaver Dönhof. Ich habe
umgeschaltet. Das Fenster habe ich geschlossen, um den
ohrenbetäubenden Lärm hintanzuhalten. Herr Direktor
Hornemann hat seinen Arm jovial auf die Schulter des
Jubilars gelegt. Sie kommen näher. Sie eilen die Stiege hinan.
Sie treten ein, sie sind schon da. —
Meine innigste Gratulation, Herr Pilkens! Na, ich weiß, Sie
haben nicht viel Zeit, und so will ich Sie auch nicht lange aufhalten. Verehrter[12] Herr Pilkens, sagen Sie zunächst unseren
Hörern, wie man sich so fühlt, wenn man dreißig Jahre lang
immer am Steuer, immer unterwegs und so weiter und so
fort[13] ist...?

10. **Männer ... Volk** wayfaring men
11. **Stimmt ... Ehrung** Strike up a little song in honor (of)
12. **Verehrter** my dear
13. **und so ... fort** and so forth and so on

126   HANS HÖMBERG

PILKENS: Ja, da fühlt man sich nicht anders als an jedem anderen Tag. (Die Arbeit schmeckt, das Essen schmeckt auch noch.[14]) Wenn man nicht vorzeitig in Pension geschickt wird — — —(ja, dann gibt's nur eins: Der Mensch freut sich![15])

REPORTER: Sehr gut! Ich muß sagen, da haben Sie tatsächlich mit einem Satz knapp und klar das ganze Problem erfaßt. Das ist die Stimme des gewissenhaften Arbeitsmannes, der nur seine Pflicht kennt. Die Pflicht und nichts als die Pflicht! — —(Sehr schön,[16]) Herr Pilkens. Ja, was ich Sie fragen wollte, das würde auch unsere Hörer sehr interessieren...

PILKENS: Ach, da hört jemand zu?

REPORTER: ... haben Sie irgendeine Liebhaberei, ein Steckenpferd oder so etwas? Briefmarkensammeln, Gesangverein, Turnverein oder Quetschkommode — neben dem Omnibusfahren?

PILKENS: Ach, das kann ich eigentlich nicht sagen. Ich gehe manchmal immer[17] ins Kino, fremde Länder und Sitten und Gebräuche, das sehe ich mir sehr gern an.

REPORTER: Sehr nett. Haben Sie viele Freunde, mit denen Sie so geistigen Austausch und dergleichen[18] üben?

PILKENS: Freunde und geistigen Austausch? Das eigentlich weniger.[19] Man macht sich ja Gedanken,[20] träumt wohl auch hie und da ein bißchen, aber das tut ja wohl jeder. — Sehen Sie, manche Menschen haben ja einen Hund, nicht wahr? Seitdem meine gute Minna — das war meine Frau übrigens —

14. **Die Arbeit ... noch** The work continues to be pleasant and I still enjoy my food
15. **ja dann ... sich!** then there's only one way a person can feel: happy!
16. **Sehr schön** very good
17. **manchmal immer** *(coll.)* occasionally
18. **dergleichen** things of that sort
19. **Das ... weniger** Not really very much of that
20. **Man ... Gedanken** One gets ideas

DIE SCHNAPSIDEE

im Jahre 38 gestorben ist, da bin ich allein geblieben. Für
mich ist mein Omnibus so etwas wie[n21] Hund. Manchmal
pariert er, manchmal pariert er nicht. Aber auf jeden Fall red'
ich mit ihm. Oh, der versteht mich ganz genau.

REPORTER: Also, Herr Pilkens, ich muß sagen, das gefällt mir. 5
(Mit Haut und Haaren dem Beruf verfallen![22] — Und nun
sagen Sie uns noch, heute an Ihrem Ehrentag, wenn — nur
so aus Spaß gedacht[23] — eine gütige Fee kommen würde und
würde sagen: Emil Pilkens, wünsch' dir was!

PILKENS: Sie kommt nicht! 10

REPORTER: Wenn sie nun aber doch kommt?

PILKENS: Sie kommt nicht!

REPORTER: Was würden Sie sich da wohl wünschen, Herr
Pilkens?

PILKENS: Da kommt keine Fee, lieber Herr, das weiß ich ja 15
ganz genau.

REPORTER: Ich meine doch nur: gesetzt den Fall.[24]

PILKENS [*verlegen*]: Ja, was soll man da sagen? Gehaltserhöhung habe ich ohnehin bekommen.

DIREKTOR: Jawohl, Gehaltserhöhung hat er. 20

REPORTER: Herr Pilkens, Sie werden doch irgendeinen Herzenswunsch haben. Eine Flasche Schnaps vielleicht?

PILKENS [*entrüstet*]: Nein, nein! Beleibe nicht! — Herzenswunsch? Ja, beinahe einen hätt' ich schon,[25] aber den wird
mir der Herr Direktor nicht erfüllen. 25

DIREKTOR: Na?

REPORTER: Na?

---

21. 'n = **einen**
22. **Mit ... verfallen!** Dedicated to your profession with body and soul!
23. **nur ... gedacht** just assuming for the fun of it
24. **gesetzt ... Fall** granted it were to happen
25. **Ja ... schon** Yes, it might be that I have one

PILKENS: Bei meinem Wunsch, da wäre der Herr Direktor bestimmt mächtiger als jede Fee.
DIREKTOR: Da machen Sie mich direkt neugierig, Pilkens. Schießen Sie mal los mit Ihrem Herzenswunsch.
PILKENS: Sehen Sie, Herr Direktor, der Omnibus E, der fährt doch von hier aus durch die Stromstraße. Und seit dreißig Jahren, da muß ich bei der nächsten Haltestelle rechts in die Gruberstraße einbiegen ...
DIREKTOR: Natürlich ...
PILKENS: Ja, und seit 29 Jahren möchte ich einmal nicht abbiegen. Nicht anhalten, sondern weiterfahren, immer weiter geradeaus. Da hinten muß doch irgendwo das Paradies liegen. Das stellt man sich so vor, nicht wahr? — In Wirklichkeit kommt da die Keksfabrik und weiter draußen der Schlachtviehhof. Aber man träumt sich das eben so,[26] nicht wahr?
DIREKTOR: Sehr gut, Pilkens, glänzend. Leider auch ich, Ihr Direktor, kann Ihnen den Wunsch natürlich nicht erfüllen.
PILKENS: Das habe ich mir gedacht.
DIREKTOR: Aber, wenn Sie wollen, dann können Sie ja mal[27] die Linie A oder B fahren. Da habe ich nichts dagegen.
PILKENS: Das ist nicht das gleiche, Herr Direktor. Es handelt sich um Zwang und Freiheit, um die Ordnung dreht sich's. Ich kenn' mich da aus. Seit vielen Jahren rede ich mit meinem Wagen über solche Sachen. Ja, dann geht's eben nicht.
DIREKTOR: Gut, daß Sie's einsehen, Pilkens. Aber die Zeit ist um. Bevor wir uns trennen und jeder von uns an seine Arbeit geht — — wie wär's mit einem Kognak, meine Herren?[28]

---

26. Aber ... so But one imagines how it should be
27. ja mal = ja einmal for a change
28. wie ... Herren? how would you like a glass of brandy, Gentlemen?

DIE SCHNAPSIDEE 129

REPORTER: Oh, ich bin nicht abgeneigt,[29] Herr Direktor. — Nanu, Pilkens? Sie machen ja ein ganz unglückliches Gesicht.
PILKENS: Ich trinke nämlich nicht gern. Ich trinke nämlich überhaupt nicht.
DIREKTOR: Ach, seien Sie kein Frosch,[30] Pilkens! Ein Kognak wird Sie nicht umwerfen.
PILKENS: Herr Direktor ...
DIREKTOR: Natürlich, Gewissenhaftigkeit ist oberstes Gebot. Das ist sehr ordentlich, Pilkens ... Aber an Ihrem Ehrentag übernimmt Ihr Direktor mal die Verantwortung. Mehr als einen bewillige ich Ihnen sowieso nicht.
REPORTER: Na ja, dann kann ja nichts passieren.
DIREKTOR: Meine Herren! — Auf gute weitere Zusammenarbeit, Pilkens!
REPORTER: Auf Wiedersehen und angenehme Fahrt!

[*Musik*]
PILKENS: Na, denn woll'n wir mal, Karl. Höchste Eisenbahn![31]
SCHAFFNER: Moment! Moment! Nicht so hastig mit den jungen Pferden.[32] Ich habe meine Kneifzange und's Kleingeld noch nicht. Ne [33] Sekunde, Emil, ich bin sofort wieder da. Starte schon immer.[34]

[*Startgeräusche*]
PILKENS: Das dauert jetzt wieder ewig. 8.07 Uhr, eine Minute noch. 8.10 Uhr Haltestelle Stromstraße, 8.13 Uhr Haltestelle

29. **Oh ... abgeneigt** Oh, I wouldn't mind
30. **Ach ... Frosch** Oh, don't be a killjoy!
31. **Na ... Eisenbahn!** Well, Karl, we had better get going. It's high time!
32. **Nicht ... Pferden** Hold your horses
33. **Ne = Eine**
34. **Starte schon immer** You can start the motor in the meantime.

Gruberstraße, rechts'rum, Gas weg, Bremsen anziehen. Dreißig Jahre lang immer rechts'rum! Da kann einem schwindlig werden. Immer dieselben blöden Gesichter. Eigentlich kann man ja froh sein, daß man die Leute nicht persönlich kennt. Der dicke Bankmensch, Direktor Schnorps — so heißt er wohl — der haßt das Autofahren wie die Pest, meint Karl. Aber beim Omnibusfahren, sagt er, kommen mir die besten Gedanken. Es massiert so gut, es schüttelt so schön ... Da hat er wirklich und wahrhaftig recht. [*hupt heftig*] Mensch, Karl, wo bleibst du denn, wir müssen doch?![35]

SCHAFFNER: Ja, was willst du denn, ich bin ja schon da, ich drücke sofort auf's Knöpfchen.

[*Motorengeräusche*]

PILKENS: 8.08 Uhr. Pünktlich wie die Strandhaubitze. So, Leontinchen,[36] mein gutes Tier, jetzt geht's dahin.[37] Bremse los, Kupplung, Gang 'rein, bißchen Gas. Hau' ab, mein liebes Leontinchen. Langsam, langsam, langsam, da kommt doch was! Da kommt nichts! Hinaus auf die Straße, hinein in die Stadt!

[*Musik*]

Die besten Gedanken kommen einem da. Aber aufpassen muß man doch wie ein Schießhund. Prima Gedanken! [*Lacht*] Gottlob, daß ich mit meinem Wagen reden kann, mit Leontinchen. Verantwortung ist auch etwas Erstklassiges, nicht wahr, Leontinchen? Du, ich denke manchmal immer, du bist gar kein Omnibus, du bist mehr ein Schiff, ein Ozeanriese, und ich bin der Kapitän. Und dann sind gar keine Häuser da, nur haushohe Wellen. Und da fahren wir durch. 'Rauf und 'runter![38] Und dann sehen wir all die Städte,

---

35. **wir müssen doch** we have to get started
36. **Leontinchen** girl's name by which Pilkens addresses his bus
37. **jetzt geht's dahin** we're off
38. **'Rauf und 'runter** Up and down

DIE SCHNAPSIDEE 131

Rotterdam, Lissabon, Genua, vielleicht sogar den Suezkanal und dann Indien. Du, Indien muß verdammt schön sein. — Hoppla, greises Landeskind, nicht so hastig! Du wirst ja noch gebraucht. Komisch, daß die ältesten Frauen immer am schnellsten über die Straße rennen müssen. — So, jetzt kommt gleich Stromstraße. Da stehen sie schon wie die Ölgötzen, so feierlich, so ernst, und keiner lacht. Die möchte man direkt mal kitzeln. Herr Bankdirektor Schnorps, nun lachen Sie doch mal! Der lacht nicht. Die kleine Bürokraft, nett sieht die aus, da ist alles dran.[39] Karierten Rock hat sie an, mehr schottisch — freche Nase. Und der junge Herr mit dem Pickel auf der Stirn, der ist wohl richtig verliebt in sie. Aber traut er sich denn? Nee, der traut sich nie. Trau' dich doch mal, Mann! Wenn du mal so alt bist wie Emil Pilkens, dann ist ohnehin Feierabend. — Leontinchen, mein gutes Tierchen, ich muß jetzt bremsen. Karlchen wird wohl wieder seine Scherzchen machen. Schade, daß ich seine faulen Witze nicht höre. Die Trennungswand ist albern, würde direkt gern mal hören, wie er jetzt die Kundschaft bedient.

[*Blende: Innenraum des Omnibusses*]
SCHAFFNER: Wunderhübschen Guten Morgen die Herrschaften! Die Sonne lacht, aber die Arbeit ruft, was?
STIMMEN: Guten Morgen!
SCHAFFNER: Ah, grüß Gott,[40] gnädige Frau!
DAME: Tag, Herr Direktor!
HUMORIST: Immer gute Laune, Schaffner, was? Ihren Humor möchte ich auch mal haben!

39. **da...dran** she has all that it takes
40. **grüß Gott** God be with you *(familiar greeting)*

SCHAFFNER: Man tut, was möglich ist, der Herr![41] — Vorsicht, Muttchen,[42] — ja langsam geht's am schnellsten![43] So ...! — Hau — Ruck — Sehen Sie, es geht doch alles, was?[44] Schon sind Sie oben. Und was hätten Sie denn gern gewußt, Muttchen?

MUTTCHEN: Fahren Sie Blumenstraße?

SCHAFFNER: Natürlich. Nehmen Sie ruhig Platz, meine Dame. Sie werden erstrangig bedient. Soll ich Ihnen sagen, wann Blumenstraße kommt?

MUTTCHEN: Herr Schaffner, wollen Sie mir bitte sagen, wenn Blumenstraße kommt?

SCHAFFNER: Bißchen kurzhörig, was, meine Dame? Da,[45] also ich sag's Ihnen schon, wenn Blumenstraße da ist.

MUTTCHEN: Was ist los?

STIMME: Er sagt es Ihnen schon.

GROBIAN: Also fahren wir nun oder fahren wir nun nicht?

DAME: Mein Gott, doch nicht so grob heute morgen.

SCHAFFNER: Ruhig Blut![46] Wir fahren sofort. Bitte freundlichst Platz zu nehmen! Beeilung, meine Damen und Herren, bitte Beeilung!

FRÄULEIN CILLY: Guten Morgen!

SCHAFFNER: Guten Morgen, Fräulein Cilly! Wie der junge Frühling. Sind nun alle da? Dann kann's ja losgehen.

[*Bus fährt ab*]

HUMORIST: Der hat's mächtig eilig, heute morgen. Ist man ja gar nicht gewohnt.

41. **Man ... Herr!** One does the best one can, sir!
42. *The conductor is addressing a little old lady who is attempting to board the bus.*
43. **ja ... schnellsten** haste makes waste
44. **Sehen Sie ... was?** You see, everything can be managed (with a little time), right?
45. **Da** There *(he seats her)*
46. **Ruhig Blut!** Don't get excited!

DIE SCHNAPSIDEE

SCHAFFNER: So, wer hat noch nicht?[47] Wem darf ich noch ein kleines Billetchen anbieten? Teilstrecke: 25. Sonst: 35.
STIMME: Fünfundzwanzig.
SCHAFFNER: 25, bitte verbindlichst.[48]
DAME: Umsteiger.
SCHAFFNER: So, danke schön. Hier 15 zurück.
DAME: Fünf Pfennig für Sie, Herr Schaffner.
SCHAFFNER: Oh, vielen herzlichen Dank, gnädige Frau.
HUMORIST: Immer großzügig, immer großzügig.
SCHAFFNER: Ich werde mir erlauben, heute abend mit einem Schnäpschen auf Ihr Wohl zu trinken.
GROBIAN: Einmal geradeaus,[49] bitte.
SCHAFFNER: Jawohl, der Herr, bitte 30. — Danke schön, stimmt genau. — Ah, Muttchen, Sie wollten ja wohl Blumenstraße?
MUTTCHEN: Kommt jetzt Blumenstraße?
HUMORIST: Noch lange nicht, Muttchen, er sagt's Ihnen schon, wenn Blumenstraße kommt.
GROBIAN: Mann! Was wiederholen Sie denn das dauernd?
HUMORIST: Seien Sie doch nicht so grob zu mir!
SCHAFFNER: 30 Pfennig, Muttchen, wenn's recht ist[50] ...
MUTTCHEN: Ach Gott, wo ist denn nur mein ...
CILLY: Ich helfe Ihnen schon.
SCHAFFNER: Sehen Sie, Fräulein Cilly hilft. Werden Sie bloß nicht nervös, Muttchen. Suchen Sie man[51] in Ihren schönen Pompadour, ich komme retour.

---

47. **So ... nicht?** Now then, who hasn't bought a ticket?
48. **bitte verbindlichst** if you please
49. **Einmal geradeaus** One ticket without transfer
50. **wenn's recht ist** if you please
51. **man = mal** *(dial.)* just

[*Musik*]

PILKENS: Leontinchen, jetzt möchte ich aber mal was wissen! Du kommst mir so leicht und locker vor heute. Was ist denn los mit dir, die Straße schwingt ja. Merkst du, wie sie schwingt? Die meisten wissen überhaupt nicht, daß da Musik drin sein kann, in so 'ner Straße.[52] Die Stromstraße ist direkt einmalig. Teufel, jetzt kommt die Kreuzung! Rotes Licht! Siehst du, Leontinchen, ich bin kein Kapitän, das sieht nur so aus. Habe keinerlei freien Willen. Haltestellen, Schutzleute, Verkehrsampeln rufen: Pilkens, Gas weg, rotes Licht! Und ich pariere. Ich möchte geradezu wetten, der macht immer rotes Licht, wenn er mich kommen sieht. Na, also, denn[53] halten wir'n bißchen. — Nun mach' doch, Mann! Ich habe bestimmt nichts gegen die Schutzleute, aber es gibt welche, da könnte man in die Luft gehen,[54] so stur sind die. — Immer noch nicht gelb? Was, wir sind doch freie Demokraten — aber vor Verkehrsampeln gibt's keine Freiheit. — Ach, Leontinchen, gutes altes Tier, ich möchte mal 'raus aus der Stadt, mal weg von hier. Irgendwohin, wo es ganz anders ist. Aha, gelb! Weiter also, Leontinchen. Grün, los jetzt!

[*Musik*]

Ist die Stromstraße nicht großartig? Ja, schau', dort unten müssen wir leider wieder halten. Und sind doch so schön in Fahrt![55] Rechts'rum geht's da unten. Ob[56] das Direktor Hornemann ermessen kann, was das für mich heißt? Dieses ewige Rechtsum? — Ach, auch in einem Wagenlenker ist eine unsterbliche Seele. Der bessere Mensch in mir predigt

---

52. **Die meisten ... Straße** Most people don't even know that there can be music in such a street
53. **denn = dann** (*dial.*)
54. **aber ... gehen** but there are some that drive one crazy
55. **Und ... Fahrt!** And just when we had really gotten going!
56. **Ob** I wonder whether

DIE SCHNAPSIDEE

immer und immer wieder: Emil, du bist doch kein Zirkuspferd, du bist'n Mensch, sei ein solcher![57] — Heute, an meinem Ehrentage, fühle ich mich vorwiegend als Mensch, ganz frei, ganz leicht, ganz locker. Jetzt sind wir gleich an der Bogenstraße, da steigt immer dieser verdammte Kerl, der Hauschild, ein. Ich kann den Kerl nicht leiden, politisch schon gar nicht. Aber auch sonst ist er widerlich, vollgefressen, laut und dumm. Nicht ein Lichtblick! Nicht *ein* Fahrgast, der etwas besseres ist, als ein Fahrgast. — Fahrgäste, mein Leontinchen, Fahrgäste, das sind Wesen, die man, vom Wagenlenkerstandpunkt aus betrachtet, mißbilligen muß.

[*Musik*]

Der Motor macht tuck, tuck, tuck. Willst du mir etwas anvertrauen? Ja, ja, ich höre, verstehe dich genau, Leontinchen, du kannst die Fahrgäste auch nicht leiden. Du möchtest auch einmal in's rauschende, brausende Leben hinaus. Du hast ja so recht. Und ich habe ja auch so recht. Ich werde dir was sagen, Leontinchen: Ich tu's! Ich mach's! Ich wag's! Es kommt über mich,[58] Leontinchen! Emil Pilkens gibt Gas!

[*Musik*]

Ich pfeife auf Haltestelle und rechts'rum,[59] ich pfeife, sage ich. Noch 50 Meter! Die rüsten sich schon zum Einsteigen. Die werden staunen. Zehn Meter noch! Stromstraße, nimm mich auf![60] — Wir gleiten dahin. Ich möchte ihnen die Zunge herausstrecken ... Bäh![61] Eine lange Nase machen![62]
[*Lacht vor sich hin*] — Hat denn die Welt jemals dümmere

---

57. **sei ein solcher** act like one
58. **Es kommt über mich** I feel in the mood
59. **Ich ... rechts'rum** Bus stop and turning right be hanged!
60. **nimm mich auf** here I come!
61. **Bäh!** *bleating sound made while sticking out one's tongue*
62. **Eine lange Nase machen!** Thumb my nose at them!

Gesichter gesehen? — Rechtsum? — Irrtum, meine Damen und Herren, es geht geradeaus! Vorbei an der Keksfabrik, vorüber am Schlachtviehhof, und was dann kommt, das werden wir ja sehen.
5 [*Musik*]

GROBIAN: Hallo, Hallo! Was ist denn hier los?
DAME: Was ist denn los? Wieso fährt er denn geradeaus?
CILLY: Das ist vielleicht 'ne Umleitung.
SCHNORPS: Ich muß doch 'raus!
10 GROBIAN: Aber das gibt's doch gar nicht![63] Schaffner! Schaffner! Ist der Fahrer verrückt geworden?
SCHAFFNER: Moment! Lassen Sie mich doch mal durch!
[*Die Fahrgäste reden durcheinander*]
MUTTCHEN: Kommt jetzt Blumenstraße?
15 SCHAFFNER: Ich weiß doch selbst nicht, was da los ist. Zu blöde, daß man keine Verbindung zum Fahrer hat, durch die Scheibe da. He, Hallo! Was ist denn passiert? Warum red'st du nicht? Mensch, guck' mich nicht so idiotisch an! [*Klopft heftig*] Sofort anhalten, Emil!
20 GROBIAN: Ich werde die Scheibe einschlagen, Mann. Das wird Sie verdammt teuer zu stehen kommen, der Spaß.[64]
HUMORIST: Na, na, na ...
SCHNORPS: Sowas war ja noch nie da![65]
GROBIAN: ... da, der lacht auch noch ganz frech!
25 HUMORIST: Na, wenn er lacht, dann ...
DAME: Haben Sie denn keine Notbremse, Schaffner?

63. **Aber ... nicht!** But this can't be possible!
64. **Das wird ... Spaß** This joke will cost you a pretty penny!
65. **Sowas ... da!** This is unheard of!

SCHAFFNER: Nein.
CILLY: Das ist doch entsetzlich. Ich muß um halb neun im Büro sein.
SCHNORPS: Eine verfluchte Schweinerei. Schaffner, wenn Sie nicht sofort den Wagen zum Stehen bringen, dann ...
SCHAFFNER: Kann ich nicht! Wissen Sie keinen Rat?[66]
SCHNORPS: Ich bin Bankdirektor und nicht Omnibusschaffner, verstanden?[67]
DAME: Mein Gott! Ich bin um dreiviertel acht an der Normaluhr verabredet. — Und das ist doch so eminent wichtig für mich.
HUMORIST: So ...?
DAME: Wissen Sie, ich darf ja nicht darüber reden, aber wenn ich um dreiviertel nicht hinkomme ... Herr Schaffner, Herr Schaffner, können Sie denn wirklich nicht eingreifen?
SCHAFFNER: Leider ...!
DAME: Das ist ja abstoßend.
CILLY: Furchtbar, ich muß um halb neun im Büro sein. Und außerdem fährt er so schnell.
HAMMER: Ist Ihr Chef sehr streng, gnädiges Fräulein?
CILLY: Streng und ungerecht.
HAMMER: Dürfte ich mich dann vielleicht dem gnädigen Fräulein als Zeuge ...
CILLY: Zeuge ...?
HAMMER: Ja, als Zeuge anbieten? Ich könnte ja nachher mit ins Büro kommen ...
CILLY: Oh nein! Auf keinen Fall.
HAMMER: Ich könnte dem Chef sagen, daß Sie absolut komplett unschuldig sind!

---

66. **Wissen ... Rat?** Can't you think of something?
67. **verstanden?** is that understood?

CILLY: Ach, das ist aber . . .[68]
HAMMER: Wie?
CILLY: Ja, das wäre sehr lieb von Ihnen, Herr . . . Herr . . .
HAMMER: Matthias — Hammer ist mein Name.
5 CILLY: Mein Name ist . . .
MUTTCHEN: Sind wir Blumenstraße?
HAMMER: Wie heißen Sie, bitte?
CILLY: Cilly — Eisenrigler — sehr angenehm.
HAMMER: Oh, Cilly! Das ist ein sehr schöner weiblicher Vor-
10 name, wenn ich so sagen darf. Ich habe Sie schon seit sehr langer Zeit . . .
CILLY: Was denn?
HAMMER: . . . immer schon beobachtet oder gesehen.
CILLY: Ich weiß es.
15 HAMMER: So?
CILLY: Ja.
HAMMER: Wissen Sie, man traut sich ja doch nicht. Jedenfalls ich, ich traue mich nicht.
CILLY: Das gefällt mir sehr gut an Ihnen, Herr Hammer.
20 HAMMER: Danke schön!
CILLY: Oh, bitte sehr.
GROBIAN: Wenn der Idiot jetzt nicht bald anhält, dann passiert was!
DAME: Ich bin vollkommen mit den Nerven herunter![69]
25 SCHAFFNER: Aber beruhigen Sie sich doch, gnädige Frau!
HUMORIST: Also das gefällt mir. Das gefällt mir alles ausnehmend gut.
SCHNORPS: Sind Sie wahnsinnig, Herr? Das gefällt Ihnen? Wir sind doch hier nicht in Texas!

68. *Cilly almost said*, „Ach, das ist aber lieb!" (that's awfully nice), *but then she realized that was too informal a way to address the young man.*
69. **Ich bin . . . herunter!** My nerves are completely shaken!

HUMORIST: Ich finde es ganz ausgezeichnet, in einem Omnibus zu sitzen, wo sich die große Welt im Kleinen spiegelt![70] Ein offenbar rasender Mensch am Steuer, ein hilfloser Schaffner, ein aufbrausender Wirtschaftsführer, ein verängstigtes Mädchen als Symbol für die Untertanen, ein humoriger Betrachter — das bin ich — und ein Mütterchen, das von dem ganzen Geschehen nichts versteht.

MUTTCHEN: Herr Schaffner, kommt noch nicht bald Blumenstraße?

STIMME: [lacht]: Die alte Frau ist doch unbezahlbar!

HUMORIST: Der zornige Herr bemerkte, daß wir nicht in Texas sind. Wer sagt Ihnen, daß ich in meiner Aktentasche keine Pistole trage und gemeinsame Sache mit dem Wagenlenker mache?[71] Wer garantiert Ihnen, daß wir nicht plötzlich in einem kleinen Waldstück ...

DAME: Was denn ...?

HUMORIST: Na, anhalten und Sie um eine kleine Gabe bitten. Das ist doch alles möglich heutzutage.

SCHNORPS: Imponiert mir gar nicht! Aber ich habe heute eine bankmäßige Transaktion größten Ausmaßes durchzuführen ..

DAME: Oh ...

SCHNORPS: Und wenn Sie Ihren Komplicen ... äh ... also Ihren Texas-Mitarbeiter bitten, anzuhalten oder umzukehren, gut, dann will ich von einer Anzeige absehen.[72] Aber machen Sie schnell, Herr, vor Börsenbeginn muß ich in der Bank sein.

HUMORIST: Sie irren. Ich habe auf den Chauffeur keinen Einfluß ... Aber ich habe Phantasie!

[Musik] [Motorengeräusch]

---

70. wo ... spiegelt in which the macrocosm is present in miniature
71. gemeinsame ... mache am not conspiring with the driver
72. dann ... absehen then I won't bring charges

PILKENS: Ha, ha, Leontinchen, die geben hinter meinem Rücken an wie 'ne Tüte Mücken. Ich kann zwar nichts hören, aber ausmalen kann ich mir das. Freie Fahrt dem Tüchtigen![73] Ich muß mal den Spiegel 'n bißchen anders stellen, damit ich die lieben Fahrgäste beobachten kann. So, — jetzt kommt gleich die Bahnschranke. Ich bin nur neugierig, ob die Durchfahrt frei ist. Wenn sie frei ist, Leontinchen, dann fahren wir weiter. Ist die Schranke unten, drehen wir um und fahren brav zurück. Ganz brav. — Die Kleine im Schottenrock sieht direkt verzagt aus. Spricht mit dem Pickeljüngling. — Aha! Schau' an, sieh da! Die Schranke ist oben. Emil Pilkens, du stehst vor schweren Entscheidungen! Links geht's nach Langkampen und rechts haben wir die kurvenreiche Strecke bis zur Grenze. Was soll ich tun, Leontinchen? Gib mir 'nen Rat.

[*Musik*]

Aha, du singst wieder. Meinst du wirklich? — Ja, du hast recht, heut' ist der Tag des Grenzenlosen, die Freiheit weht uns an. Was heißt hier Grenze?[74] Pilkens kommt und ruft: Fort mit den hölzernen Vorhängen! Wir wollen frei sein, wie die Väter waren! — — das haben wir schon in der Schule gehabt.

[*Heftiges Klopfen an der Scheibe*]

Ja, ja, ihr könnt euch die Finger wund klopfen,[75] das stört mich nicht. Warum funkeln Sie denn so mit der Pupille, Herr Direktor? Schauen Sie doch einmal nicht auf den Kurszettel, schauen Sie aus dem Fenster! Wann waren Sie zuletzt hier? Noch nie, was? Links, die langen Sachen mit den Zweigen, das sind Bäume, Herr Direktor. Rechts haben wir 'ne schöne

---

73. **Freie Fahrt dem Tüchtigen!** Nothing can stop a diligent person!
74. **Was heißt hier Grenze?** What does "border" mean to us?
75. **Ja ... klopfen** Go ahead, you can knock all you want to

DIE SCHNAPSIDEE 141

Wiese, ein Kornfeld folgt. Das Rote ist Klatschmohn. Und was da oben so schön leuchtet, das ist die liebe Sonne, Herr Direktor. — So, jetzt sind wir gleich an der Grenze, am Schlagbaum. Da geht's eigentlich nicht mehr weiter.[76] Pässe haben wir nicht bei uns, und außerdem werden die lieben Fahrgäste mich zermalmen wollen. Aber schadet nichts, Spaß muß sein.[77] — — Ei, ei, was sehe ich da: der Schlagbaum ist hochgegangen! Da kommt ein Möbelwagen 'rüber. Leontinchen, das ist die Sache! Das ist die Gelegenheit! Zollwächter zittert! Der Europäer[78] Emil Pilkens naht!
ZOLLBEAMTER: [*ruft draußen*]: Halt! Anhalten! Anhalten!
PILKENS: Dieses war der erste Streich und der zweite — — Au wei,[79] die Auslandsschranke ist unten. Muß ich kapituleren? Kommt ja gar nicht in Frage! Auf ihn mit Gebrüll![80] Im Karacho hindurch,[81] Leontine! Laß sie auseinanderspritzen, zeig', daß du 'nen Eisenschädel hast.
2. ZOLLBEAMTER [*draußen*]: Halt! Bitt' schön, anhalten!
[*Die Schranke splittert*]
PILKENS: Leontinchen, das hast du erstklassig gemacht! Bravo, wird sind im Ausland.[82]
[*Musik*]
Hier schmeckt alles anders, hier riecht alles anders. Aber die Bäume wachsen genau so wie drüben.
[*Musik*]
Da, links stehen drei Fliegenpilze.[83] Nett, aber auch nicht

76. **Da geht's ... weiter** This is actually as far as we can go
77. **Aber ... sein** But no matter, we've had our fun
78. *Pilkins feels himself a "European" unconstrained by national boundaries!*
79. **Au wei** oh my!
80. **Auf ihn mit Gebrüll!** Up and at him!
81. **Im Karacho hindurch** Full speed ahead!
82. **im Ausland** abroad (*For convenience we may take this to be Austria or Switzerland; it may, however, be the Danish border.*)
83. **Fliegenpilze** *a poisonous mushroom, red with white spots*

anders als bei uns. Ob die uns verfolgen? Das können sie ja gar nicht, die haben ja nur Fahrräder. Ärger wird's ja geben. Aber ärger kann der Ärger kaum noch werden.[84] Hurtig, Leontinchen, hurtig!

[Musik]

SCHNORPS: Ich werde wahnsinnig! Ich werde jetzt sofort wahnsinnig!
DAME: Aber warum denn, Herr Direktor?
HUMORIST: Ja, das möchte ich auch wissen.
SCHNORPS: Fragen Sie doch nicht so dumm! Dieser Wahnsinnige ist ja über die Grenze gefahren!
CILLY: Um Gottes Willen!
SCHNORPS: Keiner von uns hat einen Paß. Das gibt die größten Komplikationen. Da kanns uns passieren, daß wir alle samt und sonders[85] eingesperrt werden.
CILLY: Nein, bitte nicht.
HAMMER: Ich bin ja bei Ihnen, Fräulein Cilly. Darf ich Cilly sagen?
CILLY: Ich war noch nie im Gefängnis ...
DAME: Sie, wollen Sie damit sagen, daß Sie uns alle in Verdacht haben, wir hätten schon mal gesessen?[86] Das ist ja allerhand! Sie dummes naseweises Ding!

[Aufschrei von Cilly]

HAMMER: Das Fräulein steht unter meinem Schutz ...
CILLY: Danke, Herr Matthias.

---

84. **Aber ärger ... werden** But the trouble we're in for can hardly get any worse *(word-play)*
85. **samt und sonders** one and all
86. **gesessen** *(coll.)* served time (in prison)

DIE SCHNAPSIDEE

HAMMER: Unter meinem Schutz und Schirm,[87] wohlgemerkt!!
DAME: Auch das noch! Noch nicht trocken hinter den Ohren und sich dann aufplustern.
GROBIAN: Ich schlag' den Fahrer so zusammen, daß ihm die Knochen zum Halse heraustehen.
SCHNORPS: Schaffner, haben Sie denn keine Möglichkeit, von hier drinnen aus[88] den Benzinhahn abzudrosseln?
SCHAFFNER: Leider nein ...
GROBIAN: ... da sieht man wieder, wie idiotisch diese Wagen konstruiert sind ...
DAME: Sehr richtig!
GROBIAN: ... Keine Überlegung bei den verantwortlichen Stellen!
SCHAFFNER: Das kann man ja schließlich nicht ahnen. Wer denkt denn an so etwas, daß der Emil auf seine alten Tage[89] noch den Verstand verlieren wird.
DAME: Um Himmelswillen! Er hat den Verstand verloren?
GROBIAN: 'Rausgeschmissen wird er auf jeden Fall.
SCHNORPS: Worauf Sie sich verlassen können!
DAME: Mir wird schlecht![90] Mir wird ganz schlecht, wenn ich daran denke, daß ich um dreiviertel an der Normaluhr sein sollte. Ich werde die Gesellschaft verklagen ...
HUMORIST: Wieviel Benzin haben Sie eigentlich getankt?
SCHAFFNER: Mehr als genug! Es dürfte für dreihundert Kilometer reichen.
DAME: Das auch noch ...
SCHNORPS: Wenn der erst anhält, wenn er keinen Sprit mehr hat, das kann ja sauber werden.

87. **Schutz und Schirm** protection (*Hammer uses this redundant expression for emphasis.*)
88. **von ... aus** from in here
89. **auf ... Tage** in his old age
90. **Mir wird schlecht!** I feel ill!

DAME: Wenn ich nicht rechtzeitig telefonieren kann ...
HUMORIST: Hier im Walde und jenseits der Grenze wollen Sie telefonieren? Aber vergessen Sie diesen ganzen alltäglichen Quatsch einmal! — — Meine lieben Mitreisenden, nehmen
5 Sie die Fahrt als ein Geschenk des Zufalls ...
GROBIAN: Sie alberner Bursche ...
HUMORIST: Schauen Sie lieber zum Fenster 'raus! Ist die Landschaft nicht zauberhaft?
DAME: Mir langt's, mir langt's ...
10 HUMORIST: Herr Direktor! Herr Direktor!
SCHNORPS: Ach, lassen Sie mich doch in Frieden ...
HUMORIST: Sehen Sie doch nur mal nach rechts! Die Wiesenmulde, der Schlängelbach ...
CILLY: Und im Hintergrund die Kapelle ...
15 HUMORIST: Ist das nicht schön?
SCHNORPS: Ich pfeife auf die Schönheit ...
GROBIAN: Ganz Ihrer Meinung, Herr Direktor.
DAME: Sehr richtig, sehr richtig!
GROBIAN: ... Schönheit ist ganz grober Unfug ...
20 HAMMER: Schönheit ist so was Schönes ...
CILLY: Ja, wirklich.
GROBIAN: Mit Schönheit kommt unsereins nicht weiter ...
HUMORIST: Bleibt unbestritten, lieber Herr. Sie nicht! Der Omnibus schon!
25 GROBIAN: Der Teufel ist Ihr lieber Herr.[91] Ich verbitte mir jede Vertraulichkeit ...
CILLY [*Aufschrei*]: ... da hinten, schauen Sie doch mal ...
HUMORIST: Aber was haben Sie denn, mein Kind?
CILLY: Ein Reh ...
30 HUMORIST: Ich bemerke mit Vergnügen, mein Fräulein, daß

---

91. **Der Teufel ... Herr** The devil with your "kind sir"

Sie die Sorgen zu vergessen beginnen und Ihre reizvollen Augen richtig verwenden . . .

HAMMER: Ach ja, ich muß dem Herrn recht geben. Ihre Augen, Fräulein Cilly, die haben einen so wundervollen Glanz bekommen. Haben Sie schon öfters Rehe gesehen?

CILLY: Ja . . . Nein . . . im Zoo . . . und im Kino!

HAMMER: Gehen Sie gern ins Kino?

CILLY: Furchtbar gern . . .

HAMMER: Ich auch. Was meinen Sie . . . wenn es nicht unbescheiden ist . . . könnten Sie, würden Sie vielleicht mal mit mir ins Kino gehen?

GROBIAN: Ins Kino? Ha, in den Kerker! In ein Zuchthaus, junger Mann . . . [*Cilly Aufschrei*] ins Gefängnis können Sie mit dem Fräulein gehen!

HAMMER: Jawohl, das würde ich, das würde ich, das würde ich . . .

SCHNORPS: Wenn dieser verwünschte Chauffeur nicht bald stoppt, dann hat's geknallt,[92] meine Herrschaften. Das gebe ich Ihnen schriftlich, dann hat's geknallt!

[*Ein Knall*]

CILLY: Jetzt schießt er!

SCHAFFNER: Festhalten, ein Reifen ist geplatzt!

GROBIAN: Ah, jetzt muß er halten!

SCHNORPS: Er fährt schon langsamer . . .

GROBIAN: Jetzt werden Sie was erleben, meine Herrschaften. Lassen Sie mich mal als Ersten 'raus! . . . ich werde ihn zu Puppendreck zerschlagen[93] . . .

MUTTCHEN: Herr Schaffner! Herr Schaffner!

SCHAFFNER: Mein liebes gutes Muttchen, nun tun Sie mir bloß

---

92. **dann hat's geknallt** then things will begin popping
93. **ich werde . . . zerschlagen** I'll knock the stuffings out of him

den Gefallen und fragen Sie jetzt nicht, ob hier die Blumenstraße ist. Ich bin ja auch nur ein Mensch!
MUTTCHEN: Herr Schaffner, jetzt mag ich nicht mehr Blumenstraße! Ich möchte hier aussteigen. Da drüben ist ein Gartenrestaurant, da werde ich frühstücken. Wann geht der nächste Omnibus zurück? Warum steigen denn alle aus? Ist das Endstation? Dann werde ich auch aussteigen ...

[*Blende: Im Freien bei Pilkens*][94]
STIMMENGEWIRR: Sie unverschämter Lümmel! — Sind Sie wahnsinnig geworden? — Kommen Sie mal sofort 'raus da! — Emil, Emil, du machst mir Kummer ...
SCHNORPS: Das hat es ja in der ganzen Welt noch nicht gegeben, was Sie da gemacht haben.
DAME: Sehr richtig!
GROBIAN: 'Runter! Marsch! Kommen Sie jetzt 'runter, oder soll ich Sie holen? Ich werde Sie dermaßen zusammenhacken, daß man ...
[*Herdengeklingel*]
CILLY: Was ist denn das hier?
HAMMER: Kühe!
HUMORIST: Ja, das ist hier so üblich, die gehen auf die Weide. Ganz nett, was? Hallo, Sie ... Alpentochter! Verehrtes Hirtenmädchen! Sag' mal, können Sie nicht diese Kuhherde abstellen? Man versteht ja sein eigenes Wort nicht mehr.
HAMMER: Sie verschwinden ja schon um die Ecke ...
SCHNORPS: Los, reparieren, heimfahren, und zwar auf schnellstem Wege, auf allerschnellstem Wege! Verstanden?
PILKENS: Verstanden habe ich schon, Herr Direktor ...

94. *Pilkens is still in his compartment.*

DIE SCHNAPSIDEE

SCHNORPS: Weshalb stehen Sie dann 'rum? Marsch, an die Arbeit!
PILKENS: Drohen Sie mir nur! Drohen Sie mir nur mit allen möglichen Sachen. Damit muß ich sowieso rechnen ... Ich werde jetzt erst mal ein paar Minuten an den Weiher gehen.
DAME: Was will der?
PILKENS: Es ist nämlich wundervoll hier. Vielleicht habe ich zum letzten Mal in meinem Leben so 'nen hübschen Ausflug gemacht.
GROBIAN: Sie werden unverzüglich den Reifen reparieren, widrigenfalls ich Ihnen die Haut versohle.
HUMORIST: Na, na, na, aber meine Herrschaften! Sehen Sie doch mal, wie vernünftig die alte Frau da ist. Sie hat als erste entdeckt, daß da drüben ein Gasthaus steht. Ob wir 10 Minuten eher wegkommen oder nicht, ist doch bedeutungslos ...
GROBIAN: Für Sie vielleicht. Für uns nicht!
SCHNORPS: Sehr wahr gesprochen!
DAME: Und so richtig! Bittre Tränen könnte ich vergießen, wenn ich daran denke, daß um diese Stunde unter der Normaluhr vielleicht andere ihr Glück machen ...
HUMORIST: Meine Herrschaften, ich schlage Ihnen vor, gehen wir wirklich in das Gasthaus! Herr Bankdirektor, vielleicht können Sie von dort mit Ihrer Kanzlei telefonieren? Danken Sie doch den verrückten Launen unseres Wagenlenkers, daß Sie endlich einmal in Gottes freier Natur ...
SCHNORPS: Immerhin, die Idee mit dem Telefonieren hat etwas für sich.[95]
HUMORIST: Na sehen Sie.
SCHNORPS: Verflucht nochmal, das geht ja auch nicht.
DAME: Warum denn nicht?

---

95. **Immerhin ... sich** Well, at least the idea of telephoning isn't bad

SCHNORPS: Weil wir kein hiesiges Geld haben.
HUMORIST: Da kann ich aushelfen. Ich habe genug bei mir. Wenn die Herrschaften nicht gerade ein Schlemmeressen veranstalten wollen, wird es schon reichen.
5 [*Gemurmel*]
SCHNORPS: Ich finde es zwar zum Kotzen, aber mit Gewalt erreichen wir nichts. Also — hinein!
HUMORIST: Herr Chauffeur...
PILKENS: Ja, bitte...
10 HUMORIST: Ich möchte Sie begleiten.
PILKENS: Was ich nie gewagt hätte, das kam mir plötzlich ganz leicht vor: geradeaus fahren, über die Grenze! Ich bin ja so zufrieden und wenn es nur wegen einer Sache ist...
HUMORIST: Wegen welcher denn?
15 PILKENS: Sehen Sie die beiden dort? Die gehen nicht ins Gasthaus. Die gehen in den Wald. Und wenn sie wiederkommen, gehen sie ganz bestimmt Hand in Hand. Seit drei Jahren fahren sie stumm und starr mit meinem Leontinchen. Nie ein Wort gewechselt. Und heute, nur weil ich weitergefahren bin,
20 haben sie sich endlich gefunden.
[*Musik*]

CILLY: So, jetzt sind wir im Wald...
HAMMER: ... und ganz allein.
CILLY: So ist es, Herr Matthias!
25 HAMMER: Sie haben Matthias zu mir gesagt? Leugnen Sie nicht, daß Sie eben Matthias zu mir gesagt haben...
CILLY: Ich habe Herr Matthias gesagt...
HAMMER: Cilly! O, lassen Sie mich Cilly sagen. Sagen Sie Matthias zu mir. Und sehen Sie, alles, der ganze Wald, die

DIE SCHNAPSIDEE

Farnkräuter, wie das alles über uns zusammenschlägt, wie eine Wolke. So sanft, so rein, so süß ...
CILLY: Sie sind ja ein Dichter, Matthias ...
HAMMER: Nein, ein Briefmarkenhändler.
CILLY: Ach, ich habe schon ganz vergessen, daß ich ins Büro müßte ...
HAMMER: Weil ich hier bin, weil Sie hier sind, weil wir beide hier sind?
CILLY: Vielleicht! Lassen Sie sich mal anschauen,[96] Matthias ...
HAMMER: Oh ...
CILLY: Oh bitte, Matthias, ich glaube, ich habe einen Wunsch.
HAMMER: Sprechen Sie, reden Sie, ich will ihn Ihnen erfüllen ...
CILLY: Ich traue mich nicht, ihn auszusprechen!
HAMMER: Ist er so ...
CILLY: Ja. Er ist ziemlich ungehörig ...
HAMMER: Ihr Wunsch ist mein Wunsch!
CILLY: Ich habe ihn ja noch gar nicht gesagt ...
HAMMER: Das macht nichts, ich ahne ihn ...
CILLY: Ja ... dann nehmen Sie ihn ab ...
HAMMER: Wie bitte? ...
CILLY: Ich meine, wenn Sie meinen Wunsch ahnen, dann — tun Sie den Schmetterling weg!
HAMMER: Schmetterling? Welchen Schmetterling?
CILLY: Sie tragen eine Schleife, Matthias!
HAMMER: Jawohl ...
CILLY: Sie ist gelötet. Gußeisern!
HAMMER: Ist das vom Übel?
CILLY: Ja.
HAMMER: Dann schmeiß' ich sie weg! So!
CILLY: So, jetzt ...
HAMMER: Jetzt ...

96. **Lassen ... anschauen** Let me take a look at you

CILLY: Jetzt gefallen Sie mir ...
HAMMER: Die Landschaft ist wundervoll, nicht wahr? ...
Hören Sie mal!
[*Ein Kuckuck kuckuckt*]
Das ist ein Kuckuck. Jetzt ist er wieder still. — Den werd' ich jetzt mal fragen, wieviel Jahre ich noch leben darf! Gib Antwort, oller Kuckuck!
[*Der Kuckuck kuckuckt zweimal*]
Zwei Jahre nur! — Das ist aber sehr wenig, nicht wahr, Fräulein Cilly?
CILLY: Jetzt werde ich ihn mal was fragen! Hallo, Kuckuck, wieviel Kinder werde ich bekommen?
[*Der Kuckuck kuckuckt achtzehnmal*]
Haben Sie mitgezählt? Achtzehnmal hat er gekräht. Ich kriege achtzehn Kinder. Das ist aber sehr viel, Matthias! Was sagen Sie?
HAMMER: Das ist unlogisch.
CILLY: Wieso?
HAMMER: Wie wollen Sie denn achtzehn Kinder kriegen, wenn ich schon in zwei Jahren ins Gras beißen soll? Wissen Sie, was ich glaube? Ich glaube von nun an dem Kuckuck so wenig wie dem Klapperstorch. Wissen Sie, was wir wollen?[97]
CILLY: Was wollen wir denn?
HAMMER: Nur noch an uns glauben! Sie an ich und mich an du[98] ... ich bin schon ganz verwirrt ... Ich möcht' so gerne du zu Ihnen sagen.

97. **Wissen ... wollen?** Do you know what we should do?
98. *Hammer meant to say* **Sie an mich und ich an Sie.**

DIE SCHNAPSIDEE

KELLNERIN: Bravo, na fühlen Sie sich jetzt wohler?
DAME: Ja, jetzt wird mir besser.[99]
KELLNERIN: Na, dann ist's ja gut.
SCHNORPS: Schönes Kind...
KELLNERIN: Ja, was soll's denn sein, mein Herr?
SCHNORPS: Bringen Sie mir doch auch einmal so eine Karaffe Wein...
KELLNERIN: Sofort, der Herr!
DAME: Sie haben sich wohl schon an die ungeheuerliche Situation gewöhnt?
GROBIAN: Ja, ich bin ein elektrischer Mensch...
DAME: So...?
GROBIAN: Das sage nicht ich, das sagen alle, die mich kennen.
DAME: Wie ist das... erzählen Sie.
GROBIAN: Vollkommen elektrisch. Ich glaube, ich habe schon mehr Menschen zusammengeschlagen, als Sie Zähne im Gebiß haben. Wissen Sie, das ist so! Wenn irgend etwas geschieht, was nicht in meine Linie paßt,[1] dann ist das bei mir wie bei einem Steckkontakt...
DAME: Aha...
GROBIAN: Dann geht der Funken bei mir los... dann muß ich etwas tun, dreinschlagen, zusammenhauen, ja, zu Boden strecken... [*Lachen*]
SCHNORPS: Immerhin haben Sie den Chauffeur ja ziemlich unbeschädigt gelassen...
GROBIAN: Ja sehen Sie, das ist eben das Patengeschenk der Natur. Sie macht „knips"...
KELLNERIN: Bitte schön, gnädige Frau...
DAME: Danke! — Macht „knips" und —?
GROBIAN: ... und ich bin wieder bei Laune. In diesem Falle

---

99. **Ja... besser** Yes, now I feel better.
1. **was... paßt** that doesn't suit me

waren es die Kuhglocken! Ich weiß nicht, ob Sie beobachtet haben, daß ich immerfort am Fenster stehe?

SCHNORPS: Ja, natürlich, ich habe gedacht, Sie spähen aus, wann dieser verwünschte Omnibusfritze zurückkommt, um dann endlich ...

GROBIAN: Ne, ne, Irrtum, ich habe hier 'rausgeguckt und dabei ist mir eingefallen ...

DAME: Was ...?

GROBIAN: ... daß wir eigentlich, Sie vor allem, Herr Bankdirektor, und die Dame von der Normaluhr ebenfalls, daß wir eigentlich entsetzliche Lämmergeier sind.

DAME: Lämmergeier? Wieso gerade Lämmer ...

SCHNORPS: Na hören Sie mal, ich verbitte mir ganz entschieden ...

GROBIAN: Typisch Lämmergeier, verbieten, verbitten, und immer nur auf Beute aus sein. Und wenn wir dann unser Opfer haben, dann ist die Umwelt für uns gestorben. Sehen Sie, Herr Direktor, ich bin ein Mann, der gut zwei Zentner wiegt, aber ich will kein Lämmergeier mehr sein ...

DAME: Mit dem Gewicht könnten Sie ja auch nicht fliegen ...

SCHNORPS: Ich glaube, Sie trinken zu schnell, Verehrtester ...

GROBIAN: Na, dann prost! Fräulein! Fräulein!

KELLNERIN: Ja, bitte?

GROBIAN: Noch eine Karaffe ...

KELLNERIN: Von dem Tiroler Roten?[2]

GROBIAN: Ja, von dem. Sehen Sie, ich gucke die ganze Zeit aus dem Fenster und da steigt ganz langsam die komische Frage in mir hoch: Leopold — ich heiße Leopold mit Vornamen — wann bist du zum letzten Mal im Freien gewesen? Als Präsident vom Trabrennverein kenne ich natürlich Mariendorf,

---

2. **Von ... Roten?** Of the red Tyrolean wine?

Horn, Longchamps[3] ganz genau. Sommerfrische kenne ich natürlich auch. Ich fahre ja jedes Jahr an die See. Aber so hundertprozentige Natur wie hier, das habe ich fast vergessen. Und noch etwas Komisches ...

DAME: Nämlich?

GROBIAN: Wenn man so planmäßig einen Ausflug macht, dann rennt man vorbei. Dann hat man ein Ziel wie die Gäule, wie die Lämmergeier ...

DAME: Er kommt von den Lämmergeiern nicht mehr 'runter[4] ..

GROBIAN: Da sieht man nicht nach rechts und nicht nach links. Und sehen Sie mal, Direktor, ich rede ein bißchen viel, ich weiß, aber es muß einmal gesagt werden, hier, wo wir gar nichts verloren haben ...

SCHNORPS: ... da finden Sie was? Ja, nun sagen Sie bloß noch, daß Sie hier etwas finden! Ich finde es schauerlich hier!

GROBIAN: Wissen Sie, ich bemerke, daß das Ungewöhnliche unserer Situation außerordentlich reizvoll ist, fabelhaft!

SCHNORPS: Und da wünschen Sie, daß wir es ebenfalls fabelhaft finden?

GROBIAN: Die Situation ist doch auch für Sie neu, neu wie ein verwegenes Bankgeschäft.

SCHNORPS: Ist das vielleicht ein Zustand?[5] Nicht einmal Telefon haben sie in diesem Lande. Ich sage Ihnen, ich bin ruiniert. Aber das wird wohl die Omnibus-Gesellschaft bezahlen![6]

DAME: Und meinen Schaden auch, Herr Direktor, meinen Schaden auch.

HUMORIST [*kommt*]: Meine Herrschaften, meine Herrschaften ...

---

3. **Mariendorf, Horn, Longchamps** *famous racetracks*
4. **Er kommt ... 'runter** He can't get vultures off his mind
5. **Ist ... Zustand?** Do you mean to say that this is a desirable situation?
6. **Aber ... bezahlen!** But the bus company will have to make good, I tell you!

GROBIAN [*kauend*]: Was ist denn los? Wo kommen Sie denn plötzlich her?
HUMORIST: Der Chauffeur, das ist ein Kerl,[7] sage ich Ihnen!
DAME: So?
HUMORIST: Da er gerade nicht zuhören kann, da möchte ich ein paar Worte mit Ihnen reden ...
GROBIAN: Prost ... wo bleibt der Ober? ...
KELLNERIN: Ja, ich komme ja schon ...
HUMORIST: Also passen Sie mal auf! Sie wollten den Chauffeur zu Boden schlagen, der Herr Direktor wollte ihn dem Staatsanwalt übergeben, na und gnädige Frau, Sie wollten ihn ebenfalls dem Verderben preisgeben ...
DAME: Natürlich ...
HUMORIST: Tun Sie es nicht, meine Herrschaften.
DAME: Warum denn nicht?
HUMORIST: Der Mann wird ohnehin bestraft. Dazu kommt noch die Grenzübertretung. Wollen Sie ihn vielleicht unglücklich machen fürs ganze Leben?
SCHNORPS: Jawohl, wollen wir. Macht er mich unglücklich, mache ich ihn unglücklich.
DAME: Ausgezeichnet, Herr Direktor, wenn ich an meine Normaluhr denke ...
HUMORIST: Schauen Sie, aus dem Wald kommen die beiden jungen Leute. Wenn der Fahrer nichts anderes gekonnt hat,[8] als die beiden zusammenzuschütteln, muß er doch unsere Sympathie haben.
GROBIAN: Hat er. Hat er komplett. Ich werde dem Mann mal einen Liter Wein — werde ich demselben kaufen.[9]

---

7. **das ... Kerl** he's a real fellow
8. **Wenn ... hat** If the driver has achieved nothing more
9. **werde ... kaufen** will I buy for him *(Grobian is getting emphatic—and drunk.)*

DIE SCHNAPSIDEE

HUMORIST: Sehen Sie, Sie gefallen mir. Sie haben Ihren Zorn überwunden ...

GROBIAN: Voll und ganz. Und nun werd' ich mal — dem Mann werd' ich mal einen Liter Wein — werde ich dem mal bestellen.

HUMORIST: Das hat keinen Sinn.[10] Der trinkt nicht.

GROBIAN: Der trinkt nicht? Der muß trinken. Wenn ich sage, der trinkt, dann trinkt er, verstehen Sie mich? — Fräulein, bringen Sie mal einen halben Liter und für diesen Herrn ein Glas! — Wovon haben wir eigentlich gesprochen? — Jawohl, stimmt genau! Ich werde jetzt mal 'rausgehen, ich bin schon hundert Jahre in keinem einzigen Wald bin ich nicht mehr gewesen[11] ...

MUTTCHEN: Fahren wir denn schon ab?

DAME: Nein, essen Sie nur ruhig weiter. Er geht nur mal 'raus.[12]

GROBIAN: Ich will nur mal sehen, ob die Tannenbäume, die verfluchten Hunde, ob die riechen?!

DAME: Oh Gott, oh Gott, der Mann hat ja einen Stich![13]

HUMORIST: Nur nicht aufregen,[14] gnädige Frau, das kommt vor. Außerdem hat ihn der Wein nicht bös, sondern freundlich gemacht. Das muß man anerkennen.

MUTTCHEN: Herr Schaffner, Herr Schaffner ...

SCHAFFNER: Ja, was gibt's denn, Muttchen?

MUTTCHEN: Wann geht denn der nächste Omnibus zurück? Ich muß um drei Uhr im Tierschutz-Verein sein.

SCHAFFNER: Ich sage Ihnen schon, wenn es soweit ist.[15] Ich möchte bloß wissen, Muttchen, was haben Sie eigentlich in der Blumenstraße gewollt?

---

10. **Das hat keinen Sinn** There's no use in doing that
11. *The muddled language indicates he is getting more and more drunk.*
12. **Er geht nur mal 'raus** He's just going out for a moment
13. **der Mann ... Stich!** the man's drunk!
14. **Nur nicht aufregen!** Don't get excited
15. **Ich sage ... ist** I'll tell you when we are ready to leave.

MUTTCHEN: Blumenstraße?
SCHAFFNER: Ja.
MUTTCHEN: Da war ein Kätzchen zu verkaufen. Ich bin nämlich so schrecklich tierliebend. Aber dann habe ich mir überlegt, mein Petrus war dagegen.
DAME: Wer ist denn Petrus?
MUTTCHEN: Mein Wellensittich.
HUMORIST: Der Wellensittich! Ist das betagte Muttchen nicht gottvoll? Lebt in ihrer Welt und läßt keine Bankgeschäfte und kein Weltgeschehen über ihre Grenzen. Ihr Herz gehört den Tieren. Meinen Sie nicht, Herr Direktor, Sie könnten sich die alte Frau ein bißchen zum Exempel nehmen?
SCHNORPS: Ich bin doch nicht irrsinnig. Was soll ich denn in der Bank mit Wellensittichen?
HUMORIST: Das junge Paar! Schauen Sie mal, die beiden sind direkt hübsch geworden. Pardon, mein Fräulein, Sie sind immer hübsch gewesen, aber jetzt liegt ein Abglanz der Sonne über Ihrem Gesicht.
CILLY: Von mir aus[16] kann die ganze Welt wissen, wie glücklich ich bin. Und wem haben wir das zu verdanken? Dem goldigen Fahrer! Wenn er nicht auf die Schnapsidee gekommen wäre, mit uns durchzubrennen, Matthias wäre nicht mit mir durchgebrannt. Wenn der Fahrer nur nicht... Was meinen Sie, Herr Schaffner?

[*Musik*]

SCHAFFNER: Der ist fristlos entlassen, wahrscheinlich. Ja, ja, eine bittere Pille. Ich habe mich absichtlich zurückgehalten, weil ich in Ruhe überlegen muß, wie ich ihm helfen kann. Er ist nämlich der anständigste Kerl von der ganzen Welt.
DAME: Na, na...
SCHAFFNER: Er hat gerade das 30jährige Jubiläum...

---

16. **Von mir aus** As far I'm concerned

DIE SCHNAPSIDEE

HUMORIST: Ja, meine Herrschaften, ich habe den Eindruck, daß ich meine Mitmenschen doch ein wenig unterschätzt habe. Ein helfendes junges Paar, ein gutmütig gewordener Grobian, ein freundschaftlich denkender Arbeitskamerad, na, das ist sehr erfreulich. Ich gebe die Hoffnung nicht auf, Direktor Schnorps und gnädige Frau, daß auch Sie ...

SCHNORPS: Nehmen Sie gefälligst zur Kenntnis, bei mir wird auf Granit gebissen.

DAME: Sehr gut, nur nicht weich werden, Herr Direktor!

GROBIAN [*mit Stentorstimme*]: Der Chauffeur ...

PILKENS [*schüchtern*]: Ich wollte nur sagen, meine Herrschaften, daß der Reifen gerichtet ist ...

SCHNORPS: Sehr gut, der Reifen ist gerichtet und später werden Sie gerichtet! Hingerichtet![17]

PILKENS: Ich wollte mich gerade bei allen Herrschaften entschuldigen. Es war nämlich eine momentane Verwirrung ...

CILLY: Lieber Herr Fahrer, wir sind Ihnen nicht böse ...

HAMMER: Nein, gewiß nicht ... und wenn wir Ihnen irgendwie helfen können ...

CILLY: Tun wir es.

HUMORIST: Bravo, meine jungen Freunde. Na, dann können wir ja jetzt fahren!

[*Musik — Fahrgeräusche*]

DIREKTOR HORNEMANN: Ich begrüße Sie, meine Herrschaften, und ich danke Ihnen, daß Sie gekommen sind. Darf ich

---

17. **Sehr gut ... Hingerichtet!** (*word-play on* **richten**) Very good, the tire is fixed and later you will be sentenced. Executed!

mich Ihnen zunächst vorstellen, Direktor Hornemann von
der Omnibus A.G.
[*Allgemeines Vorstellen*[18]]
Hornemann — Alexandra von Stettinius
Hornemann — Direktor Schnorps
Hornemann — Leopold Zicking, Präsident vom Rennverein
Hornemann — Ich bin Fräulein Eisenrigler
HAMMER: Aber nicht mehr lange!
Hornemann — Hammer
Hornemann — Dr. Sutor, genannt der Seelentröster.
[*Lachen*]
HORNEMANN: Meine Herrschaften! Was wir zu besprechen haben, ist Ihnen allen bekannt. Den Fall des Omnibusfahrers Emil Pilkens. Er sitzt im Vorzimmer. Im Namen unserer Aktiengesellschaft habe ich die Pflicht, Sie alle zunächst um Entschuldigung zu bitten für die Unbequemlichkeiten, denen Sie durch die Handlungsweise unseres Fahrers ausgesetzt waren. Unsere Gesellschaft hat selbstverständlich die erforderlichen Konsequenzen gezogen.[19] Der Fahrer ist fristlos entlassen worden!
ALLE: [*Gemurmel*]
HORNEMANN: Wenn wir nun Sie, meine verehrten Herrschaften, hierher gebeten haben, dann geschieht es vorwiegend deshalb, weil wir Ihre Ansprüche feststellen wollen, und um ohne Inanspruchnahme der Gerichte eine Art Entschädigung herbeizuführen. Ich fühle mich verpflichtet, in diesem Punkte festzustellen, daß ich mich sogar geradezu persönlich haftbar fühle. Denn ich habe an jenem verhängnisvollen Tage den Fahrer Pilkens verleitet, Kognak zu trinken! Er, der der Nüchternsten einer war, wurde in seinem seelischen Gleich-

---

18. **Allgemeines Vorstellen** General exchange of introductions
19. **die ... gezogen** taken the necessary steps

DIE SCHNAPSIDEE

gewicht erschüttert.[20] Alles, was geschehen ist, wurde durch das Glas Kognak hervorgerufen ...

SCHNORPS: Ich möchte bitten, den Fahrer Emil Pilkens in unsere Mitte zu bitten.

HUMORIST: Sehr richtig ... das ist eine gute Idee, Herr ...

HORNEMANN: Hallo, Pilkens, kommen Sie herein!

PILKENS: Guten Tag, Herr Direktor, guten Tag, meine Herrschaften!

ALLE: Guten Tag, Herr Pilkens ...

SCHNORPS: Herr Direktor Hornemann, erlauben Sie mir, als erster Ihrem mit sogenanntem Schimpf und sogenannter Schande entlassenen Wagenlenker Emil Pilkens die Hand zu schütteln. Herr Pilkens, Sie sind für mich ein Beispiel des schönsten Charakterzuges unseres Volkes, ein Beispiel der Freiheitsliebe und der eigenen Initiative. Was ich für Sie tun kann, das soll geschehen.[21]

GROBIAN: Bravo, ausgezeichnet, richtig gesprochen. Herr Pilkens, ich habe Sie zerstampfen wollen. Heute möchte ich Ihre Hände drücken und Ihnen versichern: Sie haben Phantasie gehabt. Und das ist genau das, was ein echter Mann benötigt.

CILLY: Herr Pilkens, ich lebe im Paradies des Glücks und des Frohsinns. Das danke ich nicht mir, das danke ich Ihnen! Ohne Sie hätte ich nie den Traum meines Lebens geträumt.

HAMMER: Ja, ja, meine Braut hat recht, Herr Pilkens. Sie sprach auch für mich — das wird sie künftig vermutlich immer tun.

SCHNORPS: Meine sehr verehrten Damen und Herren! Wenn

---

20. **Er ... erschüttert** He—as responsible person as one can hope to meet—was thrown off balance
21. **das soll geschehen** that shall be done

Direktor Schnorps das Wort ergreift, dann hat es Klang und Bedeutung.[22] So auch in diesem Augenblick . . .

DAME: Ja! Das kann man wohl sagen.

SCHNORPS: Sie alle wissen, daß ich felsenfest entschlossen war, dem Fahrer Pilkens den Garaus, bildlich gesprochen,[23] zu machen. Ich scheue mich nicht, zu bekennen, daß der Zufall, der dumme blöde Zufall, mich vor einer Spekulation bewahrt hat, die nicht nur mich in den Abgrund gestoßen, sondern die meinen Namen ausgelöscht, meinen Ruf ruiniert und tausende meiner Kunden vor das blanke Nichts gestellt hätte. An jenem merkwürdigen Tage wollte ich ein bankmäßiges Geschäft abwickeln. Ich wurde durch den Streich des Fahrers Pilkens gehindert. Damals war ich der Verzweiflung nahe. Heute muß ich bekennen, daß der grobe Unfug des Fahrers Pilkens mich vor einer Torheit bewahrt hat, die nur einer ermessen kann, nämlich ich . . .

DAME: Und ich! Mir ist es nahezu ähnlich ergangen. Denn ich war im Begriff, mich aus purer Unwissenheit an einer Sache zu beteiligen, für die sich die Staatsanwaltschaft interessierte. Herr Pilkens war also Werkzeug einer höheren Macht, ein motorisierter Engel sozusagen. Ich erhebe nicht den geringsten Anspruch an die Omnibus A.G.

HORNEMANN: Höchst wunderliche Offenbarung! Hm, darf ich fragen, wer ein Begehren vorzutragen hat? — Keiner?

SCHNORPS: Ich!

HORNEMANN: Bitte, Herr Direktor.

SCHNORPS: Meine Rechtsabteilung hat den Fall geprüft. Mein Justitiar ist der Auffassung, daß Omnibusfahrer Pilkens ohne Pensionsanspruch von der Omnibus-Gesellschaft entlassen werden muß. Die Omnibus-Gesellschaft wird ihm darüber

---

22. **dann ... Bedeutung** what he says is both resonant and meaningful
23. **bildlich gesprochen** figuratively speaking

DIE SCHNAPSIDEE

hinaus[24] die Responsabilität für die Grenzverletzung und die mit ihr zusammenhängenden Schäden aufhalsen. Emil Pilkens ist somit ein ruinierter Mann. In Ordnung.

[*Gemurmel*]

GEMURMEL: In Ordnung? Da kann man halt nichts machen[25]...

SCHNORPS: Hier endet der Einfluß der Gesellschaft. Hier beginnt der Einfluß von Direktor Schnorps, hier beginnt mein Einfluß!

GROBIAN: Bravo, Herr Direktor, bravissimo...

SCHNORPS: Herr Emil Pilkens...

PILKENS: Ja, bitte sehr.

SCHNORPS: Treten Sie mal bitte vor, treten Sie mal ans Fenster...

PILKENS: Ja, wenn Sie meinen...

SCHNORPS: Schauen Sie mal hinunter, was sehen Sie?

PILKENS: Die Straße, Herr Direktor...

SCHNORPS: Was sehen Sie vor dem Tor der Gesellschaft?

[*Musik*]

PILKENS: Da steht ein Wagen.

SCHNORPS: Hm.

PILKENS: Ein Omnibus, blau, ein Privatomnibus, oh, das ist ein Wagen, ich kenne ihn allerdings nur aus Prospekten...

SCHNORPS: Herr Pilkens! Ihr idiotischer Streich hat mich vor einem Millionenverlust bewahrt. Direktor Schnorps läßt sich nichts schenken.[26] Herr Hornemann, Chef der Omnibus A.G., Sie haben Ihren Fahrer Pilkens hinausschmeißen müssen. Gut, schön. Er ist nicht mehr Ihr Angestellter, er ist nunmehr Ihr Konkurrent!

DAME: Was?

HORNEMANN: Wie kommen Sie denn auf diese schnurrige Idee?

---

24. **darüber hinaus** besides this
25. **Da ... machen** Then nothing can be done about it
26. **Direktor Schnorps ... schenken** Director Schnorps doesn't accept gifts

SCHNORPS: Fahrer Pilkens war durch Ihre Schuld blau,[27] als er uns ins Grüne[28] fuhr. Der Omnibus dort unten ist auch blau. Mit ihm wird künftig Emil Pilkens seine Fahrten ins Blaue[29] machen, mit mir, mit uns, mit vielen. Ja, meine Damen und Herren, das wahre Glück der Erde... [*stockt*] Na, worin liegt es wohl,[30] Herr Humorist?

HUMORIST: Sie meinen vielleicht auf dem Ledersitz hinter den Pferdekräften...?

SCHNORPS: Nein, nein, meine Herren, es liegt in der Phantasie! In der gestaltenden Phantasie, für die es keine Grenzen gibt!

[*Musik*]

FINIS

---

27. **blau** *(coll.)* intoxicated
28. **ins Grüne** to the country
29. **Fahrten ins Blaue** trips into the blue, romantic excursions
30. **Na ... wohl** Well, where is it to be found

DER ÖST-WESTLICHE DIWAN*

Ein tragikomisches Hörspiel in vier Kapiteln von

CLAUS HUBALEK

* This title is a humorous take-off on Goethe's *Westöstlicher Diwan*.

At the end of World War II, Germany was divided into four zones each of which was occupied by one of the victorious powers, France, England, the United States, and Russia. In 1952 the three western powers agreed to restore virtually all sovereignty to the Germans, but the Russians, insisting that the puppet government they had set up in their zone represented the people in that zone, refused to allow free elections. The result was that Germany was split into two parts, a free West Germany and a communist East Germany. This situation—which the Germans view with the gravest concern—is brought to sharp focus in the city of Berlin. Although it lies deep within East Germany, the former capital is still partly under western control and consequently is also partitioned into east and west.

Der öst-westliche Diwan *takes place largely in Berlin. In this humorous radio-play the adventures of a double-bed couch, mistakenly built in a railroad-car factory, symbolize the unhappy fate of a divided Germany.*

Claus Hubalek is a native of Berlin where he was born on March 18, 1926. The war broke out before he had finished his schooling, so that he had to content himself with an emergency diploma (Notabitur) *from the Gymnasium he was attending. He became a soldier and ultimately a prisoner of war. Following the armistice, he tried his hand at several professions: teacher, editor, playwright—the last under the famous dramatist and director, Bert Brecht.*

His first poems were published in 1946 and his first short story, Unsre Jungen Jahre, *in 1947. The following year he wrote a short novel entitled*, Das Glas-Auge. *In 1953 he won both the Gerhart Hauptmann prize and the* Dramatikerpreis *of the* Bühnenverein *for his stage play*, Der Hauptmann und sein Held, *which was later also made into a movie.* Der östwestliche Diwan *is Hubalek's first* Hörspiel.

Die Stimmen

Sprecher	Tante Elsbeth
Sekretärin	Tante Minna
Direktor Fleck	Onkel Franz
Couch	Onkel Gustav
Kiste	1. Polizist
Ballen	2. Polizist
Klawitter	Osttischler
Rettig	Westtischler
Genosse	1. Geselle
Richter	2. Geselle
Auktionator	1. Träger
Ein Mann	2. Träger
Polizist Klemke	1. Stimme
Lehrling	2. Stimme
Klabunde	3. Stimme
Braut	4. Stimme
Bräutigam	1. Arbeiter
Frau	2. Arbeiter
Mann	3. Arbeiter
Knoll	4. Arbeiter
Patze	5. Arbeiter
Volkspolizeileutnant Krause	6. Arbeiter
Kommissar Meier	Stimme

Sprecher: 1. Kapitel.

Die sächsische Stadt Zwickau 1950.

Infolge eines Irrtums kommt hier eine Doppelbettcouch zur Welt. Sie wird ein Politikum und gibt dem Leben eines Fabrikdirektors eine jähe Wendung.

[*Telefonklingeln*]
SEKRETÄRIN: Volkseigener Betrieb Waggonbau Zwickau.[1]
STIMME: Hier Berlin. Hauptverwaltung. Bitte den Direktor Fleck.
SEKRETÄRIN: Einen Augenblick.
STIMME: Es ist dringend.
[*Telefonsummen*]
FLECK [*unwillig*]: Fleck. Stören Sie nicht.
SEKRETÄRIN: Die Hauptverwaltung, Herr Direktor.
FLECK [*freundlich*]: Berlin? Verbinden Sie.
SEKRETÄRIN: Ich verbinde.
FLECK: Hier spricht Direktor Fleck.
STIMME: Wir haben einen wichtigen Auftrag, Fleck.
FLECK: Jawohl.
STIMME: Es handelt sich um die kurzfristige Herstellung einer Doppel ...
[*Knacken in der Leitung macht die Verständigung unmöglich*]
FLECK: Worum handelt es sich?
STIMME: Um die kurzfristige Herstellung einer Doppel ...
[*Wieder knackt es in der Leitung*]
FLECK: Einer was?[2]
STIMME: Einer Doppel ...
[*Das Wort, welches von dem Knacken verschluckt wird, könnte Doppelbettcouch heißen*]
FLECK: Einer Doppelbettcouch? Die Fabrik produziert Waggons. Es wäre ein Novum.
STIMME: Novum! Es ist vieles neu in unserm Land, Herr Direktor Fleck. Machen Sie keine Schwierigkeiten.

---

1. **Volkseigener ... Zwickau** Zwickau-State-Railroadcar-Factory. *Zwickau is an East-German city in the province of Saxony.*
2. **Einer was?** of a what?

FLECK: Ich denke nicht daran.[3]
STIMME: Morgen trifft ein Genosse aus Berlin ein, um das Ding abzuholen. Es ist wichtig.
   [*Die Verbindung bricht ab*]
FLECK: Aufgelegt. [*Verständnislos*] Eine Doppelbettcouch.
   [*Wählt eine Nummer*]
2. STIMME: Hier Halle drei.
FLECK: Direktor Fleck. Kurzfristige Herstellung einer Doppelbettcouch.
2. STIMME: Was sollen wir herstellen?
FLECK [*schreit*]: Eine Doppelbettcouch!
2. STIMME: Aber das ist ungewöhnlich, Herr Direktor.
FLECK: Nichts ist heutzutage ungewöhnlich.
   [*Knallt den Hörer auf die Gabel. Nach einer kleinen Pause*]
Ich baue Dieselmotoren für Kinderwagen, wenn die es verlangen.

   [*Hobelgeräusch*]
1. ARBEITER: Überstunden wegen einem Couchgestell.
2. ARBEITER: Vielleicht ist das ein Regierungsauftrag.
1. ARBEITER: Dann wäre es wenigstens ein schönes Gefühl.
2. ARBEITER: Was?
1. ARBEITER: Zu wissen, daß wir, indem wir heute nacht nicht schlafen,[4] unserer Regierung einen guten Schlaf verschaffen.
2. ARBEITER: Ein wirklich schönes Gefühl.
   [*Schmirgelgeräusch*]

---

3. **Ich ... daran** That is farthest from my thoughts
4. **indem ... schlafen** by (our) not sleeping tonight

3. ARBEITER: Federn aus Weststahl für eine Couch.⁵ Blank sollen sie auch noch sein.
4. ARBEITER: Und besonders elastisch.
3. ARBEITER: Wieso besonders elastisch?
4. ARBEITER: Das ist eine Regierungscouch.
3. ARBEITER: Ach so. Damit die, wenn sie stürzt, weich fällt.⁶
[*Hämmern*]
5. ARBEITER: Hilf mir, die Auflage festmachen.
6. ARBEITER: Auf der Couch möchte ich schlafen.
5. ARBEITER: Wir bauen sowas nur. Denn wir sind ein Arbeiterstaat.⁷
6. ARBEITER: Eben.
5. ARBEITER: Heb' an.
[*Es poltert mächtig*]
[*Musikmotiv*]
COUCH: Da bin ich. Kinder kommen mit einem Schrei auf die Welt. Ich mit einem Poltern.
STIMME [*diktiert, unterlegt Schreibmaschinengeklapper*]: Maße und Gewicht — Doppelpunkt — 2,10 Meter. Breite — 1,55 Meter. Gewicht — 100 Kilo.
COUCH: Trotzdem ist mein Äußeres angenehm.
STIMME: Polster: Roßhaar. Bezug: rot.
COUCH: An dem Bezug bin ich unschuldig.
STIMME: Materialien: Holz—Erzgebirge.⁸ Federn—Ruhrstahl.⁹

---

5. *The worker cannot understand why high-quality steel from West Germany is being used for a couch.*
6. **Damit ... fällt** *So that the government, when it falls, will land softly. (The worker is humorously implying that the East German government is none too secure.)*
7. *A cynical word-play on the term, "workers-state," as a place where the workers may work but not enjoy the fruits of their labors.*
8. **Erzgebirge** *mountain range in Saxony (East Germany)*
9. **Ruhrstahl** *steel from the Ruhr (industrial center of West Germany)*

COUCH: Erzgebirgisches Holz und Stahl von der Ruhr? Ich möchte mich als einen öst-westlichen Diwan bezeichnen.

STIMME: Verwendungszweck ——— [*Ärgerlich*] Lassen Sie das offen.

COUCH: Ich bin geschaffen für die Ruhe, für die Liebe, für den Schlaf.

STIMME: Besonderes: zweiundzwanzig Überstunden. [*Ärgerlich*] Zweiundzwanzig Überstunden für eine Couch.

COUCH: Ich habe Befürchtungen. Alle, die sich an meiner Geburt beteiligten, taten es mit Unlust.

STIMME: Auslieferung der Doppelbettcouch: Heute.

[*Schreibmaschinengeklapper*]

[*Autogeräusch*]

SEKRETÄRIN: Herr Direktor, das ist der Genosse aus Berlin.

FLECK: Ich kann Ihnen nicht sagen, wie froh ich bin. Gehen Sie schon hinein, Fräulein. Auf ein Zeichen ziehen Sie das Tuch von der Couch.

SEKRETÄRIN: Jawohl, Herr Direktor.

[*Bremsen — Türenklappen*]

GENOSSE: Ist es fertig?

FLECK: Ich hoffe, Sie hatten eine gute Fahrt.

GENOSSE: Danke.

FLECK: Meine Leute haben die ganze Nacht hindurch gearbeitet. Mit Begeisterung.

GENOSSE: Gut.

FLECK: Darf ich bitten? Dort hinein!

[*Schritte*]

GENOSSE: Wir sind in der letzten Zeit[10] unzufrieden mit Ihnen.

10. **in ... Zeit** of late

Aber vielleicht macht das Ding die Sache wett, Fleck.

FLECK: Ich bin sicher. Hinter dieser Tür — lädt sie zum Sitzen ein.[11]

GENOSSE [verwirrt]: Zum Sitzen ein?

FLECK: Bitte.

[Türenklappen]

FLECK [ruft]: Fräulein, jetzt! [Nach einer kleinen Pause] Nun?

GENOSSE: [schweigt]

FLECK: Es verschlägt Ihnen die Sprache.[12]

GENOSSE [flüstert]: Herr Direktor Fleck, sind Sie wahnsinnig geworden?

FLECK: Ich habe nicht gespart. Für Berlin ist das Beste gerade gut genug.

GENOSSE [schreit]: Ob[13] Sie wahnsinnig geworden sind, Herr Direktor Fleck!

FLECK: Was ... was ... was ist denn?[14]

GENOSSE: Fräulein, lassen Sie uns allein.

SEKRETÄRIN: Jawohl.

[ab]

FLECK: Was ist denn um Himmels willen?

GENOSSE: Herr Fleck! Was hat Sie veranlaßt, dieses Möbel zu bauen? Fachliche Unkenntnis oder böser Wille?

FLECK: Die Doppelbettcouch ist von Berlin bestellt worden.

GENOSSE: Niemand bestellt bei Ihnen eine Doppelbettcouch. Was wir bestellen, sind Maschinen, Maschinen, Maschinen.

FLECK: Aber ...

GENOSSE: Wir haben keine Zeit für Doppelbettcouchen, Herr

---

11. **lädt ... ein** it will make you want to sit down
12. **Es ... Sprache** It leaves you speechless
13. **Ob** I asked whether
14. **was ist denn?** what is wrong?

Fleck. Noch nicht. Wir müssen auf Strohsäcken in eine glückliche Zukunft hineinschlafen.[15]
FLECK [*schwach*]: Sie ist bestellt worden.
GENOSSE: Nein. Soll ich Ihnen sagen, was bestellt worden ist?
FLECK [*noch schwächer*]: Eine Doppelbettcouch.
GENOSSE [*laut*]: Eine Doppelfettdause.[16]
FLECK: Eine was?
GENOSSE: Sie sollten sich um neue Errungenschaften kümmern, Herr Direktor Fleck. Die Doppelfettdause ist ein kürzlich erfundenes Gerät zur Verminderung der Schmutzentwicklung bei Braunkohlenstaublokomotiven.
FLECK: Du lieber Gott.
GENOSSE: Bei Lokomotiven, Herr Fleck. Zieht Ihre Couch Schwerlastzüge? Transportiert Ihre Couch Arbeiter in die Fabriken? Was tut Ihre Couch? Ihre Couch steht herum. Sinnlos herum.
FLECK: Was soll denn nun mit ihr geschehen?[17]
GENOSSE: Schaffen Sie [18] das Möbel in Ihre Wohnung. Und schlafen Sie darauf den Schlaf des Ewiggestrigen.[19] Über diese Doppelbettcouch rechnen wir noch ab.

[*Eine Tür kracht ins Schloß*]

[*Ein Wecker wird aufgezogen*]
FLECK: Doppelfettdause. Ich wünschte, ich wäre auf dem

---

15. **Wir müssen ... hineinschlafen** We are compelled to sleep our way into a (more) fortunate future on straw sacks.
16. *a technical device explained in the official's next speech*
17. **Was soll ... geschehen?** What is to be done with it?
18. **Schaffen Sie** Have ... taken
19. **des Ewiggestrigen** of a person who lives in the eternally yesterday.
 (*The official is rebuking Fleck for not keeping up with the new inventions.*)

Mond. Aber es liegt sich wenigstens gut auf der Unglückscouch. Doppelfettdause.
[*Das Wort wird — immer leiser werdend — ein paarmal wiederholt. — Musik*]
5 COUCH: Sie sind eingeschlafen, Herr Direktor. Sie können mich jetzt hören. Hören Sie mich?
FLECK [*leise*]: Ich höre dich.
COUCH: Schlafen Sie doch nicht so unruhig. Zucken Sie nicht mit den Füßen. Und werfen Sie sich nicht hin und her.
10 FLECK: Es ist der Schlaf der Ewiggestrigen in diesem Land.[20]
COUCH: Ich kann nichts dafür, Herr Direktor, daß ich Ihr Irrtum bin.
FLECK: Alles ist ein Irrtum.
COUCH: Schlafen Sie den Schlaf der Gerechten.
15   [*Das Wort „Gerechten" wird wie von einem Echo aufgenommen. Dann verwandelt es sich in die Stimme des Genossen*]
GENOSSE: Rechnen ... Rechnen ... Rechnen wir noch ab.
COUCH: Halt, Herr Direktor.
20   [*Eine dumpfe Stimme ist zu hören*]
RICHTER: Im Namen des Volkes ergeht folgendes Urteil: Der ehemalige Direktor Fleck wird — weil er an Stelle einer Doppelfettdause eine Doppelbettcouch gebaut hat — zu einem Jahr Bleibergwerk verurteilt.
25 FLECK [*stöhnt*]: Oh ...
COUCH: Es ist nur ein Traum, Herr Direktor, ein wirres Nachtgesicht.
FLECK [*stöhnt wieder*]: Oh ...
COUCH: In Ihrem Kopf dreht es sich wie ein Karussell.
30 FLECK: Man kann gegen die Gedanken nicht an.[21]

20. *Fleck has a guilty conscience and feels that he is a "has-been."*
21. **Man ... an** One can't control one's thoughts

COUCH: Sie haben eine gute Stellung, Herr Direktor.
FLECK: Wer eine gute Stellung hat, ist am schlimmsten daran.[22] Er kann tief stürzen.
COUCH: Sie stürzen heute nicht, Herr Direktor.
FLECK: Aber vielleicht morgen ...
COUCH: Sie verdienen Geld, Herr Direktor. Viel.
FLECK: Es kommt nicht nur darauf an.[23]
COUCH: Man achtet Sie.
FLECK: Wie lange noch ...
COUCH: Sie haben auch eine schöne Wohnung.
FLECK: [*murmelt etwas*]
COUCH: Was sagten Sie?
FLECK: Ich sagte: ein bißchen Freiheit.
COUCH: Aber, Herr Direktor. Wo gibt es denn die?[24]
FLECK: Irgendwo muß es ein bißchen mehr davon geben.
COUCH: Vielleicht — — — Aber was Sie vorhaben, Herr Direktor, das geht nicht. Nein. Auf keinen Fall.
FLECK: Man kann nicht in einem Land leben, in welchem man solche Träume hat.
COUCH: Vielleicht — — — Aber was wird aus mir, Herr Direktor?

[*Stimmengewirr*]
AUKTIONATOR: Zum ersten — zum zweiten — zum dritten. [*Hammerschlag*][25] Artikel acht — eine Doppelbettcouch — geht an den Händler Klawitter.

---

22. **am Schlimmsten daran**   worst off
23. **Es kommt ... an**   That's not the only consideration
24. **Wo ... die?**   Where is that to be found?
25. *The sound of the auctioneer's gavel indicates that an item has just been sold.*

MANN: Sie haben ein gutes Geschäft gemacht, Klawitter. Das Ding ist wie neu.
KLAWITTER: Klawitter kommt nicht aus Berlin nach Zwickau, um schlechte Geschäfte zu machen.
MANN: Der letzte Besitzer — [*er dämpft die Stimme*] — ein gewisser Fleck, Direktor, ist in den Westen.[26]
KLAWITTER: Warum? Im Osten läßt sich's leben.[27] Nehmen Sie zum Beispiel Klawitter!
MANN: Keiner weiß, warum der Fleck so plötzlich nach drüben ist.[28] Klawitter, verkaufen Sie die Couch hier?
KLAWITTER: Halten Sie mich für knülle?[29] Sie muß Pinke[30] bringen. Sie kommt per Bahnfracht nach Berlin.

SPRECHER: Zweites Kapitel.
Zwischen den Bahnstationen Roßlau und Borgheide in der Mark Brandenburg.[31]
In einem Güterwagen kommt die Couch mit einem Reisegefährten ins Gespräch, einer zwielichtigen Kiste. Sie erlebt außerdem eine Polizeikontrolle, die einen überraschenden Ausgang hat.
[*Räderstampfen*]
KISTE: Es ist dunkel und zugig, nicht?
COUCH: Ich habe nicht gewußt, daß eine Holzkiste so empfindlich ist.
KISTE: Das liegt an meinem Inhalt. Übrigens, wohin fahren Sie?

26. *The implication is that Fleck has fled.*
27. **Im Osten ... leben** One can live well in East Germany
28. **nach drüben ist** went across *(to West Germany)*
29. **knülle** *(sl.)* drunk
30. **Pinke** *(sl.)* big money
31. *Mark Brandenburg is a province in Prussia north of Saxony.*

COUCH: Nach Berlin.
KISTE: Sind Sie abergläubisch?
COUCH: Nein.
KISTE: Dann verrate ich Ihnen: Berlin liegt auf dem dreizehnten Längengrad. Ha-ha.
COUCH: Albernes Gerede!
   [*Pause — Der Zug ruckt*]
COUCH: Au.
KISTE: Entschuldigung, daß ich Sie gestoßen habe. Eine so vornehme Sache wie Sie sollte eben nicht als Stückgut reisen.
COUCH: Ich habe es mir nicht ausgesucht.[32]
KISTE: Sie machen einen Eindruck, als hätten Sie Kummer.
COUCH: Ich habe genug Unglück angerichtet.
KISTE: Und darüber denken Sie nach? Ich denke nur nach, ob ich mir selber Glück oder Unglück bringe. Ich reise übrigens in Geschäften. Sie gestatten, daß ich näherrücke?
COUCH: Damit Sie mich noch einmal anstoßen?
KISTE [*flüstert*]: Bewahre! Es ist nur wegen dem Zeitungsballen in der Ecke. Er spitzt die Ohren. Er hat mich schon einmal denunziert.
COUCH: Und was ist daraus geworden?
KISTE: In Zeiten wie diesen baut man der Bestechlichkeit Denkmäler.[33] Zu Ihnen aber habe ich Vertrauen. Sie wirken mondän.[34] Sowas sympathisiert nicht mit unserer Obrigkeit. Also: Ich fahre dreimal in der Woche nach Berlin.
COUCH [*freundlicher*]: Und was machen Sie dort?
KISTE: Ich bin voller hauchdünner Perlonstrümpfe.[35]
COUCH [*endlich interessiert*]: Oh!

---

32. **Ich habe ... ausgesucht** It wasn't my idea
33. *The wooden box implies that it regained its freedom by bribery.*
34. **Sie wirken mondän** You give the impression of being sophisticated
35. **Perlonstrümpfe** stockings made of Perlon *(a synthetic fiber like nylon)*

KISTE: Ich mache Ost-West-Geschäfte.[36]
COUCH: Vorsicht. Der Zeitungsballen[37] kommt.
KISTE [trällert vor sich hin]: Üb' immer Treu und Redlichkeit[38] ...
BALLEN: Guten Abend. Störe ich die Unterhaltung?
KISTE: Gar nicht. Warum?
BALLEN: Weil Sie jetzt singen.
KISTE: Ich bin lustig. Das müssen Sie doch verstehen!
BALLEN: Sind Sie auch noch lustig, wenn ich Ihnen sage, daß gleich eine Polizeikontrolle ist?
KISTE: Ich liebe Polizeikontrollen. Wenn es sie nicht gäbe, würde man nie merken, daß man ehrlich ist. Wie sollte man das sonst feststellen? Außerdem käme man sich, wenn sich der Staat nicht dauernd um einen kümmern würde, ganz herrenlos vor. Vielleicht wüßte man ohne die Polizeikontrollen gar nicht, daß es den Staat überhaupt gibt. Und das wäre doch furchtbar, wenn man das nicht wüßte, nicht wahr? Und drittens machen die Kontrollen, daß das Leben nicht langweilig ist. Ich kann mir eine Bahnfahrt ohne Kontrollen schon gar nicht mehr vorstellen. Die Landschaft hinge mir ohne Polizei zum Halse heraus.[39]
BALLEN: Machen Sie Witze?
KISTE: Ich? Wie können Sie meinen, daß einer der Polizeikontrollen liebt, Witze macht? Das ist rückständig.
BALLEN: Warten Sie nur, Sie fasse ich auch noch.
[Rucken des Zuges]

36. *Smuggling is implied.*
37. *a humorous symbol representing uniformity of opinion in an unfree state, as newspapers in such states always adhere rigidly to the party line*
38. **Üb'** ... **Redlichkeit** Be always frank and true ... *(first line of a song used to fill in station breaks on the German radio before and during World War II)*
39. **Die Landschaft ... heraus** *Without the police the landscape would be deadly boring*

KISTE [*nach einer kleinen Pause, flüsternd*]: Gott sei Dank, daß er wieder etwas abgerückt ist. Ein widerlicher Zeitgenosse.[40]
COUCH: Aus Ihrer Unterhaltung habe ich entnommen, daß Sie auch ziemlich verlogen sind.
KISTE: Ich? Verlogen? Lügt das Chamäleon, wenn es im Gras grün, auf Borke braun und im Sand gelb ist? Aber wir fahren schon langsamer. Die Polizeikontrolle.
COUCH: Fürchten Sie sich jetzt?
KISTE: Ich habe mich längst daran gewöhnt, immer Angst zu haben.
  [*Der Zug hält. Die Waggontür wird geöffnet*]
1. POLIZIST: In diesem Wagen muß es sein, Genosse Unteroffizier.[41]
2. POLIZIST: Nimm meine Taschenlampe und leuchte!
COUCH [*flüstert*]: Ich glaube, die meinen Sie.
KISTE [*ebenso*]: Das glaube ich auch.
1. POLIZIST: Wo ist das verfluchte Ding? Meinen Sie, daß es uns an den Kragen geht, wenn wir's nicht finden, Genosse Unteroffizier?
2. POLIZIST: Leuchte mal. Hier. Na also! Hier steht der Zeitungsballen. Fass' mit an. So.
  [*Die Waggontür wird zugerollt. Ein Pfeifensignal. Der Zug ruckt an*]
KISTE: Haha! Habe ich nicht gesagt, daß ich Polizeikontrollen liebe?
COUCH: Ich bin ganz verwirrt.
KISTE: Ich vermute, man hat den Zeitungsballen verhaftet, weil etwas auf ihn gedruckt ist, was gestern abend politisch noch richtig war, was aber heute früh politisch längst überholt ist.

40. *Since* **Genosse** *means "party member" and* **Zeitgenosse** *means "a contemporary," the latter word is here used as a pun to mean:* a party member so typical of our times
41. **Genosse Unteroffizier** Comrade Corporal *(East German military title)*

Couch: O Gott. O Gott.

Kiste: Es söhnt einen immer wieder mit den Verhältnissen aus, daß die, die dafür sind, genau so gefährlich leben wie die, die dagegen sind.[42] Ha-ha ... Aber denken wir nicht mehr daran. Darf ich Sie etwas fragen? Das heißt, es ist mehr eine Bitte.

Couch: Nun?

Kiste: Ich meine, ob wir uns in Berlin wiedersehen könnten.[43]

Couch: Ich weiß doch gar nicht, was man mit mir vorhat.

Kiste: Richtig. Ich vergaß. Vertrauen wir auf einen glücklichen Zufall. Übrigens, ich bin müde. Sind Sie böse, wenn ich mich ein bißchen anlehne?

Couch: Nein. Gar nicht. Nur bitte sanft! Sie haben so harte Kanten.

[*Räderstampfen*]

Sprecher: Drittes Kapitel.

Berlin. Im östlichen Teil der Stadt. Unweit der Sektorengrenze. Die Doppelbettcouch erlebt eine Odyssee. Infolge eines unbegreiflichen menschlichen Versagens wird sie schließlich herrenlos und zum Gegenstand einer politischen Auseinandersetzung. Sie erleidet ein ungewöhnliches Schicksal, welches geradezu als historisch zu bezeichnen ist.

[*Poltern*]

Träger: Eine schöne Couch, Herr Klawitter. Unterschreiben Sie den Warenbegleitschein.

---

42. **Es söhnt ... sind** One becomes ever and again reconciled with the state of affairs, when one realizes that those who are for the government live just as dangerously as those who are against it.
43. *Note that the couch is conceived as a demure young lady and the box as a dashing young man.*

KLAWITTER: Ich bin direkt stolz. Hier sind fünf Mark. Gießen Sie sich ein paar Mollen hinter den Knorpel.[44]
TRÄGER: Danke, Herr Klawitter. Wiedersehn!
   [*Die Ladenklingel schrillt*]
KLAWITTER [*ruft*]: Karl!
LEHRLING: Jawohl, Herr Klawitter.
KLAWITTER: Karl, ein Lehrling muß immer im Begriff sein zu lernen. Sperr' deine Augen auf und deine Ohren, mein Sohn. Das ist eine besondere Doppelbettcouch. Besonders in dem Sinn, daß wir sie nicht an östliche Kunden verkaufen, sondern an westliche. Von wegen[45] dem besseren Geld.
LEHRLING: Jawohl, Herr Klawitter.
KLAWITTER: Karl, wie unterscheidest du einen westlichen Kunden von einem östlichen?
LEHRLING: Indem ich . . . [*stockt*]
KLAWITTER: Was?
LEHRLING: [*schweigt*]
KLAWITTER: Ich trichtere es dir zum letztenmal ein: Wenn ein Kunde hereinkommt, auf welchen Körperteil richtet sich in dieser Stadt dein Blick?
LEHRLING: Auf die Füße.
KLAWITTER: Warum?
LEHRLING: Die Füße sagen aus . . . [*stockt wieder*]
KLAWITTER: Was?
LEHRLING [*jetzt wie auswendig gelernt*]: Stecken die Füße eines Kunden in guten Schuhen, handelt es sich in den meisten Fällen um einen westlichen.
KLAWITTER: Gut. Und noch eins: Die allgemeine menschliche Haltung. Einem Ostkunden steht Demut im Gesicht geschrieben und schon im voraus Dankbarkeit für das, was du

---

44. **Gießen Sie ... Knorpel** Pour a few glasses of beer behind your ribs
45. **Von wegen** = wegen *(dial.)*

ihm vielleicht verkaufst. Er ist freundlich bis zur Untertänigkeit. Ich möchte sagen, je freundlicher einer auftritt, desto östlicher und zahlungsunfähiger ist er. Auf solche Leute kommt es uns bei der Doppelbettcouch überhaupt nicht an.[46] Das Auftreten eines westlichen Kunden hingegen ist herrisch und selbstbewußt. Sein Geld steift ihm den Rücken, denn was soll ihm sonst den Rücken steifen ... Er behandelt dich kalt und arrogant. Ich möchte sagen, je arroganter einer auftritt, desto westlicher und zahlungskräftiger ist er. Auf ihn kommt es uns bei der Doppelbettcouch an.

LEHRLING: Jawohl, Herr Klawitter.

KLAWITTER: Ich gehe jetzt frühstücken, Karl.

LEHRLING: Jawohl.

KLAWITTER: Denke an meine Lehren!

[*Die Ladenklingel schrillt*]

LEHRLING: Guten Morgen, meine Dame.

FRAU: Sie haben im Fenster eine Doppelbettcouch. Ist sie verkäuflich?

LEHRLING: Ich weiß nicht.

FRAU: Das müssen Sie doch wissen. [*Kleine Pause*] Warum starren Sie so auf meine Füße?

LEHRLING: Ich glaube, sie ist verkäuflich.

FRAU: Sie glauben? Junger Mann, man sollte Ihnen für Ihre dummen Antworten den Hosenboden strammziehen.[47] Geben Sie gefälligst richtige Auskunft.

LEHRLING: Jetzt weiß ich, daß die Doppelbettcouch verkäuflich ist. Ich rufe den Chef. [*Ruft*] Herr Klawitter!

KLAWITTER [*von hinten*]: Gleich.

---

46. **Auf solche ... an** Such people don't come into question as customers for the couch
47. **den Hosenboden strammziehen** pull the seat of your trousers tight (*i.e.* spank you).

FRAU [*versöhnter*]: Diese Doppelbettcouch ist wahrhaftig die schönste, die ich im Ostsektor gesehen habe.

LEHRLING: Wir produzieren immer besser, meine Dame. Die Fortschrittlichkeit...

KLAWITTER: Quatsch' nicht, Karl! Du siehst doch, daß die Dame aus dem Westen kommt. Guten Morgen, gnädige Frau.

FRAU: Ich möchte die Doppelbettcouch kaufen. Ich bin nämlich im Begriff zu heiraten.

LEHRLING [*flüstert*]: Ich hab's doch gleich gesehen, Herr Klawitter: Die Schuhe und der Ton...

FRAU: Wie bitte?

KLAWITTER: Karl, geh' frühstücken. Mein Lehrling faselt manchmal, gnädige Frau.

FRAU: Was kostet die Doppelbettcouch?

KLAWITTER: Sie ist ein besonders gutes Stück. [*Kleine Pause*] 320 Mark.

FRAU: Das ist geschenkt.[48] Ich zahle natürlich sofort.

KLAWITTER: Bitte.

FRAU: Hier.

KLAWITTER: Danke. [*Entsetzt*] Was ist denn das? Um Gottes willen!

FRAU: Wieso?

KLAWITTER: Ostgeld!

FRAU: Natürlich.

KLAWITTER: Ich bin ruiniert! Östliches Geld!

FRAU: Ich verstehe Sie nicht. Hatten Sie die Absicht, die Couch für Westgeld zu verkaufen? Sie wissen, daß das in unserm Sektor unter Strafe steht.

KLAWITTER [*stöhnt*]: 320 Ost! Du lieber Himmel!

FRAU: Liefern Sie die Doppelbettcouch ins Haus?

KLAWITTER [*böse*]: Für den Preis auf meinen eigenen Schultern.

48. **Das ist geschenkt** That is a gift

FRAU: Dann lasse ich sie abholen. Auf Wiedersehen.
[*Die Ladenklingel schrillt*]
KLAWITTER [*ruft*]: Karl!
LEHRLING: Jawohl, Herr Klawitter.
KLAWITTER: Karl, komm' her. Ganz dicht.
LEHRLING: Warum?
KLAWITTER: Darum. [*Haut ihm eine Ohrfeige*]
LEHRLING: Herr Klawitter, warum hauen Sie mich?
KLAWITTER: Weil du schuld bist, daß ich ruiniert bin. Die Frau war östlich.
LEHRLING: Lehrlinge hauen ist verboten in unserm Land, Herr Klawitter. Das Volk herrscht.
KLAWITTER: Bin ich kein Volk? Und in meinem Laden ist es verboten, das beste Stück an Leute zu verkaufen, die mit schlechtem Geld bezahlen.
LEHRLING [*trotzig*]: Alle Menschen sind gleich.
KLAWITTER: Quatsch.
LEHRLING: Und die Frau hatte Schuhe ...
KLAWITTER [*fällt ihm ins Wort*]: Die Frau war die Ausnahme von der Regel, du Dummkopf. Sie muß einmal bessere Tage gesehen haben, und das erweckte den westlichen Eindruck. Aber das hättest du gefälligst merken müssen. [*Kleine Pause*] Ich auch. Karl, geh' weiter frühstücken,[49] los!
LEHRLING: Ich geh' ja schon.
KLAWITTER [*wiederholt seinen Lehrling*]: Alle Menschen sind gleich. Ha-ha — Alle Menschen sind gleich ungleich. Was ist ein östlicher Mann gegen einen westlichen? Um das Vierfache ärmer. Was ist ein östlicher Studienrat gegen einen westlichen Straßenfeger? Ein erbärmlicher Schlucker. [*Erschüttert*] Und dennoch gibt es das: Ostkunden, die westlichen wie ein Ei

---

49. **geh' weiter frühstücken** finish your breakfast

dem andern gleichen![50] Das ist das Ende! 320 Ostmark! Das Unterste ist zuoberst gekehrt und der Rest steht auf dem Kopf.[51]

    [*Die Ladenklingel schrillt*]

1. TRÄGER: Guten Tag. Wir sollen hier eine Doppelbettcouch abholen.

KLAWITTER [*böse*]: Da steht das Ding.

2. TRÄGER: Hui! Damit haben Sie sicher ein Bombengeschäft gemacht.

KLAWITTER [*brüllt*]: Jawohl. Ein herrliches!

    [*Gläserklingen — Gedämpfte Radiomusik*]

COUCH: Wie glücklich bin ich! Ich darf für die Liebe da sein. Man braucht mich also wirklich! Es ist nicht wahr, daß die Stadt auf dem dreizehnten Längengrad liegt! Es ist einfach nicht wahr!

MANN: Anständiges Möbelstück, die Couch. Fast wie 'ne[52] westliche.

FRAU: Gefällt sie dir, Liebster?

MANN: Wie teuer?

FRAU: Frag' doch jetzt nicht danach. Jetzt, wo wir beide endlich allein sind.

MANN: Es sitzt sich gut drauf.[53] Weiche Federn.

FRAU: Sag' mir lieber, daß du mich liebst, Lieber.

MANN: Was denn sonst?

---

50. **Und dennoch ... gleichen!** And yet there is such a thing: East-German customers who resemble those from West Germany as closely as one egg another!
51. **Das Unterste ... Kopf** *(lit.)* What was at the bottom is now uppermost and everything else is standing on its head *(fig.)* Everything is topsy-turvy
52. **'ne** = **eine**
53. **Es sitzt sich gut drauf** It's comfortable to sit on

FRAU: Du wirst mir das ein ganzes Leben sagen, nicht wahr, Fritz? Ein ganzes Leben lang?
MANN: Frag' doch nicht immer dasselbe.
FRAU: Wann heiraten wir, Fritz?
5 MANN: Ich muß erst noch meine Geschäfte im Westen erledigen. Ich kann meinen Umzug in den Osten nicht überstürzen.
FRAU: Küß' mich, Fritz. Ich habe es gern, wenn du mich küßt, Liebster.
10 MANN: Wir haben einen langen Abend Zeit. Selbstverständlich liebe ich dich. Übrigens bin ich gerade in ekelhaften geschäftlichen Schwierigkeiten.
FRAU: Müssen wir das jetzt besprechen?
MANN: Denkst du, es macht mir Spaß?
15 FRAU: Du weißt, Liebster, daß das, was mir gehört, auch dir gehört. Aber ...
MANN: Aber?
FRAU: Ich habe es dir nicht gesagt, weil es für uns beide nicht wichtig ist. Unsere kleine Fabrik ...
20 MANN: Weiter.
FRAU: Sie ist unter Treuhänderschaft gekommen.
MANN: Weiter.
FRAU: Sie wird enteignet werden.[54]
MANN: Weiter.
25 FRAU: Mein Mann hatte Steuerrückstände. Als ich nach seinem Tod die Geschäfte übernahm, habe ich das in den Büchern übersehen.
MANN: Du kannst kein Geld mehr entnehmen?
FRAU: Mach' dir keine Sorgen. Ich hänge nicht am Geld und
30 nicht an der Fabrik. Nur du bist für mich wichtig, Liebster.
MANN: Kein Geld? Und wovon wollen wir dann leben?

54. **Sie wird enteignet werden** It will be taken from me

FRAU: Können wir nicht beide arbeiten?
MANN: Arbeiten?
   [*Er steht auf und läuft hin und her*]
FRAU: Was hast du, Fritz? Du bist so anders.
MANN: Nichts habe ich.
FRAU: Komm'.
MANN: Laß mich.
FRAU: Fritz, hat es mit der Fabrik zu tun?
MANN [*schreit*]: Deine Fabrik hat mich nie interessiert.
FRAU: Komm' doch zu mir, Fritz.
MANN: Es ist spät. Ich bin im Westen mit Regimentskameraden verabredet.
FRAU: Unser langer Abend ...
MANN: Ich muß gehen.
FRAU: Bitte bleib'.
MANN: Es geht heute nicht.
FRAU: Fritz, muß ich denken, daß du mein Geld heiraten wolltest?
MANN: Ich lasse mich nicht beleidigen. Adieu.
FRAU: Was ist denn?
MANN: Nichts ist. Außer einer Verabredung.
FRAU: Fritz! Bitte! Bleib'!
   [*Eine Tür klappt. Die Frau weint. Dann wählt sie eine Telefonnummer*] [*Telefonklingeln*]
KLAWITTER: [*verschlafen*]: Hier Klawitter.
FRAU: Ich habe heute bei Ihnen eine Doppelbettcouch gekauft.
KLAWITTER [*schreit*]: Lassen Sie mich in Ruhe.
FRAU: Verstehen Sie mich nicht falsch. Ich will, daß Sie sie abholen.
KLAWITTER: Abholen?
FRAU: Ich brauche sie nicht mehr. Zahlen Sie mir den Kaufpreis zurück.

KLAWITTER: Den Kaufpreis? Diese Doppelbettcouch ist jetzt eine gebrauchte. Sie hat an Wert enorm verloren. Ich biete Ihnen zweihundert Ostmark. Zweihundert Ostmark.

FRAU: Machen Sie, was Sie wollen.

[*Die Verbindung bricht ab*]

KLAWITTER [*glücklich*]: Machen Sie, was Sie wollen.

[*Er legt den Hörer auf*]

[*Schwere Schritte poltern*]

KLAWITTER: Die Doppelbettcouch kommt wieder ins Fenster. Ich fasse mit an. Hau-ruck.

TRÄGER [*ächzend*]: Ich verstehe überhaupt nichts mehr. Gestern hole ich die Couch und heute bringe ich sie.

KLAWITTER: Das ist die ausgleichende Gerechtigkeit.

TRÄGER: Was?

[*Es poltert wieder*]

KLAWITTER: Da steht sie. Ich gebe Ihnen einen Rat. Man muß sich im Leben immer an guten Sachen schubbern. Die bleiben an einem hängen.

TRÄGER: Was?

KLAWITTER: Hier haben Sie eine Mark. Verstehen Sie das?

TRÄGER: Ja. Das mit der Mark verstehe ich. Auf Widersehen.

[*Die Ladenklingel schrillt. — Autogeräusch*]

KLAWITTER [*ruft*]: Karl!

LEHRLING: Herr Klawitter?

KLAWITTER: Rettig kommt. Tür auf.

LEHRLING: Jawohl.

[*Er öffnet die Tür*]

Herr Rettig hat wieder ein neues Auto. Diesmal ein ganz großes.

KLAWITTER: Alles Margarine,[55] mein Sohn.

RETTIG: Morgen, Klawitter. Zurück aus Sibirien?

---

55. **Alles Margarine** All earned by selling margarine

LEHRLING: Herr Klawitter war in Zwickau.
RETTIG: Das meine ich ja.
KLAWITTER: Karl, frühstücke weiter. Du verstehst doch nichts von Geschäften.
LEHRLING: Jawohl.
   [ab]
KLAWITTER: Rettig, wie stehen die Finanzen?[56]
RETTIG: Der Fettmangel im Osten hält an. Ich habe die vierte Verkaufsbude an der Grenze eröffnet. Geben Sie mir einen Stuhl, Klawitter. Ich bin neuerdings kurzatmig. Danke. Klawitter, ich komme um einen Rat. Sie sind ein weltoffener Mann. Soll ich außer Margarine in Bücklingen machen?[57]
KLAWITTER: Ja und nein.
RETTIG: Warum ja?
KLAWITTER: Der östliche Fleischmangel bleibt eine geschäftliche Realität.
RETTIG: Gott sei Dank. Warum nein?
KLAWITTER: Sommergewitter.
RETTIG: Gut. Ich verschiebe die Bücklinge auf den Herbst. Zigarre?
KLAWITTER: Danke.
RETTIG: Sehr teuer.
KLAWITTER: Was?
RETTIG: Die Zigarre, die Sie rauchen.
KLAWITTER: Ach so.
RETTIG [schreit plötzlich]: Klawitter!
KLAWITTER [erschrocken]: Was ist los?
RETTIG: Mein Traum in Ihrem Fenster. Helfen Sie mir aus dem Stuhl. Danke. [Pfeift durch die Zähne] Klawitter, ich verrate Ihnen: heute nacht gehört diese Doppelbettcouch mir.

---

56. **wie stehen die Finanzen?** How is business?
57. **in Bücklingen machen** deal in smoked herring

KLAWITTER: Sie kostet, Rettig.
RETTIG: Wieviel?
KLAWITTER: Ich habe Angebote.
RETTIG: Ich zahle in Westmark.
KLAWITTER: Dann habe ich keine andern Angebote mehr.
RETTIG: Sie dürfen Westmark nicht annehmen, Klawitter. Sie geben sich damit in meine Hand. Deshalb habe ich in diesem Fall Vertrauen zu Ihnen. Die Couch ist nicht für meine eheliche Wohnung bestimmt. Sie kennen meine Frau?
KLAWITTER: Ja.
RETTIG: Dann verstehen Sie.
KLAWITTER: Mir scheint, Rettig, die Couch wird immer teurer.
RETTIG: Sie sind ein Aas, Klawitter.
KLAWITTER: Sie muß ohne Warenbegleitschein in den Westsektor. Keinerlei Spuren.
RETTIG: Wieviel?
KLAWITTER: Fünfhundert.
RETTIG: Sie haben nicht alle Tassen im Schrank.[58] Dreihundert und keinen Pfennig mehr.
KLAWITTER: Dreihundertfünfundzwanzig.
RETTIG: Scheck oder in bar?
KLAWITTER: In bar. [*Kleine Pause*] Rettig, das sind nur dreihundertneunzehn.
RETTIG: Sind Sie ein Pedant! Hier!
KLAWITTER: Hören Sie zu, Rettig. Aber vorher setzen Sie sich.
RETTIG: Was ist los?
KLAWITTER: Den Transport der Couch in den andern Sektor bewerkstelligen wir.
RETTIG: Wir? Ich bin kurzatmig.

---

58. **Sie haben ... Schrank** You must be out of your mind *(Since this was written, however, the East mark has been placed on a parity with the West mark.)*

DER ÖST-WESTLICHE DIWAN   189

KLAWITTER: Und ich bin Realist. Ich ziehe niemand sonst in
die Sache hinein.⁵⁹
RETTIG [*stöhnt*]: Wieviel wiegt sie?
KLAWITTER: Annähernd zwei Zentner.
RETTIG [*stöhnt wieder*]: Oh ...
KLAWITTER: Der Weg ist kurz. Wir benutzen den Friedhof.
Seine andere Seite ist Westen.
RETTIG: Den Friedhof?
KLAWITTER: Sie fürchten sich doch nicht, Rettig?
RETTIG: Ich soll mich fürchten? Ha-ha. Ich lache mich tot.
Ha-ha. Fürchten!
KLAWITTER: Also, Rettig. Heute nacht um zehn Uhr.
RETTIG: Gut, Klawitter. Um zehn Uhr.

[*Eine Uhr schlägt zehn*]
RETTIG [*an die Ladenscheibe klopfend*]: Klawitter! Klawitter!
KLAWITTER [*öffnet die Tür*]: Kommen Sie 'rein, Rettig.
RETTIG: Es geht Wind draußen, Klawitter. Scheußlicher Wind.
KLAWITTER: Fabelhafte Umstände.
RETTIG: Ich bin auf einmal so kurzatmig. Einen Augenblick.
Aaaaahhhhhh.
KLAWITTER: Sie sollen sich nicht auf die Couch legen, Rettig. Sie
sollen sie tragen.
RETTIG [*schwärmerisch*]: Das Ding ist das Paradies. Weich wie
eine Sommerwolke. Warum haben Sie Esel nicht auf vier-
hundert West bestanden?⁶⁰

---

59. **Ich ziehe ... hinein** I don't want anyone else involved in this deal
60. **Warum ... bestanden?** You were a fool not to insist on 400 West-
    German marks.

KLAWITTER [*böse*]: Sie wissen nicht, für welchen Schleuderpreis in Ost ich sie mir unter den Nagel gerissen habe.
RETTIG [*ebenfalls böse*]: Gauner.
KLAWITTER: Selber Gauner.
RETTIG: Klawitter, mit Ihnen Geschäfte machen, heißt, sich das Fell selber über die Ohren ziehen.[61] In meinen Augen sind Sie ein Währungsgewinnler.[62]
KLAWITTER: Rettig, wessen Margarine steht an heißen Tagen mit einem Bein im Zuchthaus?[63] Ich sage nur: Lebensmittelgesetzgebung.
RETTIG [*versöhnlich*]: Sie verstehen heute nacht keinen Spaß. Ha-ha.
KLAWITTER [*gekünstelt*]: Ha-ha. [*Energisch*] Stehen Sie auf, Rettig. Wir haben nicht Zeit.
RETTIG: Ich stehe schon auf.
KLAWITTER: Ich fasse hinten an, Rettig. Hau-ruck.
RETTIG [*stöhnt*]: Oh ...
KLAWITTER: Es sind zweihundert Meter bis zum Friedhof. Los.
RETTIG [*stöhnt wieder*]: Oh ...
KLAWITTER: Vorsicht, Stufe!
    [*Eine Tür klappt zu*] [*Wind*]
RETTIG: Warum ist es so dunkel?
KLAWITTER: Weil Nacht ist. Es kann für uns gar nicht Nacht genug sein.
RETTIG: Was ist, Klawitter, wenn wir gekriegt werden?
KLAWITTER: Bautzen.[64]

61. **Klawitter ... ziehen** Klawitter, to do business with you is equivalent to fleecing oneself.
62. **Währungsgewinnler** foreign exchange profiteer *(person who profits from illegal dealings in foreign exchange)*
63. *Rettig's margarine is so rancid on hot days as to make him a candidate for the penitentiary!*
64. **Bautzen** city in Upper Lusatia *(Apparently they fear to be sent to prison there.)*

RETTIG: Oh. Warum wiegt eine Couch soviel? Meine Schulter tut so weh!
KLAWITTER: Stehenbleiben. Da kommt wer.[65]
   [*Harte Schritte*]
POLIZIST: Halt.
KLAWITTER: Machen Sie die widerliche Lampe aus.
POLIZIST: Sie sind es, Herr Klawitter?
KLAWITTER: Sie sind es, Klemke? Rettig, das ist der Volkspolizeiwachtmeister Klemke.
RETTIG [*durch die Zähne*]: Sehr angenehm.
POLIZIST: Wohin wollen Sie denn um diese Zeit mit dem Möbel?
   [*Über ihnen öffnet sich ein Fenster. Man hört Stimmen und Lachen. Dann das Lied: Wir winden dir den Jungfernkranz*]
RETTIG: Ja. Wohin.
KLAWITTER: Fragen Sie nicht soviel, Klemke. Fassen Sie mit an. So. Danke. Wohin wir wollen? Zu der Hochzeit da oben natürlich. Das Brautpaar soll mit der Doppelbettcouch überrascht werden.
RETTIG: Natürlich. Zu der Hochzeit. Das liegt doch auf der Hand.[66]
POLIZIST: Na klar. — Also. — Klingeln wir.
   [*Schritte. — Eine Türklingel schrillt*]
POLIZIST: Ich will nur noch die Überraschung abwarten, Herr Klawitter. Dann muß ich wieder auf meine Streife.
   [*Die Tür öffnet sich*]
BRAUT: Was... Was... Was ist denn das?
POLIZIST: Das ist wirklich eine Überraschung.
RETTIG: Sie sind die Braut?
BRAUT: Was wollen Sie?

65. **Da kommt wer** Someone is coming
66. **Das liegt ... hand** That's perfectly obvious

KLAWITTER: Mit der Doppelbettcouch zu Ihnen.
BRAUT: Wir erwarten keine.
KLAWITTER: Lassen Sie uns hinein. Sie erwarten eine.
BRAUT [*ängstlich*]: Die Polizei ...
5 RETTIG: Geht gleich.
BRAUT: Das muß ein Irrtum sein.
KLAWITTER: Haben Sie schon einmal einen so großen Irrtum gesehen?
BRAUT [*ruft*]: Günther.
10 BRÄUTIGAM: Ich komme, Inge. [*Kleine Pause*] Donnerwetter. Ist das ein Geschenk für uns?
RETTIG: Können Sie sich einen andern Grund vorstellen, warum wir das Möbel zwei Treppen hoch zu einer Hochzeitsgesellschaft schleppen?
15 BRÄUTIGAM: Inge, sie ist von Onkel Gustav. Denn so ein Filz, daß er zu unserer Hochzeit nur mit einem Milchtopf kommt, kann er nicht sein. Kommen Sie herein. Sie auch, Herr Wachtmeister.
POLIZIST: Ich habe Streife. Der Schmuggel an der Grenze
20 nimmt überhand. Jeder muß auf seinem Posten sein.
RETTIG: Na klar.
POLIZIST: Auf Wiedersehen.
KLAWITTER: Bloß nicht.[67]
[*Man hört, wie der Polizist die Treppe hinuntergeht*]
25 RETTIG [*flüsternd*]: Wir verduften auch, Klawitter. Sonst kommen wir mit dem Möbel hier nicht heil heraus.
BRÄUTIGAM: Bitte, meine Herren. Treten Sie ein!
KLAWITTER [*flüsternd*]: Wir müssen 'rein, Rettig. Klemke ist noch in der Nähe. Es hilft nichts.
30 BRÄUTIGAM: Bitte, meine Herren!

---

67. **Bloß nicht** I hope not

RETTIG: Lieber Gott.

[*Türenklappen*]

ALLE: Ooooooohhhhhhh.

[*Man hört schnelle Schritte. Eine Tür kracht*]

BRAUT [*ruft*]: Onkel Heinrich, warum läufst du weg?

RETTIG: Er hat vielleicht den Polizisten an der Tür gehört und ist empfindlich gegen Uniformen. Ha-ha.

BRÄUTIGAM: Er kommt sicher gleich zurück. Jetzt verraten Sie uns bitte: Wer schenkt die Doppelbettcouch?

RETTIG [*flüsternd*]: Schenken Sie reinen Wein ein,[68] Klawitter.

KLAWITTER [*flüsternd*]: Daß uns die Leute anzeigen? [*Laut*] Das muß ein Geheimnis bleiben.

BRAUT: War es Tante Elsbeth?

KLAWITTER: Tante Elsbeth?

ELSBETH: Ich? Mit meiner Ostrente?[69] Ist die Spitzendecke nicht genug? Das ist unverschämt! Fragt lieber Minna. Minna weiß nicht wohin mit ihrer Westpension.[70] Wenn ich sie sonntags besuche, bringt sie Fleisch auf den Tisch, daß es über die Teller hängt. Als ob wir Östler Kannibalen wären. Minna hat die Couch geschenkt.

MINNA: Ich? Ihr denkt wohl, wir im Westen schlafen auf der Butter.[71] Elsbeth, bei mir kriegst du sonntags kein Fleisch mehr.

ELSBETH: Das ist die Höhe.[72]

[*Eine Tür klappt*]

BRÄUTIGAM [*ruft*]: Tante Elsbeth, lauf nicht fort.

[*Pause*]

68. **Schenken ... ein** Tell the truth
69. **Ostrente** east-mark income *(She implies her income is small.)*
70. **Minna ... West pension** Minna doesn't know to spend her (large) west-mark income
71. **schlafen ... Butter** live in the land of milk and honey
72. **Das ist die Höhe** That's the limit

Tante Minna, warum hast du das gesagt!
MINNA: Jetzt bin ich schuld. Wo[73] der ganze Hochzeitskuchen aus meinen Westzutaten gebacken ist.
BRAUT: Ja. Aus Margarine.
MINNA: Ich lasse mich nicht beleidigen.
  [*Eine Tür klappt*]
BRAUT [*ruft*]: Tante Minna.
BRÄUTIGAM: Onkel Franz. Hast du uns die Couch ...
FRANZ [*fällt ihm ins Wort*]: Ich habe genug von deiner gierigen Fragerei.
  [*Eine Tür klappt*]
KLAWITTER: Hören Sie, junger Mann. Ich will Ihnen eine Aufklärung geben.
BRÄUTIGAM: Versuchen Sie jetzt nicht aus Höflichkeit, die Sache als einen Irrtum zu bezeichnen. Ich will wissen, von wem die Doppelbettcouch ist. Onkel Gustav!
GUSTAV: Was?
RETTIG [*flüsternd*]: Mir scheint, Klawitter, wir sprengen die ganze Hochzeitsgesellschaft in die Luft.
KLAWITTER [*flüsternd*]: Hyänen, Rettig. Hyänen.
BRÄUTIGAM: Onkel Gustav, ich habe gewußt, daß dein Milchtopf nur ein Spaß war. Du bist es.
GUSTAV: Ein Spaß? Ein teurer! Für euch ist jeder aus dem Westen ein Rockefeller. Ich soll euch eine Doppelbettcouch schenken? Ha-ha. Ich lache. Ha-ha. Anna, komm'. Hier stiehlt man uns das letzte Hemd vom Leibe.
  [*Eine Tür klappt*]
BRAUT: Günther, warum hast du soviel gefragt? Es ist so friedlich gewesen.
BRÄUTIGAM: Friedlich! — — — Es ist gut, daß ich erfahren habe, in welche Familie ich geraten bin.

73. **wo** even though

BRAUT: Wenn deine Familie in Berlin wäre, dann wäre sie genau so wie meine Familie.
BRÄUTIGAM [*schreit*]: Nein!
BRAUT: Doch!
BRÄUTIGAM [*schreit*]: Machen Sie, daß Sie wegkommen![74] Nehmen Sie das furchtbare Möbel wieder mit!
KLAWITTER: Sehen Sie, Rettig, jetzt werden wir sogar gebeten. Und Sie hatten Angst.
RETTIG: Ich hatte wirklich Angst. Hau-ruck.
   [*Eine Tür klappt. Von innen sind die lauten Stimmen des Brautpaars zu hören*]
   [*Schwere Schritte*]
RETTIG [*ächzend*]: Klawitter, wie schön müssen Treppen sein, wenn man keine Couch schleppt.
KLAWITTER: Ich möchte wissen, was uns heute nacht noch alles bevorsteht.
RETTIG: Jagen Sie mir keine Angst ein!
KLAWITTER: Absetzen. Los, Rettig. Sie machen Spannemann.[75] Schauen Sie vor die Haustür.
RETTIG: Gut. Ich werd' mal rausschaun.
   [*Türquietschen*]
RETTIG [*schreit*]: Au! Mir genau vor'n Schädel![76]
POLIZIST [*erstaunt*]: Ach? Herr Rettig. Steht hinter der Tür?
KLAWITTER: Klemke, was suchen Sie denn hier schon wieder?
POLIZIST: Ich bin auf Streife. Aber was ist mit der Couch? Warum steht die hier im Hausflur herum?
RETTIG: Ja. Warum?
KLAWITTER: Es war ein Irrtum.
POLIZIST: Ein Irrtum?

---

74. **Machen Sie ... daß Sie wegkommen!** Get out of here!
75. **Sie machen Spannemann** You act as lookout
76. **Au! ... Schädel!** Ouch! right smack on the head!

KLAWITTER: Sie haben doch selbst die Überraschung von dem Brautpaar gesehen.
POLIZIST: Richtig. Aber ...
RETTIG: Das kommt alles von dem Lehrling.
5 POLIZIST: Von wem?
KLAWITTER: Richtig. Von dem Lehrling. Er hat die Adressen verwechselt.
RETTIG: Natürlich.
KLAWITTER: Die Couch ist nämlich nicht für die Hochzeit,
10 sondern für den Wirt Klabunde um die Ecke bestimmt.
POLIZIST: Herr Klawitter, mir kommt die Sache verdächtig vor.
KLAWITTER [*ängstlich*]: Aber, Klemke ...
POLIZIST: Die Sache mit dem Lehrling.
RETTIG: Da haben Sie ganz recht, Herr Wachtmeister. Für so
15 einen jungen Mann ist die Grenze eine Verlockung. Sagen Sie, Klawitter, jagt uns der Lümmel in der Nacht herum, damit die Couch so oder so [77]in den Westen kommt?
KLAWITTER: Ausgeschlossen, Rettig. Ich bilde ihn nach strengen Grundsätzen aus. Die geraden Wege sind die kürzesten.[78]
20 Das ist mein Geschäftsprinzip.
RETTIG: Ihr Lehrling hat mir immer einen hinterlistigen Eindruck gemacht, Klawitter. Die Jugend, die jetzt heranwächst ...
POLIZIST: Herr Rettig, unsere neue Jugend ist herrlich. Das sage ich Ihnen als Volkspolizist.
25 KLAWITTER: Na dann: Hau-ruck. Zu Klabunde! Aber wenn der Lümmel sich wieder geirrt hat, gnade ihm Gott. Klemke, fassen Sie mit an! Das Ding wiegt! Wie man sich schinden muß. Zum Teufel!
RETTIG: Und das für fremde Leute.

77. **so oder so** one way or another
78. **Die geraden ... kürzesten** *a word-play on* **gerade** *which means both "just" and "straight"—such as straight through the cemetery!*

POLIZIST: Warum nimmt Klabunde auch nicht Rücksicht auf Ihren Achtstundentag!
KLAWITTER: Klabunde ist eine ganz unsoziale Erscheinung.
RETTIG: Und was für eine! Er ist sogar noch für Kinderarbeit.
POLIZIST: Ich werde ihn gleich politisch aufklären.
KLAWITTER: Bloß nicht, Klemke. Ich meine, sowas wie Klabunde läßt man einfach aussterben.
RETTIG: Und Sie würden über die Aufklärung nur ihre Streife versäumen.
POLIZIST: Da haben Sie recht. Heute tut sich nämlich was.[79] Das sind die mondlosen Nächte... Wir haben eben an der Grenze einen gefaßt mit einer Riesenkiste Perlonstrümpfe.
KLAWITTER: Absetzen. Vielen Dank, Klemke. Sie haben uns sehr geholfen. Und achten Sie auf die Schmuggler. Die sind jedem ehrlich Arbeitenden ein Dorn im Auge.
RETTIG: Richtig, Klawitter!
POLIZIST: Gute Nacht, meine Herren!
RETTIG [*nach einer kleinen Pause*]: Da geht er. Klawitter, mir zittern die Knie.
KLAWITTER: Ich habe mich schon in Bautzen gesehen.
RETTIG: Und was ist jetzt?
KLAWITTER: Wir müssen mit der Couch zu Klabunde.
RETTIG: Es sind bloß ein paar Schritte zum Friedhof.
KLAWITTER: Und was ist,[80] wenn Klemke gleich wieder zurückkommt, um Klabunde über sein ausbeuterisches Wesen aufzuklären? Der Klemke hat nämlich außer seiner Blödheit auch noch einen sozialen Tick.[81]
RETTIG: Hätte ich das Möbel nie gekauft!
KLAWITTER: Jammern Sie nicht. Fassen Sie an. Hau-ruck.

---

79. **Heute ... was** There's something brewing today
80. **Und was ist** And what will happen
81. **hat ... einen sozialen Tick** is ... a nut on socialism

[*Musik — Stimmengewirr*]

KLABUNDE: Klawitter, ist Ihnen eine feuchte Boulette in den Kragen gefallen?[82]

KLAWITTER: Nein. Aber ein Polizist auf den Wecker. Können wir die Couch für eine Stunde in Ihr Hinterzimmer stellen? Schnell, Klabunde. Man darf uns nicht mit dem Möbel sehen.

KLABUNDE: Kommen Sie. Hier herein! Links 'rum! So.

[*Türenklappen*]

KLAWITTER: Klabunde, spitzen Sie die Ohren. Für den Volkspolizisten Klemke sind Sie der Couchbesteller.

KLABUNDE: In Ordnung.

KLAWITTER: Es kann sein, daß er Sie als eine rückständige Type brandmarkt.

RETTIG: Wir mußten Sie nämlich verleumden.

KLABUNDE: Wenn er sein Bier bezahlt ...

RETTIG: Sie haben Nerven.

KLABUNDE: Ich habe ein Lokal an der Sektorengrenzen.[83] Wollen Sie an den Stammtisch?

KLAWITTER: Und drei doppelte Kognak.

[*Musik — Stimmengewirr*]

KLABUNDE: Gestatten: Herr Klawitter. Herr Rettig. Friseurmeister Patze. Wechselstubenbesitzer Knoll.

PATZE [*schon leicht betrunken*]: Der große Margarin-Rettig, der sich nie die Haare bei mir schneiden läßt?

RETTIG: Eine Stubenlage, Klabunde.

KLAWITTER: Vorsicht mit dem Trinken, Rettig. Wir haben heute nacht Geschäfte.

RETTIG: Ich kann saufen wie ein Loch.[84]

PATZE: Prost, meine Herren.

---

82. *Klawitter's face is apparently beefy red and damp from fright.*
83. *He implies that for such a job he has to have good nerves.*
84. **Ich kann ... Loch** I can drink like a fish

ALLE: Prost.

KNOLL [*schon leicht betrunken*]: Ich muß Ihnen allen etwas verraten: ich finde es immer wieder ein Glück, in einer so reichen Stadt wie Berlin zu leben.

RETTIG: Sie haben einen Zacken in der Krone,[85] Knoll.

KNOLL: Sie glauben mir die reiche Stadt[86] nicht? Ich beweise es Ihnen. Denken Sie an die ehemalige schreckliche Armut. Berlin konnte sich sage und schreibe[87] nur **einen** Magistrat leisten. Heute leistet sich Berlin mir nichts dir nichts[88] zwei Magistrate. Wir ernährten mit aller Anstrengung nur eine Polizei. Heute ernähren wir spielend zwei Polizeien. Für Zollbeamte konnte Berlin überhaupt keinen Pfennig ausgeben. Heute steht eine Masse in Lohn und Brot.[89] Und jetzt kommt der größte Luxus: Wir haben uns sogar zwei Freiheiten anschaffen können.

KLAWITTER: Sie haben wirklich einen in der Krone.[90]

KNOLL: Weil ich alles doppelt sehe? Aber dafür sehe ich scharf, daß wir alle eigentlich nur halb sind.[91]

PATZE: Halb. Das ist gut. Aber warum? Knoll, ich fühle mich ziemlich ganz. Ganz ganz.[92] Ha-ha.

RETTIG: Eine Stubenlage.

KLAWITTER: Vorsicht, Rettig.

PATZE: Warum halb, Knoll?

KNOLL: Ich beweise Ihnen auch das. Prost.

ALLE: Prost.

85. **Sie haben ... Krone** You've been drinking too much
86. **die reiche Stadt** (that it is) a rich city
87. **sage und schreibe** exactly
88. **mir nichts dir nichts** easily
89. **in Lohn und Brot** on the pay role
90. **Sie haben ... Krone** you're really drunk
91. **Aber dafür ... sind** But for that reason *(that he sees double)* I see clearly that we are all actually only half of what we should be
92. **Ganz ganz** quite whole *(play on words)*

KNOLL: Wir sind nämlich gespalten wie die ganze Spaltung.[93]
PATZE: Knoll, Sie werden mir ein Geheimnis.
KNOLL: Patze, wo haben Sie Ihren Friseurladen?
PATZE: Im Osten Gott sei Dank. Meine westlichen Kollegen benutzen ihre sämtlichen Kämme nur noch zum Draufblasen.
KNOLL: Patze! Und was schneiden Sie für Haare?
PATZE: Eben Haare. Blonde, schwarze, rote, braune ...
KNOLL: Sie schneiden westliche Haare. Weil ein westliches Haar im Osten um das Vierfache billiger geschnitten wird als im Westen. Und weil Sie Ostler, Patze, von westlichen Haaren leben, deshalb sind Sie halb.
PATZE: Und Sie?
KNOLL: Ich bin noch halber[94] als Sie. Ich, der Wechselstubenbesitzer Knoll, bin nicht einmal ein Zweiunddreißigstel mehr, wenn die Mark unter den Linden[95] genau so viel wert ist wie die Mark am Kurfürstendamm.[96] Haare, Patze, werden immer wachsen. Sogar im Osten. Sie als Friseur können fest auf die Natur bauen. Aber kann ich auf die beiden Regierungen bauen, von denen ich lebe?
RETTIG: Knoll, Sie machen einen melancholisch. Eine Stubenlage.
KLAWITTER: Vorsicht, Rettig.
RETTIG: Auch meine westliche Margarine füllt ausschließlich östliche Mägen.
PATZE: Worauf trinken wir?
KNOLL: Wir sind unter uns. Auf die Spaltung.
RETTIG: Daß sie bleibt.
[*Gläserklingen*] [*Eine Uhr schlägt zwölf*]

93. **Wir sind ... Spaltung** As individuals we are split into half just as Germany is split in half
94. **noch halber** even more of a half (i.e., *more dependent on circumstances*)
95. **unter den Linden** *main avenue in East Berlin (See f.n. 58, p. 188)*
96. **Kurfürstendamm** *main avenue in West Berlin*

KLABUNDE: Klawitter, es ist Polizeistunde.
KLAWITTER: Kommen Sie endlich, Rettig! Wir sind die letzten Gäste.
RETTIG [angetrunken]: Polizeistunde. Doppelbettcouch. Mir läuft es den Rücken herunter.[97]
KLAWITTER: Klabunde, schauen Sie vor die Tür.
KLABUNDE: Ist geritzt.[98]
RETTIG: Klawitter, ich wollte, wir hätten es schon hinter uns.
KLAWITTER: Ich auch. Besonders, weil Sie getrunken haben.
KLABUNDE: Die Luft ist rein.
KLAWITTER: Hau-ruck.
RETTIG: Mensch, die Couch muß durch das Herumstehen zugenommen haben — —
KLAWITTER: Herrgott! Da kommt Klemke schon wieder zur Tür herein.
POLIZIST: Klawitter, was ist? Ich denke, Klabunde hat die Couch bestellt?
KLAWITTER: Klemke, Klemke, das habe ich auch gedacht.
RETTIG: Aber die Couch paßt Klabunde nicht mehr. Auf einmal.
KLAWITTER: Jawohl! Und sie paßt ihm so wenig, daß er nicht will, daß sie noch eine Minute in seiner Wohnung herumsteht.
POLIZIST [empört]: Herr Klabunde, warum verlangen Sie solche Nachtarbeit wie Couchschleppen!
RETTIG: Weil er wirklich eine unsoziale Erscheinung ist.
POLIZIST: Soll ich Ihnen tragen helfen, Klawitter?
RETTIG: Nein, nein, Klemke.
KLAWITTER: Jetzt wär' uns gedient,[99] wenn Sie den Klabunde politisch aufklären würden.
POLIZIST: Das werde ich.

97. **Mir läuft ... herunter** I feel a shiver running down my spine
98. **Ist geritzt** O.K., just as you say
99. **Jetzt ... gedient** Now you could help us most

RETTIG: Auf Wiedersehen.
[*Die Lokaltür geht zu*]
POLIZIST: Herr Klabunde, Ihre Einstellung zur Arbeit ist rückständig.
5 KLABUNDE: Ein Bier?
POLIZIST: Ja. Mit solcher Ausbeutung ist Schluß, hören Sie!
KLABUNDE: Helles oder Pilsener?[1]
POLIZIST: Pilsener. Solche wie Sie, Klabunde, sollten wirklich endlich aussterben.
10 KLABUNDE: Macht 35 Pfennig.

[*Wind und Schritte*]
KLAWITTER: Sie sind unsicher auf den Beinen, Rettig.
RETTIG: Klawitter, ich verrate Ihnen ein Geheimnis: ich kann Friedhöfe nicht leiden. Wer da liegt, kauft nicht mehr.
15 [*Ein Schloß kreischt*]
RETTIG: Woher haben Sie den Schlüssel für das Friedhofstor?
KLAWITTER [*brummt*]: Natürlich gefunden.
RETTIG: Ich bin plötzlich so kurzatmig.
KLAWITTER: Anfassen. Hau-ruck.
20 RETTIG: Warum haben Sie nicht abgeschlossen?
KLAWITTER: Damit die Geister nicht über die Mauer klettern müssen.
RETTIG: Sagen Sie sowas nicht, Klawitter. Hören Sie den Wind in den Bäumen? Allein würde ich mich fürchten. Wie gut, daß
25 die Toten tot sind. Klawitter, wir müssen absetzen. Ich kann nicht mehr.
KLAWITTER: Rettig, Sie sind eine Folter.

---

1. **Helles oder Pilsener?** Light beer or Pilsener? *(Pilsen is a famous beer-brewing city in Czechoslovakia.)*

RETTIG: Aaahhhh.

KLAWITTER: Legen Sie sich nicht auf die Couch. Sie kommen nicht mehr hoch.

RETTIG: Aaaahhhhh. Die Sterne, Klawitter! Sie sind silbern wie Markstücke. Aber wie westliche.[2] Warum sind die am Himmel? Schade. Der Mond sieht wie Margarine aus. Ha-ha. Klawitter, Sie glauben doch auch, daß die Toten richtig tot sind, nicht wahr? [*Schweigen*]
[*ängstlich*] Klawitter, wo sind Sie? Klawitter!

KLAWITTER [*entfernt*]: Ich erledige was.

RETTIG: Gott sei Dank. Machen Sie schnell. Schöne, fette Wolken. [*Ruft leise*] Klawitter! [*Schweigen*] [*flüstert*] Warum ist es auf einmal so finster? [*Ruft noch leiser*] Klawitter. [*Schweigen*] Er hat mich im Stich gelassen.

KLAWITTER [*weit weg*]: Rettig.

RETTIG [*leise*]: Hier.

KLAWITTER: Rettig.

RETTIG [*leise*]: Hier.

KLAWITTER: Singen Sie, daß ich die Richtung finde. Ich habe sie verfehlt.

RETTIG: Ich trau' mich nicht zu singen. [*Singt piepsend*] Hoch auf dem gelben Wagen ...

KLAWITTER: Lauter.

RETTIG: Kommen Sie.

KLAWITTER: Endlich.

RETTIG: Setzen Sie sich zu mir, Klawitter. Ihre Hand. Warum ist die so kalt? Sind Sie es wirklich, Klawitter?

KLAWITTER: Sie sind besoffen. Ich habe Sie gewarnt. Stehen Sie auf. Ich bin nicht ihre Freundin. Ich habe nicht Lust, nachts auf einem Friedhof Händchen zu halten.[3]

2. **Aber wie westliche** But like western marks
3. **Händchen zu halten** to play "handsies," to hold hands

RETTIG [*schwärmerisch*]: Marion! Ich baue ihr ein Liebesnest. [*Ein dumpfer Fall*] Klawitter!
KLAWITTER: Sie können einen unruhig machen.
RETTIG: Was war das?
KLAWITTER: Ein trockener Ast, den der Wind vom Baum gebrochen hat.
RETTIG: Wer weiß, ob Äste Äste sind.
KLAWITTER: Nehmen Sie sich zusammen.
RETTIG: Mir ist, Klawitter, als wispert es rundherum. Sehen Sie den Marmorstein? Er kommt auf uns zu.
KLAWITTER: Sein Schatten. Weil Wolken über den Mond ziehen. Und jetzt stehen Sie endlich auf!
RETTIG: Wenn ich mich bewege, kommt man.
KLAWITTER: Niemand kommt.
RETTIG: Doch. Man.[4]
KLAWITTER: Es sind nur noch ein paar Meter Friedhof bis zur Grenze. Los, Rettig, hoch!
RETTIG: Ziehen Sie mich nicht.
KLAWITTER: Sie wackeln. Sie sind voll wie ein Faß. Hau-ruck!
RETTIG: Ich breche unter der Couch zusammen. Wäre ich doch nicht in Marion verliebt. Die Liebe sei verflucht.
KLAWITTER: Das war das letzte Geschäft, das ich mit Ihnen gemacht habe.
RETTIG: Klawitter, sind Sie es wirklich, der da vorn geht? Ich glaube, in meinem Rücken ist wer.[5]
KLAWITTER: Das ist der Regen, der jetzt auch noch anfängt. Zum Teufel! [*Ein dumpfer Fall*] Sie Idiot. Sie betrunkener Idiot.
RETTIG [*jammernd*]: Die Couch ist mir aufs Bein gefallen.

---

4. *The use of* **man** *for* **jemand** *is less colloquial than awkward; in view of Rettig's condition, the effect is humorous.*
5. **Ich glaube ... wer** I think that someone is following me

KLAWITTER: Hätte ich das Möbel einem Obdachlosenasyl gespendet! Rettig, Sie liegen schon wieder auf der Couch.
RETTIG: Klawitter, sehen Sie? Ich fliege über Gräber.
KLAWITTER: Warum haben Sie Klabundes Fusel getrunken!
RETTIG: Ich fliege über Gräber. Der Mond stürzt sich auf mich. Das ist die Strafe, weil ich ein schlechter Mensch bin. Weil ich von dem Hunger der Allerärmsten lebe. Margarine. Halten Sie mich fest, Klawitter. Glauben Sie an Vergeltung?
KLAWITTER: Ich glaube nach wie vor,[6] daß drei Pfund Rindfleisch eine gute Brühe geben.
RETTIG: Da ist wer. Hinter dem Stein.
KLAWITTER: Machen Sie mich nicht verrückt.
RETTIG: Es bewegt sich. Es hustet. Klawitter.
   [*Rettig rappelt sich von der Couch hoch und rennt weg*]
KLAWITTER: Rettig! Bleiben Sie! Rettig! Hiergeblieben. [*Nach einer Pause*] Verfluchter Mond. Warum steht in dieser Stadt auch noch die Natur gegen die Geschäfte auf? Warum weht der Wind? Die Sterne müßten über den Jammer verlöschen. [*Plötzlich ganz trocken*] Er ist geflohen. Aber ich habe ja mein Geld. Soll die Doppelbettcouch der Teufel holen.[7]
   [*Geht ab*]

[*Musikmotiv*]
COUCH [*traurig*]: Der Teufel soll mich holen. In welch finstere Zeiten bin ich hineingeboren? Warum erlaubt man mir nicht, zu tun, wozu ich bestimmt bin? Dazusein für die Ruhe, für die Liebe, für den Schlaf? Warum muß ich auf einem nächt-

---

6. **nach wie vor** now as before
7. **Soll ... holen** The devil with the couch!

lichen Friedhof stehen? Mich schauert, Ich habe ein sonderbares Gefühl, ein sonderbares Gefühl ...
[*Musikmotiv*]

[*Telefonklingeln*]
5 1. STIMME: Volkspolizeirevier 12.
2. STIMME: Hier Ostverwaltung des Dorotheenfriedhofs. Hören Sie. Unmittelbar auf der Grenze zu unserm westlichen Friedhofsteil wurde heute früh eine neue Doppelbettcouch gefunden.
10 1. STIMME: Eine Doppelbett ... was? Eine Doppelbettcouch? Auf dem Friedhof? Behalten Sie sie scharf im Auge. Wir kommen.
[*Signalhorn eines Polizeiautos*]
[*Telefonklingeln*]
15 3. STIMME: Polizeirevier 19.
4. STIMME: Hier Westverwaltung des Dorotheenfriedhofs. Hören Sie: Unmittelbar auf der Grenze zu unserm östlichen Friedhofsteil wurde heute früh eine neue Doppelbettcouch gefunden.
20 3. STIMME: Eine Doppel ... wie? Behalten Sie sie scharf im Auge. Wir kommen.
[*Signalhorn eines Polizeiautos*]
[*Militärische Schritte, Hackenklappen*]
KRAUSE: Volkspolizeileutnant Krause.
25 MEIER: Kommissar Meier.
KRAUSE: Ich werde den Fundgegenstand in den Ostsektor herüberrücken lassen.
MEIER: Unterstehen Sie sich![8] Ich werde Befehl geben, ihn in den Westsektor zu schieben.

8. **Unterstehen Sie sich!** Don't you dare!

KRAUSE [*ärgerlich*]: Halt! Untersuchen wir erst einmal den Tatbestand.

MEIER: Bitte.

KRAUSE: Die Grenze verläuft über diesen Weg. Sie wird markiert durch die Fluchtlinie des Erbbegräbnisses und die nördliche Kante des Heldengedenksteins.

MEIER: Die Doppelbettcouch steht im rechten Winkel dazu.

KRAUSE: Halten Sie das Zentimetermaß, Kommissar.

MEIER: Was soll das?[9]

KRAUSE: Wir stellen die Länge der Doppelbettcouch in unseren Sektoren fest. Auf meiner Seite mißt sie 1,05 Meter.

MEIER: Ich messe ebenfalls 1,05 Meter.

KRAUSE: Überprüfen wir die Gesamtlänge.

MEIER: 2,10 Meter.

KRAUSE: Da ist keine Entscheidung zu treffen.

MEIER: Lassen wir den gesunden Menschenverstand entscheiden.

KRAUSE: Das heißt, Sie wollen mir eine Falle stellen.

MEIER: Sie geben zu, daß es sich um eine Doppelbettcouch von guter Qualität handelt.

KRAUSE [*vorsichtig*]: Zugegeben.

MEIER: Sie geben auch zu, daß die Industrie Ihres Landes ...

KRAUSE [*fällt ihm ins Wort*]: Das gebe ich unter keinen Umständen zu.

MEIER [*mit Entschiedenheit*]: Diese Couch entstammt und gehört mithin dem Westen.

KRAUSE: Ihre Beweisführung ist reine Provokation.

MEIER: Untersuchen wir den Fundgegenstand.

KRAUSE [*nach einer kleinen Pause*]: Herr Kommissar Meier. In dem Couchboden ist ein Schild: VEB[10] Waggonbau Zwickau.

---

9. **Was soll das?** What for?
10. **VEB = Volkseigener Betrieb**

MEIER: Lächerlich. Der Federstahl ist westlich.
KRAUSE: Überzeugen Sie sich von dem Schild.
MEIER: Das Betreten Ihres Sektors ist mir untersagt. Außerdem: Ich würde Ihnen nicht glauben, auch wenn ich das Schild sähe. Es muß ein Irrtum sein.
KRAUSE: Unsere Fabriken haben einen Plan. Er schließt Irrtümer aus.
MEIER: Ich bestehe auf der westlichen Zugehörigkeit.
KRAUSE: Und ich auf der östlichen.
MEIER [*vorsichtig*]: Ein Kompromiß?
KRAUSE: Welcher Art?
MEIER: Ich möchte sagen, die Richtung des Kompromisses ist heutzutage vorgezeichnet.
KRAUSE: Da es sich um eine Doppelbettcouch handelt, stimme ich überein.[11]

[*Hackenklappen*]

[*Sägegeräusch*]

OSTTISCHLER: Sagen Sie, Kollege, was machen Sie mit Ihrer westlichen Couchhälfte?
WESTTISCHLER: Die Polizei hat sie mir billig abgegeben. Ich schlachte sie aus. Für eine so ramponierte Sache zieht bei uns im Westen höchstens ein Rentner die Brieftasche. Und der hat keine.[12] Und was machen Sie mit Ihrer östlichen Hälfte?
OSTTISCHLER: Sie gehört mir nicht. Staatseigentum. Ich habe Auftrag, sie im Asservatenraum der Volkspolizei abzuliefern.
WESTTISCHLER: Diese Doppelbettcouch war ein ansehnliches

---

11. *I.e., the obvious solution with a double-bedcouch is to cut it in half.*
12. *Currency reform depleted the savings of the German middle class in 1948 just as the inflation did in 1923.*

Ding. Ich möchte wissen, warum es heute so verrückt zugeht.
[*Das Sägegeräusch geht in ein krächzendes Ost-West-Ost-West-Ost-West-Ost-West über*]
[*Axtschläge*]
1. GESELLE: Sogar die halbe Couch ist noch stabil. Eigentlich schade darum.
2. GESELLE: Wieso schade? Zerhacken ist leichter als bauen. Und mir ist es außerdem gleich, womit ich mein Geld verdiene.
1. GESELLE: Denkst du, mir nicht?
[*Axtschläge*]
[*Schreibmaschinengeklapper*]
STIMME [*diktiert*]: Maße und Gewichte des Fundgegenstandes — Doppelpunkt — Länge: 2,10 Meter. Breite: 80 Zentimeter. Gewicht: 50 Kilo.
COUCH: Mein Äußeres ist nicht mehr angenehm, nachdem man mich gespalten hat.
STIMME: Bezug: rot. Durch Herumstehen im Regen in Mitleidenschaft gezogen.
COUCH: Ich möchte in diesem Zustand niemand mehr unter die Augen kommen.[13]
STIMME: Besondere Schäden: Ein Außenpolster aufgerissen.[14] Grund: administrative Maßnahme.
COUCH: Administrative Maßnahme. Ein schönes Wort für eine schlechte Sache.
STIMME: Einlieferung der Couchhälfte: Heute. Dauer der Verwahrung: Bis zur Klärung der Umstände.
COUCH: Lieber Gott, was soll aus mir werden.
[*Schreibmaschinengeklapper*]

---

13. **Ich möchte ... kommen** I should not like to be seen by anyone in this condition
14. **Ein ... aufgerissen** The cover is torn on one side (*no doubt because the couch was sawed in half!*)

SPRECHER: 4. Kapitel.
Berlin. Alexanderplatz. Asservatenraum 3b des Volkspolizeipräsidiums. Die gespaltene Couch trifft ihren Reisegefährten wieder: die Perlonkiste.

[*Hohlklingende Schritte poltern, Türenschlagen*]
KISTE: Ah, guten Tag. Was sehe ich? Gespalten? Habe ich Ihnen nicht gesagt, daß Berlin auf dem 13. Längengrad liegt?
COUCH: Ja, damals bin ich noch nicht abergläubisch gewesen —
KISTE: Sie tun mir leid. Es fällt fast schwer, Sie wiederzuerkennen.
COUCH: Und ich wollte nie etwas anderes als da sein für die Ruhe, für die Liebe, für den Schlaf.
KISTE: Aus solchem Edelmut muß heutzutage das Allerschlimmste erwachsen. Sie Ärmste![15] Mir ist es auch schlecht gegangen. Mich haben sie in einer stürmischen Nacht an der Sektorengrenze gefaßt.
COUCH: Ich weiß.
KISTE: Sie wissen es?
COUCH: Ich war in Ihrer Nähe.
KISTE: In meiner Nähe? Wieso?
COUCH: Das ist eine lange Geschichte. Ich bin immer falsch am Platz[16] gewesen. Der erste trat meinetwegen eine Flucht an. Ich brachte ihm Unglück.
KISTE: Warum nennen Sie das Unglück? Ich möchte es als Glück bezeichnen. Wer flieht, hat die kurze Hoffnung, daß es

---

15. **Sie Ärmste!** You poor thing! *(The couch continues to remain feminine not only in gender but also in character.)*
16. **falsch am Platz** in the wrong place, unwanted

dort, wohin er flieht, besser ist. Und mehr als kurze Hoffnungen kann heute keiner vom Leben verlangen.

Couch: Sie sind ein Zyniker.

Kiste: Wie wollen Sie diese Zeit anders überdauern?

Couch: Vielleicht kommt mein Unglück daher, daß ich ein Irrtum bin. Ein anderes Ding als ich sollte in die Welt kommen.

Kiste: Dann waren Sie wenigstens ein schöner Irrtum.

Couch: Aber gibt es denn nirgendwo Ruhe, Schlaf, Liebe?

Kiste: Für uns gibt es jetzt Ruhe. Für mich, für Sie. Wir haben alle Hoffnungen hinter uns gelassen.

Couch: Und was liegt vor uns?

Kiste: Warten.

Couch: Worauf?

Kiste: Das muß erst noch entdeckt werden. Welche Zeit hat man denn hier im Asservatenraum für Sie vorgesehen?

Couch: Sie sagten bei meiner Einlieferung: bis zur Klärung der Umstände.

Kiste: Bis zur Klärung der Umstände. Hahaha!

[*Das Lachen wird von einem Echo aufgenommen und ein paarmal wiederholt*]

Couch [*flüsternd*]: Und wann wird man die Umstände geklärt haben?

Kiste: Sehen Sie den Staub, meine Liebe? Er ist mildtätig. Er fällt auf uns. Vielleicht wird man uns unter ihm nicht mehr finden, wenn es soweit ist? Vielleicht spart er uns auch auf für das, was kommt? Er ist ein Mantel für die Zeitlosen, und er ist ein Grab für die, die nicht mehr in der Zeit sind. Sehen Sie: Der Staub fällt wie Schnee ...

SPRECHER: Berlin. 1950. 51. 52. 53. 1954.
Hier endet noch immer die Geschichte der Doppelbettcouch, welche sich einen öst-westlichen Diwan nannte. Ein Hörfehler brachte sie auf die Welt. Ein Denkfehler[17] entfernte sie aus ihr.

17. **Ein Denkfehler** A mistake in thinking *(It is a mistake, the author contends, to think that anything is solved by cutting it in half. He refers, of course, not only to the couch but also to Germany.)*

FRAGEN

ICH HÖRE NAMEN

1. Warum ist Kramer mit seinem Sohn unzufrieden?
2. Seit wann hat Wiesinger keine Anstellung mehr?
3. Was will Irmgard bei ihm tun?
4. Was für Namen hört Wiesinger?
5. Wo soll er nachsehen, ob es diese Namen überhaupt gibt?
6. Wo haben sich Klettke und Wiesinger früher gekannt?
7. Wie sind Frau und Tochter von Wiesinger umgekommen?
8. Warum will Wiesinger den Herrn Bergholz besuchen?
9. Welcher Zustand macht den Besuch unmöglich?
10. Ist Christian Sauter, der abgemeldet wurde, gestorben?
11. Was hält der Arzt für pure Scharlatanerie?
12. Welches Geheimnis meint Wiesinger vorzeitig zu wissen?
13. Warum hielt es Wiesinger in der Polyklinik nicht aus?
14. Hat Herr Schiele Angst vor dem Tod?
15. Warum fühlt sich Wiesinger wie ein Stromkreis, der Bekanntes und Unbekanntes verbindet?
16. Warum besucht er Kramer?
17. Hat Kramer etwas begangen, was bestraft werden mußte?
18. War Kramer schuld an dem Tod von Wiesingers Familie?
19. Warum fährt Kramer nach Monsdorf?
20. Wie erklärt Kramer, daß Wiesinger den Namen des Herrn Schiele hörte?
21. Warum soll Wiesinger mitfahren?
22. Welchen Namen hörte Wiesinger zuletzt?
23. Was am Wagen ist beinahe durch?
24. Warum fährt Kramer so schnell?
25. Glaubt Wiesinger am Ende immer noch, daß er die Zukunft voraussagen kann?

DAS GNADENBRINGENDE STRAFGERICHT

1. Was für Bilder hat Dorio Perucci früher gemalt?
2. Welches Bild kann er jetzt nirgends sehen?
3. Warum ist Sankt Petrus in letzter Zeit so streng geworden?
4. Wer hat das Bild verschwinden lassen?

5. Warum soll Petrus unverzüglich nach Venedig eilen?
6. Was für ein Leben hat der Maler auf Erden geführt?
7. Warum war er der Gnade wert?
8. Was scheint Petrus zu erwarten, als er zuerst auf dem winterlichen Boden von Venedig steht?
9. Was löst sich aus den Ecken der Tavernen und den Winkeln der Kirchen?
10. Warum tun diese Leute dem kleinen Angelino leid?
11. Warum läßt Giacomo es zu, daß Santomaso den Opferstock ausleert?
12. Wohin geht Giacomo, nachdem er mit Petrus gesprochen hat?
13. Warum scheint Petrus dem Wachtmeister verdächtig?
14. Wo findet man das verlorene Bild?
15. Wie sieht das Bild nun aus?
16. Wer will den armen Leuten bei Paolo einen schönen Weihnachtsabend bereiten?
17. Was wirft der Küster auf den Tisch?
18. Wie sollen die Armen den heiligen Abend feiern?
19. Wer hat das Bild gestohlen?
20. Wer ist Zeugin für den Küster?
21. In welchem Sinne war der Diebstahl kein Diebstahl?
22. Wie geht das Strafgericht aus?
23. Was will der Wachtmeister?
24. Warum freut sich Petrus so sehr?
25. Was hat Petrus bei seinem Besuch auf Erden von neuem gelernt?

DIE SCHNAPSIDEE

1. Warum beglückwünscht man den Fahrer, Emil Pilkens?
2. Hat Pilkens einen Herzenswunsch?
3. Warum macht Pilkens ein unglückliches Gesicht?
4. Mit wem redet Pilkens gern?
5. Warum schwingt die Straße?
6. Warum kann Pilkens die Fahrgäste nicht leiden?
7. Hätte er die Stromstraße weiterfahren sollen?
8. Warum regen sich die Fahrgäste auf?
9. Wer hat Fräulein Cilly schon lange beobachtet?
10. Wo spiegelt sich die große Welt im Kleinen?
11. In welchem Fall wäre Pilkens bei der Bahnschranke brav zurückgefahren?

FRAGEN

12. Warum geht der Schlagbaum an der Grenze hoch?
13. Was spritzt auseinander?
14. Warum muß Pilkens halten?
15. Wohin will jetzt das Muttchen?
16. Warum will Pilkens an den Weiher gehen?
17. Was gefällt Cilly an dem jungen Mann nicht?
18. Warum ist der Grobian wieder bei Laune?
19. Was hatte die alte Frau in der Blumenstraße gewollt?
20. Warum sind die Fahrgäste mit Direktor Hornemann zusammengekommen?
21. Hat man den Fahrer fristlos entlassen?
22. Fühlte sich Direktor Hornemann persönlich haftbar?
23. Warum will Direktor Schnorps dem Fahrer jetzt helfen?
24. Was schenkt er dem Fahrer?
25. Was für Fahrten soll Pilkens in Zukunft unternehmen?

DER ÖST-WESTLICHE DIWAN

1. Warum läßt Direktor Fleck eine Doppelbettcouch herstellen?
2. Was wird gewöhnlich in der Fabrik produziert?
3. Warum nennt sich die Couch einen öst-westlichen Diwan?
4. Worüber ärgert sich der Genosse aus Berlin?
5. Mit wem redet Fleck im Traum?
6. Wohin flieht Direktor Fleck?
7. An wen geht die Couch bei der Auktion?
8. Wer reist in einem Güterwagen zusammen?
9. Warum hat die Kiste Angst?
10. Warum gibt Klawitter dem Lehrling eine Ohrfeige?
11. Wie kommt es, daß die Frau den Händler bald wieder telefoniert?
12. Warum verlassen alle Gäste die Hochzeitsgesellschaft?
13. Welche Worte des Polizisten Klemke geben Klawitter einen Schreck?
14. Wie lange bleiben Klawitter und Rettig bei Klabunde?
15. Hat Klabunde wirklich gute Nerven?
16. Warum scheint dem Margarinenhändler die Couch zugenommen zu haben?
17. Wird Klawitter dadurch gedient, wenn Klemke den Wirt politisch aufklärt?
18. Wodurch führt der Weg über die Grenze?
19. Fürchtet sich Rettig vor den Toten?

20. Warum meint Klawitter, er hätte das Möbel einem Obdachlosenasyl spenden sollen?
21. Warum läßt Klawitter die Couch auf dem Friedhof stehen?
22. Welchen Kompromiß schließen Krause und Meier?
23. Warum fühlt sich die Couch tief unglücklich?
24. Was bezeichnet die Kiste als Glück?
25. Wann wird man die Umstände geklärt haben?

WORTSCHATZ

This vocabulary is virtually complete. As far as possible the basic meaning as well as all the particular meanings called for in the text have been given for each word. Listing is in strictly alphabetical order, except for family groups which have been inset slightly. Basic idioms are listed under their key noun or verb. It should be noted that the individual words contained in the expressions which have been translated in the footnotes are as a rule included in the vocabulary.

The gender of a noun is indicated by the article which precedes it. Except for the feminine genitive, the nominative singular, genitive singular, and nominative plural are shown for each noun. The principal parts of simple strong and mixed verbs are given in full, but the principal parts of strong verbs having a prefix are indicated by the ablaut vowels. It is assumed that whenever the ablaut vowels leave a student in doubt, he can refer at will to the related simple verb. For purposes of brevity only adjective meanings have been supplied for German adjectives, although of course these can usually be used also as adverbs. However, it is generally a simple matter to form the English adverb.

The following abbreviations have been employed:

adj. adjective
adv. adverb
coll. colloquial
conj. conjunction

dial. dialect
fig. figurative
part. participle
pl. plural

pr. pronounce
sl. slang
subj. subjunctive
vulg. vulgar

A

Das **Aas,** –es, –e or Äser idiot
ab off; — **und zu** now and then
ab'-biegen, o, o to turn off
ab'-blenden to fade out
ab'-brechen, a, o to break off, cease
ab'-drosseln to close, turn off
aber but, however
abergläubisch superstitious
(das) **Abessinien,** –s Abyssinia
ab'-fahren, u, a to drive off, depart
ab'finden, a, u to satisfy; pay off; sich **damit —** to make the best of it, put up with it
der **Abgang,** –s, ⸚e departure
ab'-geben, a, e to give, sell
der **Abglanz,** –es, ⸚e reflection
der **Abgrund,** –s, ⸚e abyss
ab'-hauen *(coll.)* to get going
ab'-heben, o, o to pick up (the receiver)
ab'-holen to fetch, call for
ab'-holzen to cut down (trees)
ab'-kanzeln *(coll.)* to bawl out
ab'-lehnen to refuse
ab'-lenken to digress, divert
ab'-liefern to deliver
ab'-melden to report (a person's departure *or* death); die **Abmeldung,** –en official report of departure *or* death
ab'-montieren to take to pieces
ab'-nehmen, a, o to take off
ab'-neigen to incline away
ab'-rechnen to settle accounts
ab'-reißen, i, i to tear off, flay
ab'-rücken to move away
ab'-schlagen, u, a to strike off
ab'-schließen, o, o to lock up
ab'-sehen, a, e to look away
ab'-setzen to put down

die **Absicht,** –en intention; **absichtlich** intentionally
ab'stammen to be descended from
ab'-stellen to set down, turn off
abstrus' abstruse
ab'-warten to await, wait for
abwegig off the track, odd, mysterious
die **Abwehr,** –en warding off, disproving
ab'-weisen, ie, ie to turn away
abwesend absent, absent-mindedly
ab'-wickeln to wind up, conclude
ab'-wischen to wipe off
ach alas, oh, oh well; **— so** is that so, I see
achten to pay attention, respect
achthundertfünfzig 850
der **Achtstundentag,** –s, –e eight-hour day
achtzehnmal 18 times
ächzen to groan
das **Adreß'büro,** –s, –s address bureau, census office
die **Adres'se,** –n address
A.G. (**Aktiengesellschaft**) stock company
ahnen to suspect, surmise, foretell, have a foreboding
ähnlich similar; **so etwas Ähnliches wie** something like
die **Ahnung,** –en premonition
der **Akade'miker,** –s, — academician, university-trained (person)
die **Aktentasche,** –n briefcase
der **Akus'tikwech'sel,** –s, — change of acoustics
albern dull, stupid; **albernerweise** foolishly enough
all– *(adj. or pron.)* all, every, everyone, everything
allein' alone

allemal at least, for sure
der **Allerärmste, –n, –n** very poorest
allerdings' indeed, certainly, to be sure
allerhand all kinds of (things)
das **Allerschlimmste, –n –n** very worst
allerschnellst fastest
allerwenigst: am —en least of all
allesamt all together
allgemein' general
der **Allmäch'tige, –n, –n** the Almighty, God
alltäglich everyday
allwissend omniscient
allzumal all together
die **Alpentochter,** ⸚ Alpine maiden
als as, as if
also thus, then, anyway; therefore, consequently
alt old; **seit —s her** from early times
der **Altar', –s,** ⸚**e** altar
das **Amt, –es,** ⸚**er** office
an at, on, in, to, against
an'-bieten, o, o to offer
an'-bohren to bore holes into
an'-brüllen to shout at
ander- other, different, second; **etwas —(e)s** something different
ändern to change
anders *(adv.)* otherwise, differently, else
die **Anekdo'te, –n** anecdote
an'-erkennen, a, a to admire
an'-fangen, i, a to begin; **anfangs** at first
an'-fassen to take hold
an'-flehen to implore
an'geben, a, e to act
das **Angebot, –s, –e** offer
an'-gehen, i, a to concern
der **Angehörige, –n, –n** member, adherent, *(pl.)* personnel
die **Angelegenheit, –en** matter
angenehm pleasant; **sehr —** pleased to meet you
der **Angestellte, –n, –n** employee
angetrunken intoxicated, tipsy
die **Angst,** ⸚**e** fear; **— haben** to be afraid; **ängstlich** fearful, afraid
an'-gucken *(coll.)* to look at
an'-haben, a, a to have on, wear
an'-halten, ie, a to stop; to continue
an'-heben, o, o to lift
an'-heitern to be gay *(from drink)*
an'-hören to listen to
an'-klagen to accuse
an'-klopfen to knock
an'-kommen, a, o to arrive; **auf das Lied —** the song matters; **es kommt darauf an** it is a matter of, it depends on
der **Anlaß, –es,** ⸚**e** cause, occasion
an'-lehnen to lean against
das **Anliegen, –s** concern, matter
annähernd close to, approximately
an'-nehmen, a, o to assume, accept
an'-reden to address
an'reiben, ie, ie to rub on; to prepare, mix
an'-richten to perpetrate, commit, do, cause
an'-rucken to jerk to a start
an'-rufen, ie, u to phone, call
an'-schaffen, u, a to procure, buy
an'-schauen to observe
die **Anschrift, –en** address
an'-sehen, a, e to look at; **einem etwas —** to see by looking at one; **ansehnlich** fine-looking
die **Ansicht, –en** view; **meiner — nach** in my opinion
an'-springen, a, u to start
der **Anspruch, –s,** ⸚**e** claim; **—**

erheben to lay claim
anständig decent, mannerly
an'-starren to stare at
an Stelle instead (of)
an'-stellen to perpetrate, contrive; to employ; die Anstellung, –en position, job
an'-steuern to head for
an'-stimmen to begin, strike up (a song)
an'-stoßen, ie, o to strike, bump (into)
die Anstrengung, –en effort, exertion
antreten, a, e to enter upon; eine Flucht — to flee
die Antwort, –en answer; antworten to answer
an'-vertrauen to confide
an'-wehen to blow on
anwesend present
die Anzeige, –n announcement, notice; charges; von einer — absehen not to bring charges
an'-zeigen to report (to the police)
an'-ziehen, o, o to put on, wear; to pull back; to apply
apathisch apathetic
der Apfelschimmeltupfen, –s, — spot, as on a dapple-grey horse
die Arbeit, –en work; der —er worker; der Arbeiterstaat, –s, –en workers' state, socialist state; der Arbeitskamerad, –en, –en fellow worker; arbeitslos unemployed; der Arbeitsmann, –(e)s, ⸚er worker
arg bad; der Ärger, –s vexation, trouble; ärgerlich angrily; ärgern to anger
arm poor; ärmlich poor, pitiable; die Armut poverty
die Art, –en kind, manner; eine — Raspeln a kind of rasping

der Artikel, –s, — article, item
der Arzt, –es, ⸚ (medical) doctor
der Aschermittwoch, –s, –e Ash Wednesday
Der Asservatenraum, –(e)s storage room
der Ast, –es, ⸚e branch
der Atemzug, –s, ⸚e breath
au! ouch!
auch also, even
auf on, upon, in, for, to, open; — einmal all at once, suddenly; — und ab back and forth; — und zu open and (then) closed
aufbrausend temperamental
auf'-fahren, u, a to start up; —d angrily
die Auffassung, –en opinion
die Aufforderung, –en summons, offer
aufgeben, a, e to give up
aufgelegt disposed; gut — in a good mood
auf'-halsen to saddle, burden
auf'-halten, ie, a to detain, hold up
auf'-hängen, i, a to string up, hang
auf'-hören to stop, be turned off
die Auflage, –n back rest, support
auf'-klären to clear up, explain; die Aufklärung, –en explanation
auf'-legen to be disposed; to hang up
auf'-lesen, a, e to pick up
auf'-machen to open; sich — to set out
die Aufmerksamkeit, –en attention, interest
auf'-nehmen, a, o to take up, receive
auf'-passen to pay attention
sich auf'-plustern to ruffle one's feathers, get cocky
sich auf'-raffen to pull oneself together, take heart

auf'-räumen to clean up
auf'-rauschen to swell
auf'-regen to excite
auf'-reißen i, i to tear open
auf'-rufen, ie, u to call up, summon
aufs = auf das
auf'-saugen, o, o to suck up
auf'-schließen, o, o to unlock, open
der **Aufschrei**, –s, –e outcry, scream
auf'-schreiben, ie, ie to write down
auf'-sperren to unlock, open
auf'-stehen, a, a to get up, rise
auf'-suchen to look up
auf'-tauchen to emerge, reappear
auf'-tischen to serve
der **Auftrag**, –s, ⸚e mission, assignment
auf'-treten, a, e to appear
auf'-wachen to wake up
auf'-ziehen, o, o to wind up
das **Auge**, –s, –n eye; spot; der **Augenblick**, –s, –e moment, second; die **Augenbraue**, –n eyebrow; die **Augenklappe**, –n eye patch
der **Auktiona'tor**, –s, –en auctioneer
die **Aureo'le**, –n halo
aus out, from, for
aus'-baden *(coll.)* to sweat out, pay for, make good
ausbeuterisch exploiting; die **Ausbeutung**, –en exploitation
aus'-bilden to educate, train
aus'-brechen, a, o to burst out, break out; der **Ausbruch**, –s. ⸚e outburst
aus'-drücken to express; sich — to express oneself
die **Auseinan'dersetzung**, –en disagreement
auseinan'der-spritzen to splash apart, splinter
ausersehen chosen, destined

ausfindig machen to find, expose
der **Ausflug**, –s, ⸚e excursion, trip
aus'-führen to carry out
der **Ausgang**, –s, ⸚e exit, conclusion
aus'-geben, a, e to spend
ausgedehnt extensive
ausgedient retired, pensioned
ausgehungert starved, famished
ausgeräumt emptied (of furniture)
ausgerechnet exactly, of all people! of all times!
ausgeschlossen impossible
ausgesetzt deserted
ausgezeichnet splendid, marvelous
aus'-gleichen, i, i to compensate
aus'-halten, ie, a to stand, endure
aus'-helfen to help out
sich **aus'-kennen, a, a** to know one's way around
die **Auskunft**, ⸚e information
sich **auskurie'ren** to recover, get well
aus'-lachen to laugh at; sich — to laugh at oneself
das **Ausland**, –s abroad, foreign country *or* territory; die **Auslandsschranke**, –n foreign customs barrier
aus'-leeren to empty, rob
aus'-legen to interpret
die **Auslieferung**, –en delivery, handing over, extradition
aus'-löschen to be extinguished; to eradicate
aus'-machen to put out
aus'-malen to paint; sich etwas — to imagine
das **Ausmaß**, –(s)es, –(s)e extent, size
der **Ausnahmefall**, –s, ⸚e exception, exceptional case; **ausnehmend** exceptionally
aus'-sagen to testify, disclose
aus'-schauen to appear, look

aus'-schlachten to cut up, saw up
aus'-schließen, o, o to exclude, make impossible
aus'-schütten to pour out, shower down
aus'-sehen, a, e to look, appear
der Außenpolster, -s, — exterior cushion, outside padding
außer besides; -dem besides, moreover
das Äußere, -n exterior, appearance
außerordentlich extraordinary
aus'-setzen to expose, set out
die Aussicht, -en sight, view
aus'-söhnen to reconcile
aus'-spähen to look out
aus'-sprechen, a, o to say (out loud)
aus'-spritzen to squirt out, shake out
aus'-stehen, a, a to tolerate, endure
aus'-sterben, a, o to die out
aus'-suchen to pick, choose
der Austausch, -s exchange; geistiger — exchange of ideas
auswärts elsewhere
aus'-weichen, i, i to avoid
auswendig by heart
aus'-zahlen to pay out or off
das Autofahren, -s driving, riding in a car; die Autofahrt, -en auto trip; eine Stunde Autofahrt an hour's trip by car; das Autogeräusch, -es, -e sound of an auto; das Autohof, -s, -̈e garage, terminal
automatisch automatic
der Axtschlag, -s, -̈e axe blow

B

backen, u, a to bake
bäh! bah!
die Bahn, -en path, course
die Bahnfahrt, -en railroad trip; die Bahnfracht, -en railroad freight; die Bahnschranke, -n railroad-crossing barrier; die Bahnstation', -en railroad station
bald soon
bald ... bald now ... now
der Ballen, -s, — bundle, bale
der Band, -es, -̈er bond, tie, connection
das Bank'geschäft', -s, -e financial transaction; der Bankangestellte, -n, -n bank employee; bankmäßig financial; der Bankmensch, -en, -en bank fellow
bar cash
der Barscheck, -s, -e check payable to bearer on demand
der Bart, -es, -̈e beard
der Bauch, -es, -̈e stomach
bauen to build
der Baum, -es, -̈e tree
bauschen to billow out, swell
Bayern Bavaria
beden'ken, a, a to consider
bedeu'ten to mean, signify; die Bedeu'tung, -en significance; bedeu'tungslos insignificant
bedie'nen to serve
die Bedin'gung, -en condition, term
die Beei'lung haste
sich befas'sen to concern or occupy oneself
der Befehl, -s, -e order; befeh'len, a, o to command, order
die Befürch'tung, -en fear, apprehension
begeg'nen to meet; die Begeg'nung, -en meeting
bege'hen, i, a to commit
begeh'ren to desire; das Begeh'ren desire, claim

die **Begei′sterung** enthusiasm
begin′nen, a, o to begin
beglei′ten to accompany
beglück′wünschen to congratulate
begrei′fen, i, i to grasp, understand
der **Begriff′, -es, -e** concept; **im —** ready, on the point of
begrüs′sen to welcome greet
behal′ten, ie, a to keep
behan′deln to treat; die **Behand′lung, -en** treatment
behaup′ten to assert, claim; die **Behaup′tung, -en** assertion
die **Behör′de, -en** local authorities
bei with, at, in connection with, on, in, during
beide both, two
beileibe nicht by no means
das **Bein, -es, -e** leg; **die Beine in die Hand nehmen** to hurry
beinahe almost
das **Beispiel, -s, -e** example; **zum —** for example
beißen, i, i to bite; **ins Gras —** to die
bei′-stehen, a, a to assist
bekannt′ known, familiar
bekannt′-geben, a, e to announce
beken′nen, a, a to confess
bekom′men, a, o to get, receive
belau′fen, ie, au to amount to
bele′gen to prove
belei′digen to insult, offend
bellen to bark, shout
bema′len to paint
bemer′ken to notice, observe
sich **beneh′men, a, o** to behave
benö′tigen to need
benut′zen to use
das **Benzin′, -s, -e** gasoline; der **Benzin′hahn -s, ⸚e** gasoline cock *or* tap
beo′bachten to watch, observe

bera′ten to deliberate, consider
bereit′ ready; **gerne — glad to oblige**; **berei′ten** to prepare, cause
bereu′en to repent
die **Berglandschaft, -en** mountain landscape *or* vista
das **Bericht′, -es, -e** report; **berich′ten** to report; **Bericht erstatten** to make a report
der **Beruf′, -s, -e** profession; **von —** by profession
sich **beru′higen** to calm oneself
berühmt′ famous
die **Berüh′rung, -en** contact
die **Beschäf′tigung, -en** occupation
beschämt′ ashamed, embarrassed
der **Bescheid′, -es, -e** information, knowledge; **— wissen** to know, be informed
beschei′den modest
sich **beschei′den, ie, ie** to restrain *or* content oneself
beschimp′fen to scold, revile
beschwö′ren to implore; die **Beschwö′rung, -en** exorcism, hocus-pocus
beset′zen to set, adorn
besich′tigen to look at
sich **besin′nen, a, o** to reflect, consider
der **Besit′zer, -s, —** owner
besof′fen *(coll.)* drunk
beson′ders special, especial
bespre′chen, a, o to discuss
besser better
bestä′tigen to confirm, corroborate, verify; **sich —** to be confirmed
die **Bestech′lichkeit** venality
beste′hen, a, a (auf) insist (upon)
besteh′len, a, o to rob
bestel′len to order
bestimmt′ fixed, definite, certain, destined

die **Bestoh'lene**, –n the robbed woman
bestra'fen to punish (by law)
bestürzt' dismayed
der **Besuch'**, –s, –e visit
betagt' aged, elderly
beten to pray
sich **betei'ligen (an)** to take part (in)
betrach'ten to observe; der **Betrach'ter**, –s, — observer
der **Betrag'**, –s, ⸚e amount
betref'fen, a, o to concern, affect
betrei'ben, ie, ie to carry on
betre'ten, a, e to enter; *(adv.)* disconsolate
der **Betrieb'**, –(e)s, –e factory, plant
betrun'ken drunk
das **Bett**, –es, –en bed
der **Bettler**, –s, — beggar
die **Beute** prey; **auf — ausgehen** to maraud
der **Beutel**, –s, — purse
bevor' *(conj.)* before
bevor'-stehen, a, a to be at hand, in store, imminent
bewah'ren (vor) to keep *or* save (from)
bewah're by no means!
die **Bewandt'nis**, –se case, circumstance
bewe'gen to move, open; die **Bewe'gung**, –en motion
bewei'sen, ie, ie to prove; die **Beweis'führung**, –en demonstration of proof
sich **bewer'ben**, a, o to apply *(for something)*
bewerk'stelligen to attend to, undertake
bewil'ligen to permit
bewir'ken to bring about
das **Bewußt'sein**, –s consciousness, awareness
bezah'len to pay
bezeich'nen to designate, call
der **Bezug'**, –s, ⸚e covering
die **Biene**, –n bee; die **Bienenemsigkeit** bee-like activity
bieten, o, o to offer
das **Bild**, –es, –er picture; das **—chen** small picture; der **Bilderdieb**, –s, –e picture thief; die **Bilderschändung**, –en (picture) desecration; **bildlich** figuratively
das **Billet**, –s, –e *(pr.* Bil-yet'*)* ticket; das **—chen** *(dim.)* ticket
billig cheap
die **Birne**, –n (light) bulb
bis up, up to, as far as
bisher' previously, before
ein **bißchen** a little
bitte please; **— schön** *or* **— sehr** you're welcome; **bitten**, a, e to ask, request, plead
blank shiny, stark
das **Blatt**, –es, ⸚er leaf, sheet, newspaper
blau blue
bleiben, ie ie to remain, stay
das **Bleibergwerk**, –s, –e lead mine
bleich pale
die **Blende**, –n fade-in
der **Blick**, –es, –e look, glance; **noch einen —** a last look
blind blind; undirected; without value
blinken to sparkle
der **Blitz**, –es, –e flash; **blitzblank** sparkling clean; **blitzen** to flash; **es blitzt** there is lightening
blöd stupid; die **Blödheit**, –en stupidity; **blödsinnig** stupid, asinine
bloß just, only
der **Boden**, –s, —(⸚) ground, floor; **zu — strecken** *or* **schlagen** to lay

out, knock down; **bodenlos** groundless, bottomless
das **Bom′bengeschäft′**, –s, –e *(coll.)* excellent sale
die **Borke**, –n bark, rind
bös bad, evil, wicked, angry
der **Bör′senbeginn′**, –s opening of the stock exchange
die **Botschaft**, –en message
die **Boulette′**, –n meat ball
brandmarken to brand
braten, briet, gebraten to roast
brauchen to need, require
braun brown
die **Braun′kohlenstaub′lokomoti′ve**, –n locomotive burning soft coal
brausen to rush, roar
die **Braut**, ⸚e fiancée, bride *(on wedding day)*; der **Bräutigam**, –s, –e fiancé, bridegroom *(on wedding day)*; das **Brautpaar**, –s, –e bridal couple
brav quiet, well-mannered
bravo bravo, well done!; **bravissimo** superb! capital!
brechen, brach, gebrochen to break
die **Breite**, –n width
die **Bremse**, –n brake; **bremsen** to brake
brennen, brannte, gebrannt to burn
der **Brief**, –es, –e letter; der **Briefmarkenhändler**, –s, — stamp dealer; das **Briefmarkensammeln**, –s stamp collecting; die **Brieftasche**, –n wallet, pocketbook
die **Brille**, –n eyeglasses
bringen, brachte, gebracht to bring; **zum Stehen** — to stop
brodeln to bubble, boil
das **Brot**, –es, –e bread
der **Bruch**, –es, ⸚e stone pit, quarry
die **Brücke**, –n bridge

der **Bruder**, –s, ⸚ brother; die **Brüderschaft** brotherhood
die **Brühe**, –n broth
brüllen to shout, roar
brummen to growl, grumble
das **Buch**, –es, ⸚er book; der —**halter**, –s, — book-keeper
der **Bückling**, –s, –e smoked herring
Bugatti Italian-make automobile
bunt many-hued, colorful
das **Büro′**, –s, –s office; **im** — at the office; die **Büro-kraft**, ⸚e office help, secretary
der **Bursche**, –n, –n fellow, rascal

C

das **Chamä′leon**, –s, –s chameleon
der **Charak′terzug**, –s ⸚e character trait
der **Chauffeur′sitz**, –s, –e driver's seat
der **Chef**, –s, –s boss
der **Christ**, –en, –en Christian; die **Christenheit** Christianity
der **Couchbesteller**, –s — couch buyer; der **Couchboden**, –s, ⸚ couch bottom; das **Couchgestell**, –s, –e couch frame; die **Couchhälfte**, –n couch half; das **Couchschleppen**, –s moving a couch

D

da there, then, here; as, since, because
dabei′ in that connection, as a result, at the same time, yet, from it
das **Dach**, –es, ⸚er roof
dafür for that, for such deeds
dage′gen opposed
daher′-kommen, a, o to rest in the fact

dahin'-gleiten, i, i to glide along
da'-lassen, ie, a to leave here
da'-liegen, a, e to lie there
damals at that time, then, formerly
die **Dame, –n** lady
damit so that, in order that; by that, with that
dämpfen subdue
danach after that, afterwards, for it
die **Dankbarkeit** gratitude; **danke** thanks; **— schön** many thanks; **danken** to thank
dann then
daran of that, in it
darauf thereto, to them
daraufhin after that, subsequently
das **Darlehen, –s, —** loan
dar-stellen to represent, show
darüber about that
darum about it
darun'ter thereby, by that
da'-sitzen, a, e *(coll.)* to sit, "stay put"
daß *(conj.)* that
derselbe, dieselbe, dasselbe the same (thing)
die **Dauer** duration; **dauern** to last, take; **dauernd** constantly
davon therefrom, from it, of it
dazu thereto, to that, for that
da'-sein, war da, dagewesen to be here, exist; das **Dasein, –s** existence
sich **dehnen** to extend
der **Deibel (Teufel), –s, —** devil
der **Demokrat', –en, –en** democrat
die **Demut** humility; **demütig** humbly
denken, dachte, gedacht to think; **an etwas —** to think of something; **zu Ende —** to think through, comprehend; der **Denkfehler, –s, —** mistake in thinking; das **Denkmal, –s, ⁻er** monument

denn *(conj.)* for; *(part.)* then, I wonder, anyway
dennoch nevertheless
denunzie'ren to denounce
deplaciert' disarranged, rumpled, untidy
dereinst (some time) in the future
derer of these (people)
dergleichen the like, such things; **nichts —** nothing of the sort
dermaßen to such a degree, so completely
deshalb for that reason
despotisch despotic
deswegen on that account
deuten to point
deutlich clear, distinct
dicht close
der **Dichter, –s, —** poet
dick fat, heavy
der **Dieb, –es, –e** thief
dienen to serve; der **Dienst, –es, –e** service; **dienstlich** officially; die **Dienstvorschrift, –en** regulations
dieser, diese, dieses this; **diesmal** this time
diktie'ren to dictate
das **Ding, –es, –e** thing
direkt' really
das **Direktions'büro', –s, –s** director's office
der **Diwan, –s, –e** divan, couch
doch nevertheless, after all, surely
doll (toll) silly
das **Dom'portal', –s, –e** cathedral portal
der **Donner, –s, —** thunder, clap of thunder; **donnern** to thunder; **Donnerwetter!** thunderation!
die **Doppelbettcouch, –es** double-bed couch *(couch converts into a double bed)*, large studio bed

der **Doppelpunkt**, –s, –e colon
der **Dorn**, –es, –e thorn
das **Dorothe'enfriedhof**, –s Dorothea cemetery
dort there; — **unten** down there
d(a)ran sein to be one's turn
d(a)rauf'-blasen to blow (tunes) on
d(a)rein'-schlagen, u, a to join in (a fight), start swinging
draußen outside, out
drehen to turn, roll; **es dreht sich um** it is a matter of
die **Drehorgel**, –n barrel organ, *(fig.)* organ grinder
drei three; **dreimal** three times; **dreißig** thirty; **dreiviertel** three-quarters; **dreiviertel acht** 7:45; das **Dreivier'teltakt-Geräusch'**, –s noise in three-quarter time
drin (drinnen, darin) therein, in there, in here; — **stecken** to be in (deep)
dringend urgent
dritt third; **zum —en** thirdly
drohen to threaten; die **Drohung**, –en threat
drüben over there, back there
drucken to print
drücken to press
drunten down below
drunter und drüber topsy-turvy, in confusion
der **Duft**, –s, –̈e fragrance, aroma
dumm stupid, confused; der **Dummkopf**, –s, –̈e fool, blockhead
dumpf musty, gloomy; hollow, dull
dunkel dark; **im Dunkeln** in the dark; **etwas Dunk(e)les** something dark
dünkelhaft conceited
der **Dunstkreis**, –es, –e atmosphere
durch through, worn through
durchs = **durch das**

durchaus entirely
durch'-brennen, a, a *(coll.)* to run away
durchdringend penetrating
durcheinander'-reden to talk all at the same time
durch'-fahren, u, a to ride through, drive through
die **Durchfahrt**, –en crossing
durch'-frieren, o, o to freeze through
durch'-führen to carry out, make
durch'-lassen, ie, a to let through
durch'-lesen, a, e to read through
durchsichtig transparent
dürfen, durfte, gedurft may, be permitted to
dürr dry, lean, skinny

E

eben *(adv.)* exactly, precisely, simply, now; **noch** — just now; **ebenfalls** likewise; **ebenso** in the same manner; **ebenso ... wie** both ... and
echt genuine, real
die **Ecke**, –n corner
edel noble, precious; der **Edelmut**, –s noble attitude; der **Edelstein**, –s, –e precious stone, gem
egal equal, unimportant
ehe before; **eher** rather, earlier; **am ehesten** soonest, in the shortest time possible
ehelich marital
ehemalig former
die **Ehre**, –n honor; **zu —n** in honor; der **Ehrentag**, –s, –e day of honor; **ehrlich** honest; die **Ehrung**, –en mark of honor
das **Ei**, –es, –er egg
eigen own, personal

eigenartig peculiar, strange
eigens solely
eigentlich actual(ly), anyway
eilen to hurry; **eilig** speedy; **eilig haben** to be in a hurry
ein a, an, one; **ein(e)s** one thing; **ein(e)r** one (man), someone
ein'-biegen, o, o to turn off
sich **ein'-bilden** to imagine; die **Einbildung, –en** imagination
ein'-blenden to fade in
ein'-bringen, a, a to bring in, earn
eindeutig clear-cut, conclusive
eindringlich insistent
der **Eindruck, –s, ⸚e** impression
einfach simple
ein'-fallen, ie, a to occur, interrupt, join in
der **Einfluß. –es, ⸚e** influence
der **Eingang, –s, ⸚e** entrance
eingefallen sunken, withered
ein'-greifen, i, i to intervene, do something
ein'-hängen, i, a to hang up
einige several; **—s** some things
einigermaßen a bit, to some degree
ein'-jagen to chase into; to instill
ein'-laden, u, a to invite
die **Einlieferung, –en** delivery
ein'-lösen to redeem, cash
einmal once, one time; **nun —** simply; **—ig** unique
ein paar a few
ein'-reden to interrupt
ein'-richten to arrange order; sich **—** establish oneself
einsam lonely; die **Einsamkeit, –en** loneliness
ein'-schalten to switch on, connect
ein'-schenken to pour, serve
ein'-schlafen, ie, a to fall asleep
ein'-schlagen, u, a to break (in)

ein'-sehen, a, e to realize
ein'-sperren to imprison
ein'-steigen, ie, ie to climb *or* get on
die **Einstellung, –en** attitude
einstweilen temporarily, for the time being, just now
ein'-treffen, a, o to arrive
ein'-treten, a, e to enter, take a job
ein'-trichtern to drum in
ein'-wickeln to wrap up
das **Einwohnermeldeamt, –s, ⸚er** census bureau
einzel(n) separate, certain
einzig single, solitary; solely
der **Eisenschädel, –s, —** iron skull
eisig icy, cold
ekelhaft disgusting, vexing
elastisch elastic
elektrisch electric
das **Elend, –s** misery; **Elendsgesicht'** sorry-looking creature
elf eleven
die **Elle, –n** ell, *(fig.)* yardstick
die **Eltern** parents
die **Empfangs'dame, –n** receptionist
empfeh'len, a, o to recommend
empfind'lich sensitive
empö'ren to make indignant; **empört'** indignant
emsig diligent
das **Ende, –s, –n** end; **es geht zu —** the end is approaching; **zu —** **denken** to think through, comprehend; **endlich** finally; **endlos** endless
ener'gisch energetic
der **Engel, –s, —** angel; der **Engelkopf, –(e)s, ⸚e** head of an angel
enorm' enormous
entdeck'en to discover, find
die **Ente, –n** duck
enteig'nen to expropriate, dispossess

entfernt' distant, at a distance
entge'gen-gehen, i, a to go to meet, face
entge'hen, i, a to escape
entlas'sen, ie, a to dismiss, release, fire
entneh'men, a, o to detect, gather, withdraw
sich **entrus'ten** to be horrified, indignant
die **Entschä'digung, –en** compensation
entschei'den, ie, ie to decide; **ganz entschie'den** absolutely; die **Entschei'dung, –en** decision; die **Entschie'denheit** determination
sich **entschlie'ßen, o, o** to determine, decide; **entschlos'sen** determined; der **Entschluß', –es, ⸚e** resolve; **aus eigenem Entschluß** of my own volition
entschul'digen to excuse, pardon; die **Entschul'digung, –en** excuse
entsetzt' horrified; **entsetz'lich** horrible
entstam'men to originate, be made
entwe'der ... oder either ... or
entwi'schen to escape
entwür'digen to disgrace, humiliate; **—d** humiliating
erbärm'lich miserable; die **Erbärm'lichkeit** misery, distress
das **Erb'begräb'nis, –ses, –se** family vault
die **Erde** the earth; der **Erdrutsch, –es, –e** avalanche
das **Ereig'nis, –ses, –se** event
erfah'ren, u, a to ascertain, find out, experience
erfas'sen to grasp, comprehend
erfin'den, a, u to invent
erfor'derlich necessary

erfra'gen to ask about, investigate
erfreu'lich gratifying
erfül'len to fulfill
das **Ergeb'nis, –ses, –se** result
erge'hen, i, a to happen *(to someone)*; to be decreed
ergrei'fen, i, i to seize; **das Wort —** to speak
erhe'ben, o, o to raise; **sich —** to get up
erin'nern to remind; **sich —** to remember
erkäl'tet sein to have a cold
erkenn'bar recognizable; **erken'nen, a, a** to recognize, see
erklä'ren to explain
erklim'men, a, o to climb, mount
sich **erkun'digen (nach)** to inquire (about)
erlau'ben to permit
erle'ben to experience
erle'digen to settle, attend to; **erle'digt** settled, finished
erleich'tern to ease, lighten, relieve
erlei'den to undergo
ermes'sen, a, e to measure, realize
ernäh'ren to nourish
erneu'ern to replace
ernst serious; **—haft** serious, earnest
ernüch'tern to make sober; **ernüch'tert** sobered
eröff'nen to open, begin
erra'ten, ie, a to guess, conjecture, divine
errei'chen to attain, achieve
die **Errun'genschaft, –en** achievement
erschei'nen, ie, ie to appear, intrude; die **Erschei'nung, –en** phenomenon
erschreck'en, a, o to frighten; **sich —** to be frightened
erschüt'tern to shake
erst only, first; **erstens** first, first of all

erstar′ren to become rigid, crystallize
erstaunt′ astonished, astounded
erstick′en to choke, strangle
erstklassig first-class, fine
erstrangig (in) first-class fashion
ertra′gen, u, a to bear, stand, tolerate
erwach′sen, u, a to grow
erwäh′nen to mention
erwar′ten to expect
erweck′en to awaken
erzäh′len to tell, narrate
der **Erzengel, -s** archangel
der **Espressoapparat, -s, -e** *Italian coffee-making machine*, Espresso coffee machine
das **Essen, -s** food, meal
etwa for example, perhaps
etwas something; somewhat
der **Europä′er, -s, —** European
ewig eternal; die **Ewigkeit, -en** eternity
exakt exact
das **Exem′pel, -s, —** example; **zum — nehmen** to take as an example

F

fabelhaft fabulous, marvelous
die **Fabrik′, -en** factory; der **Fabrik′- direktor, -s, -en** factory manager; **fabrizie′ren** to manufacture
fachlich professional, technical, expert; die **Fachkenntnis, -se** professional knowledge, vocational training; **fachmännisch** expert
fadenscheinig threadbare
die **Fähigkeit, -en** ability, capacity
fahren, u, a to travel, drive, go; der **Fahrer, -s, —** driver; der **Fahrgast, -s, ⸚e** passenger; das **Fahrgeräusch, -s, -e** noise of cars; das **Fahrrad, -s, ⸚er** bicycle; die **Fahrt, -en** trip; **in Fahrt kommen** to gain speed *or* momentum; das **Fahrzeug, -s, -e** vehicle
der **Fall, -es, ⸚e** fall; case; **auf jeden —** in any case; **in keinen —** in no event; **auf alle Fälle** in any event
die **Falle, -n** trap
fallen, ie, a to fall; to die; **es fällt mir leicht** it is easy for me; **ins Wort —** to interrupt
falsch wrong, off-key; **ganz was Falsches** something completely wrong; **fälschen** to falsify, forge
die **Falte, -n** fold, wrinkle
die **Fami′liengeschichte, -n** family story, troubles
fangen, fing, gefangen to catch
die **Farbe, -n** color, paint; **farblos** colorless; der **Farbtropfen, -s, —** drop of color; die **Farbverschwendung** waste of paint
das **Farnkraut, -s, ⸚er** fern
faseln to talk foolishly
der **Faß, -es, ⸚er** barrel
fassen to apprehend
fast almost
faul rotten, stale; die **Fäulnis** putrefaction
die **Feder, -n** spring; der **Federstahl, -s** spring-steel
die **Fee, -n** fairy
das **Fegefeuer, -s, —** purgatory
fehlen to lack; **was fehlt ihm?** what's wrong with him?
der **Feierabend, -s, -e** quitting time
feierlich solemn; **feiern** to celebrate
fein fine
die **Feldbluse, -n** field *or* military jacket
der **Feldzug, -s, ⸚e** campaign
das **Fell, -s, -e** skin, hide; **das —**

über die Ohren ziehen to flay
der **Fels, –ens, –en** cliff, rock; **felsenfest** firm
das **Fenster, –s, —** window
fern far; **—er** furthermore
fertig ready, finished; **— werden** to get finished
fest firm; **—'-halten, ie, a** to hold on, hold firm; **—'-machen** to fasten, attach; **—'-stellen** ascertain determine, decide
festtäglich festive
fett fat; der **Fettmangel, –s, ⸚** fat shortage
feucht damp
der **Film, –s, –e** film, movie; der **Filmvorführwagen, –s, —** mobile projection unit
der **Filz, –es, –e** *(coll.)* miser
die **Finanz', –en** finance
finden, fand, gefunden to find, locate
finster dark, gloomy; die **Finsternis, –se** darkness, gloom
die **Firma, –(m)en** firm, company
die **Fläche, –n** area
flackern to flicker
die **Flamme, –n** flame
die **Flasche, –n** bottle
das **Fleisch, –es** meat; der **—mangel, –s, ⸚** meat shortage
fliegen, flog, geflogen to fly
der **Fliegenschmutz, –es** fly-speck
fliehen, floh, geflohen to flee
flott gay, merry
fluchen to curse
flüchtig fleeting, slight
die **Fluchtlinie, –n** base line
der **Flügel, –s, —** wing
flüstern to whisper
folgen to follow
die **Folter, –n** torture, torment
das **Formular', –s, –e** (application) form
fort away, go away; **fort'-bringen, a, a** bring *or* take away
die **Fortdauer** continuation, duration
fort'-jagen to chase away
fort'-laufen, ie, au to go *or* run away
die **Fortschrittlichkeit** march of progress
das **Foto, –s, –s** snapshot, photograph
die **Frage, –n** question; **nicht in — kommen** to be out of the question; **fragen** to ask; die **Fragerei, –en** questioning *(has a derogatory connotation)*
frech fresh, impudent
frei free, vacant, open; **im Freien** out-of-doors; die **Freiheit, –en** freedom; die **Freiheitsliebe** love of freedom
frei'-sprechen, a, o to declare innocent
fremd strange; die **Fremden** the strangers
die **Freude, –n** joy. pleasure; **eine — machen** to please; **freuen** to please, sich **freuen** to be glad, rejoice
der **Freund, –es, –e** friend; die **Freundin, –nen** girl friend; **freundlich** friendly, kind, nice; **freundlichst** most kindly; **freundschaftlich** friendly, in a friendly manner
der **Friede, –n** peace
der **Friedhof, –s, ⸚e** cemetery; der **Friedhofsteil, –s, –e** part of a cemetery; das **Friedhofstor, –s, –e** cemetery gate
friedlich peaceful
frieren, fror, gefroren to be cold, freeze
frisch fresh, new
der **Friseur'laden, –s, —** (eur = ör)

barbershop; der **Friseurmeister,** –s, — master barber
fristlos without respite, immediately
froh glad, cheerful, joyous; **fröhlich** cheerful, gay; die **Fröhlichkeit** joy, merriment; der **Frohsinn,** –s cheerfulness, joy
fromm pious
früh early; —**er** formerly; **von** —**er her** from formerly
der **Frühling,** –s, –e springtime
frühstücken to eat breakfast
fühlen to feel; sich — to be
der **Führer,** –s, — guide
füllen to fill
der **Fundgegenstand,** –s, ⸚e found object
fünf five; **fünfzig** fifty
der **Funke,** –n spark; **funkeln** to sparkle, flash
für for; — **sich** to oneself, himself
furchtbar terrible; **furchteinflößend** inspiring fear; sich **fürchten** to be afraid; **fürchterlich** terrible
der **Fuß,** –s, ⸚e foot
fusselig fuzzy, dry
der **Fusel,** –s bad liquor

G

die **Gabe,** –n gift, ability
die **Gabel,** –n fork, (telephone) cradle
der **Gang,** –es, ⸚ errand, passageway, (car) shift; — **rein** to shift gears
die **Gans,** ⸚e goose
ganz whole, entire, complete, quite
gar quite; — **nichts** nothing at all; — **kein** not at all
garantieren to guarantee
der **Garaus** coup-de-grâce, finishing stroke; **jemandem den** — **machen** to ruin someone
die **Gasse,** –n small street, street
der **Gast,** –es, ⸚e guest
das **Gasthaus,** –es, ⸚er inn
der **Gaul,** –s, ⸚e horse, nag
der **Gauner,** –s, — rogue
geben, gab, gegeben to give, cause; **es gibt** there is, there are
gebildet educated, cultured
das **Gebiß',** –(s)ses, –(s)e set of teeth, *(fig.)* mouth
das **Gebot',** –s, –e command
der **Gebrauch',** –s, ⸚e custom
das **Gebrüll',** –s roar, roaring
die **Geburt',** –en birth; das **Geburts'-datum,** –s birthday; *(pl.)* **Geburtsdaten** birth data
das **Gedächt'nis,** –ses, –se memory
gedämpft' subdued
der **Gedan'ke,** –n, –n thought; **sich** —**n machen** to worry; be uneasy, to get ideas; **in** — lost in thought
die **Gefahr',** –en danger; **gefähr'lich** dangerous
gefal'len, ie, a to please; **mir gefällt's** I like it; der **Gefal'len,** –s, — favor; **einem einen Gefallen tun** to do someone a favor; **gefäl'ligst** if you please
das **Gefäng'nis,** –ses, –se prison
das **Gefühl',** –s, –e feeling
gegen toward, against
der **Gegenstand,** –s, ⸚e object
gegenü'ber-stehen, a, a to stand face to face
die **Gehalts'erhö'hung,** –en salary increase
das **Geheim'nis,** –ses, –se secret, mystery
gehen, ging, gegangen to go; **das geht nicht** that won't do *or* work
gehö'ren to belong

die **Geige,** –n violin, fiddle
der **Geist,** –es, –er ghost, spirit; **geistig** intellectual; **geistlich** ecclesiastical
geküns′telt affected, artifical
das **Geläch′ter,** –s laughter
gelang′weilt bored
gelb yellow
das **Geld,** –es, –er money; das —**stück** coin; die —**gier** lust for money
gelehrt′ learned
gelten, galt, gegolten to count, be important
gemäch′lich comfortably, gradually
das **Gemäl′de,** –s, — painting
gemein′sam common, mutual
das **Gemur′mel,** –s murmuring
die **Gemüt′lichkeit** geniality
genau′ exact, just; —**nehmen** to be punctilious; —**genommen** strictly speaking; —**!** be exact, specific
geneh′migen to grant
sich **genie′ren** (soft g) to be embarrassed
der **Genos′se,** –n, –n comrade, party member
genug′ enough; **Genü′ge tun** to satisfy (a person); **genü′gen** to suffice
gera′de (grad) straight, just, exactly; **gera′deaus′** straight ahead; **gera′dezu′** practically, actually, as it were
das **Gerät′,** –s, –e device
gera′ten, ie, a to get, come, or fall into
das **Geräusch′,** –es, –e noise, sound; **geräusch′empfind′lich** sensitive to noise
gerecht′ righteous; **ein Gerech′ter** a righteous person; die **Gerech′tig-**
keit justice
das **Gere′de** chatter
das **Gericht′,** –s, –e court (of justice); der **Gerichts′vollzie′her,** –s, — bailiff
gering′ slight
gern gladly
die **Gesamt′länge,** –n total length
der **Gesang′,** –s, ⸚e song, singing; der —**′verein′,** –s, –e glee club
das **Geschäft′,** –s, –e business, deal; **ins —** to work; **Das —sprinzip** business principle; **geschäft′lich** (adj.) business
gesche′hen, geschah, geschehen to happen
das **Geschenk′,** –s, –e present, gift
die **Geschich′te,** –n story
der **Geschmack′,** –s, ⸚e taste
die **Geschwin′digkeit,** –en velocity, speed
der **Gesel′le,** –n, –n journeyman, fellow
die **Gesell′schaft,** –en company
das **Gesetz′,** –es, –e law
das **Gesicht′,** –s, –er face
das **Gespinst′,** –(e)s, –e fabrication
das **Gespräch′,** –s, –e conversation; **ins — kommen** to get to talking
die **Gestalt′,** –en form, figure; **gestal′ten** to form; **gestaltend** creative
gestän′dig sein to confess, to have confessed
gestat′ten to permit, allow; permit me to introduce ...
geste′hen, a, a to admit, confess
gestern yesterday
gesund′ healthy; die **Gesund′heit** health; **Gesundheit!** your health! God bless you!
das **Gewand′,** –s, ⸚er garment

die **Gewalt'**, –en power, force
das **Gewer'be**, –s, — trade
das **Gewicht'**, –s, –e weight
das **Gewirr'**, –s confusion
das **Gewis'per**, –s, — whisper(ing)
gewiß' sure, certain
das **Gewis'sen**, –s, — conscience; **gewis'senhaft** conscientious; die **Gewis'senhaftigkeit** conscientiousness, sense of duty
gewis'sermaßen in a sense, as it were
gewöh'nen to accustom; sich — to become accustomed; **gewöhn'lich** common, ordinary, customary; **gewohnt'** accustomed
gierig greedy, inquisitive
gießen, goß, gegossen to pour
der **Giraf'fe**, –n giraffe; **giraf'fengelb** giraffe-yellow
der **Glanz**, –es luster, gleam, brilliance; **—los** dull, lusterless; **glänzen** to sparkle, glisten; **glänzend** splendid
das **Glas**, –es, ⸚er glass; das **Gläserklingen**, –s clinking of glasses; die **Glaskugel**, –n glass ball
glatt smooth, even, slippery
glauben (an) to believe (in)
gleich same, equal; immediately; **gleichen** to resemble; **gleichgültig** unimportant; **gleichmäßig** even, uniform; **gleichmütig** calm, indifferent; das **Gleichgewicht**, –s, –e equilibrium
das **G(e)leis**, –es, –e track; **im alten —e** in the old routine
das **Glied**, –es, –er limb
der **Glockenschlag**, –s, ⸚e sound of a bell, chime
das **Glück**, –es happiness, fortune; **glücklich** happy, fortunate

die **Gnade**, –n grace; **gnaden** to show mercy; das **Gnadenbild**, –es, –er miraculous image; **gnadenreich** gracious; **gnädig** gracious; **gnädige Frau** madam, my lady
goldig dear, sweet
das **Goldstück**, –es, –e gold piece, gold coin
die **Gondel**, –n gondola
der **Gott**, –es, ⸚er God; **du lieber —** for heaven's sake; **um —es willen** for heaven's sake; **— sei Dank** thank God; **gotteslästerlich** blasphemous; **gottlob** thank God; **gottvoll** godly; capital, splendid
das **Grab**, –es, ⸚er grave
grad = **gerade**
der **Granit**, –s, –e granite; **auf — beißen** to bite on granite, get nowhere
das **Gras**, –es, ⸚er grass
die **Gratulation'**, –en congratulation
grau grey
greis old
die **Grenze**, –n border; **grenzenlos** boundless, unlimited; die **Grenz'übertre'tung**, –en border violation; die **Grenz'verlet'zung**, –en border violation
grob coarse, unseemly; der **Grobian**, –s, –e coarse fellow
der **Groll**, –es ill-will, resentment; **einen — haben** to feel angry, resent
groß great, large; **großartig** splendid; **großzügig** generous, lavish
grübeln to worry, brood; **vor sich hin —** to ruminate, brood to oneself
grün green
der **Grund**, –es ⸚e ground, reason; **im —e** basically; **auf den — gehen**

to get to the bottom
gründlich thoroughly, carefully
der **Grundsatz,** -es, ⁻e principle;
  grundsätzlich on principle
der **Gruß.** -es, ⁻e greeting; **grüßen**
  to greet
gucken *(coll.)* to look
das **Gußeisen,** -s cast iron
gut good; die **Güte** goodness
der **Güterwagen,** -s, — freight car
gütig kindly; **gutmütig** good-natured,
  kind

H

das **Haar,** -s, -e hair
haarscharf very sharp *or* clear
haben, hatte, gehabt to have
das **Hackenklappen,** -s clicking of
  heels
haftbar liable, to blame
der **Hahn,** -(e)s, ⁻e rooster, cock
halb half; —**laut** in a whisper;
  der ... **halber** for the sake of
die **Halle,** -n terminal, garage, shop
hallen to resound, reverberate
der **Hallraum,** -es, ⁻e large hall
der **Hals,** -es, ⁻e neck
halt! stop! **halten, hielt, gehalten** to
  hold, adhere; to consider; **für
  richtig** — to think (to be) right;
  die **Haltestelle,** -n (bus) stop
die **Haltung** bearing
hämmern to hammer; der **Hammerschlag,** -s, ⁻e gavel blow
die **Hand,** ⁻e hand
handeln to deal, trade, act; **es handelt
  sich um** it concerns, is as matter
  of; der **Händler,** -s, — dealer,
  merchant; die **Handlungsweise,** -n
  actions, conduct
die **Handschelle,** -n handcuff

das **Handumdrehen,** -s turning of a
  hand; **im —** in a flash
hängen, hing, gehangen to hang; —
  bleiben to stick; **sich — an** to
  become attached to
hantieren to work *or* bustle about;
  im — while working about
harmlos harmless, innocent
hart hard
hassen to hate
hastig hasty
der **Hauch,** -s, -e breath
hauchdünn sheer
hauen to strike, beat
häufig frequent
das **Haupt,** -(e)s, ⁻er head; **mit —
  und Haar** with body and soul
die **Hauptverwaltung,** -en main office
Hau-ruck heave-ho!
das **Haus,** -es, ⁻er house; **zu —e** at
  home; **nach —e** home *(motion
  toward);* der **Hauschild,** -s, -er
  roughneck; der **Hausflur,** -s, -e
  hallway, vestibule; **haushoh** high
  as a house; die **Hausklingel,** -n
  doorbell; die **Häuslichkeit** domesticity; der **Hausmeister,** -s, —
  superintendent; die **Haustür,** -en
  house door
hausieren to peddle
die **Haut,** ⁻e skin, hide; **die —
  abreißen** to flay
he! hey there!
heftig vigorous
heikel delicate, ticklish
heil unhurt, safe
heilig holy
heim'-fahren, u, a to drive home
heiraten to marry
heiser hoarse
heiß hot
heißen, hieß, geheißen to command,

be named, be; **das heisst** that is
heiter cheerful
der **Held, –en, –en** hero; der **Heldengedenkstein, –s** soldier's monument
helfen, half, geholfen to help
hell bright, clear
das **Hemd, –s, –en** shirt
hemmen to impede, slow up
her hither, here, from
heran'-lassen, ie, a to allow to approach
heran'-schieben, o, o to push close, approach
heran'-wachsen, u, a to grow up
herauf'-kommen, a, o to come up
heraus'-fordern to challenge, dare
heraus'-gehen, i, a to go out
heraus'-gucken *(coll.)* to look out
heraus'-kommen, a, o to come out, be discovered
heraus'-schmeißen, i, i *(coll.)* to throw out, fire
heraus'-steigen, ie, ie to climb out
heraus'-strecken to stick out
herbei'-führen to bring about
herbei'-schaffen, u, a to fetch, bring back
der **Herbst, –s, –e** autumn
das **Her'dengeklin'gel, –s, —** ringing of herd-bells
herein'-kommen, a, o to come in, enter
her'kommen, a, o to come here
der **Herr, –en, –en** mister, gentleman, sir, lord; **herrenlos** without a master
Herrgott! (Herrgottnochmal) confound it!
herrisch imperious
herrlich splendid
die **Herrschaft** reign; die **—en** ladies and gentlemen; **herrschen** to rule;
herrschsüchtig dominating
her'-schicken to send over
her'-stellen to produce, build; die **Herstellung, –en** manufacture, production, construction
herüber'-rücken to move over
herum'-gehen, i, a to go around
herum'-hüpfen to jump around
herum'-rennen, a, a to run around
herum'-stehen, a, a to stand around
herum'-sitzen, a, e to sit around
herunter down *(with motion);* **herunter'-schlucken** to swallow, put up with
hervor'-rufen, ie, u to call forth, cause
das **Herz, –ens, –en** heart; **herzleidend** suffering from heart disease; der **Herzenswunsch, –es, ⸚e** desire close to one's heart; **herzlich** hearty, sincere
her'-zeigen to show
der **Herzog, –s, ⸚e** duke
heute today, nowadays; **— früh** *or* **— morgen** this morning; **— nacht** to-night; **heutig-** today's, in our day; **heutzutage** nowadays
hie und da now and then
hier here; **von — aus** from here; **hierbei** in this connection, in so doing; **hier'-bleiben, ie, ie** to remain here
hiesig- of this region *or* country, local
hilflos helpless
der **Himmel, –s, —** sky, heaven; das **Himmelreich, –s** kingdom of heaven; die **Himmelstür, –en** gate of heaven, "pearly gates"; die **Himmelswiese, –n** heavenly meadow; **himmlisch** heavenly
hin to that place, there *(with motion)* **— und her** to and fro, back and

forth; **—und herlaufen** to walk back and forth; **— und wieder** now and then
hinan'-eilen to hasten up
hinauf'-zerren to drag up
hinaus' out *(with motion)*
hinaus'-gelangen to reach beyond; **über sich —** to reach beyond oneself
hinaus'-schmeißen, i, i *(coll.)* to throw out
hindern to prevent
hindurch' through, throughout; **hindurch'-sehen, a, e** to see through
hinein' in, into; **dort —** in there
hinein'gebo'ren born into
hinein'-hören to listen inwardly; **in sich —** to listen to a voice inside oneself
hinein'-lassen, ie, a to let enter
hinein'-schlüpfen to slip in
hinein'-ziehen, o, o to draw in, include
hin'-fliegen, o, o to fly away *or* there
hinfort' henceforth
hinge'gen on the other hand
hin'-gehen, i, a to go there, go back
hin'-halten, ie, a to hold out, extend, proffer
hin'-kommen, a, o to get there
hin'-richten to execute
hin'-starren to stare at
hin'-stellen to put down
hintan'-halten, ie, a to hold off, shut out
hinten behind; **da—** back there
hinten-an'-fassen to take a hold from behind
hinter behind; **hinterdrein'** following behind, subsequently; der **Hintergrund, –s, ⸚e** background; **hinterher'-trippeln** to skip along behind

der **Hinterhof, –s, ⸚e** court, courtyard
hinterlistig sly, artful
hinterm = **hinter dem**
das **Hinterzimmer, –s, —** back room
hinun'ter-schicken to send down
hinun'ter-schauen to look down
hinun'ter-spülen to wash down
hinzu'-kommen, a, o to be added
hirn'verbrannt' crazy; das **Hirn'gespinst', –s, –e** fantastic idea
der **Hirt, –en, –en** shepherd; das **Hirtenmädchen, –s, —** shepherdess
histo'risch historical
das **Ho'belgeräusch', –es, –e** noise of a plane
hoch high; **—!** hurrah! **höchst** highest; **höchst selten** very rarely;
höchstens at most
hoch'-gehen, i, a to go up
hoch'-kommen, a, o to get up
sich **hoch'-rappeln** to jump up hastily
hoch'-rasseln to rise noisily
hoch'-steigen, ie, ie to rise, come to mind
die **Hochzeit, –en** wedding; **—sgesellschaft** wedding party; **—skuchen** wedding cake
der **Hof, –es, ⸚e** yard, courtyard
hoffen to hope; **hoffentlich** it is to be hoped, I hope; die **Hoffnung, –en** hope
die **Höflichkeit, –en** courtesy, politeness
die **Höhe, –n** height
die **Hoheit, –en** nobility, dignity
die **Höhle, –n** cave, den
hohlklingend hollow-sounding
holen to get, fetch
das **Holz, –es** wood; **hölzern** wooden; der **—fuß, –es, ⸚e** wooden

leg(ged fellow); die —kiste, -n wooden box; der —kopf, -es, ⸗e block-head, dullard; das —pferd, -es, -e wooden horse; —pferdchen little wooden horse; die —tafel, -n wooden tablet
hoppla! careful, not so fast!
hörbar audible
horchen to hearken, listen
hören to hear; gern — to like to hear; der Hörer, -s, — listener, (telephone) receiver; die Hörerin, -nen woman listener; der Hörfehler, -s, — mistake in hearing
die Hose, -n trousers, pants
hübsch pretty, attractive, *(coll.)* very
das Huhn, -es, ⸗er chicken
hui! say!
humo'rig- humorous
der Hund, -es, -e dog; das Hundebellen, -s barking of dogs
hundertprozentig hundred-percent
hundertsechzehn 116
der Hunger, -s hunger; der —leider, —s, — starveling, skinny wretch; hungern to be hungry; hungrig hungry
hupen to honk
hüpfen to skip, jump, hasten
hurtig! lively!
husten to cough
die Hyäne, -n hyena; cruel, treacherous person

I

die Idee, -n idea
idiotisch idiotic
Ihretwegen for your sake
im = in dem
im übrigen incidentally, moreover
im voraus beforehand
immer always; —fort constantly; —hin nevertheless; —zu constantly, always
imponie'ren to impress
in in, into
die Inan'spruchnah'me resort, use
indem *(conj.)* while, by *(with pres. part.)*; — er singt by singing
(das) Indien, -s India
das Individuum, -s, -(u)en individual
die Industrie', -n industry
infol'ge as a result of
der Inhaber, -s, — owner
der Inhalt, -s content
innen inside
der Innenraum, -s, ⸗e interior
inner- inner
innig sincere, heartfelt
ins = in das
insbesondere especially
insgeheim secretly
inständig earnest, urgent
interessie'ren to interest; sich — to be interested
inzwischen in the meantime, meanwhile
irdisch earthly
irgend (ein) some; — jemand somebody or other; irgendwas = irgendetwas anything; irgend welch- some...or other; irgendwie somehow; irgendwo(hin) somewhere; irgendwo anders somewhere else
irren to err, wander about; sich — to be wrong; irrsinnig insane; der Irrtum, -es, ⸗er mistake, error
(das) Ita'lien, -s Italy

J

ja yes, indeed, you see
die **Jacke,** –n jacket
jagen to hunt, chase
jäh sudden
das **Jahr,** –es, –e year; **—elang** for years
der **Jammer,** –s misery; **jammern** to lament
jawohl yes indeed, yes sir
je ever; **von —** since time began; **— ... desto** the more ... the more; **— nachdem'** that depends, accordingly
jedenfalls at any rate, in any event
jeder each, every
jedesmal each time
jedoch' however
jener that
jenseits across, beyond
jetzt now
jetzig present
der **Jubilar',** –s person celebrating an anniversary, celebrity; das **Jubilä'um,** –s, –(ä)en jubilee, anniversary; das **dreißigjährige —** 30th anniversary
die **Jugend,** youth, younger generation
jung young; der **Junge,** –n, –n youth, boy; **jüngst** youngest; der **jüngste** the youngest; der **jüngste Tag** day of judgment
der **Jungfernkranz,** –es, –̈e bridal wreath
der **Justitiar',** –s, –e (chief) legal adviser
das **Juwel',** –s, –en jewel; der **Juwe'lendiebstahl,** –s, –e jewel(ry) theft; der **Juwelier'laden,** –s, –̈ jewelry store

K

das **Kaffeehaus,** –es, –̈er coffeehouse, café
kahl bare
kalt cold
das **Kamel',** –s, –e camel
die **Kammer,** –n small room
der **Kanal',** –s, –̈e canal
die **Kanne,** –n can
der **Kanniba'le,** –n, –n cannibal
die **Kante,** –n edge, corner; **kantig** sharp-cornered, sharply chiselled
die **Kanzlei',** –en office
die **Kapel'le,** –n chapel
der **Kapitän',** –s, –e captain
das **Kapi'tel,** –s, — chapter
kapitulie'ren to capitulate
kaputt' broken
die **Karaf'fe,** –n carafe, decanter
kariert' checked
der **Karren,** –s, — cart, (coll.) crate, rattletrap
die **Karte,** –n card, file; die **Kartei',** –en card-index, card-file
das **Karussell',** –s, –e carrousel
der **Käse,** –s, — cheese
die **Kasse,** –n ticket-window, cash register; der **Kassie'rer,** –s, — cashier
das **Kätzchen,** –s, — kitten
kauen to chew
kaufen to buy
der **Kaufpreis,** –es, –e purchase price
kaum scarcely
die **Kehle,** –n throat
kehren to clean, sweep; to turn
kein not a, no; **—er** no one, none; **—er mehr** no one any longer; **keinerlei** no ... whatever; **keineswegs** by no means

die **Keksfabrik'**, –en biscuit factory
der **Keller**, –s, — cellar, bomb shelter
die **Kellnerin**, –nen waitress
kennen, kannte, gekannt to know, be acquainted
die **Kenntnis**, –se knowledge; **zur — nehmen** to note
das **Kerbholz**, –es, ⸚er notched stick, tally, record
der **Kerl**, –s, –e *(coll.)* fellow
kern'gesund' in excellent health
die **Kerze**, –n candle; **sich eine — leisten** to afford *or* consecrate a candle
kichern to giggle
das **Kilo**, –s, –s kilogram
das **Kind**, –es, –er child; die **Kinderarbeit** child labor; der **Kindertraum**, –s, ⸚e children's dream; der **Kinderwagen**, –s, — baby carriage; der **Kindskopf**, –s, ⸚e ninny, fool
das **Kinn**, –es, –e chin
das **Kino**, –s, –s movies, movie theater; die **Kinoannonce**, –n *(pr.* **on** *nasal)* movie ad, "coming attractions"
die **Kirche**, –n church; die **Kirchenfliese**, –n church flagstone; das **Kirchenschiff**, –s, –e nave
das **Kissen**, –s, — pillow
die **Kiste**, –n wooden box, crate
kitzeln to tickle
der **Klang**, –es, ⸚e sound, ring
klappen to snap, click (open), slam
der **Klapperstorch**, –s, ⸚e (common white) stork
klar clear
die **Klärung**, –en clarification
der **Klatschmohn**, –s corn-poppy
klein small; das **Kleingeld**, –s, –er change, coins; die **Kleinigkeit**, –en triviality, small matter; **kleinlaut** meek
klettern to climb
klingen, klang, geklungen to sound
klingeln to ring; **es klingelt** the doorbell is ringing; **—d** resounding
klirren to jingle
klopfen to knock
klug clever
das **Knacken**, –s crack, crackle
der **Knall**, –es, –e sharp explosion; **knallen**, to explode, slam (shut)
die **Kneifzange**, –n ticket punch
die **Kneipe**, –n pub, tavern
der **Knie**, –s, –e knee
knips click
knirschen to grate, creak
knistern to crackle, rustle
der **Knochen**, –s, — bone
das **Knöpfchen**, –s, — button
der **Knorpel**, –s cartilage, *(slang)* Adam's apple
(der) **Kognak**, –s, –e cognac, brandy
der **Kolle'ge**, –n colleague
komisch comical, strange,
kommen, kam, gekommen to come; **zu Tage —** to come to light; **das —de** the future
die **Kommerz'bank**, –en commercial bank
der **Kommissar'**, –s, –e police commissioner
komplett' complete
der **Kompli'ze**, –n, –n accomplice
das **Kompromiß'**, –es, –e compromise
die **Königin**, –nen queen
der **Konkurrent'**, –en, –en competitor
können, konnte, gekonnt can, be able to
die **Konsequenz'**, –en consequence
die **Konzentration'** concentration

sich **konzentrie′ren** to concentrate
die **Kontrol′le, –en** check, inspection; **kontrollie′ren** to check, inspect, confirm
konstruie′ren to construct
die **Kontur′, –en** contour, outline
der **Kopf, –es, ⸚e** head; der **—schmerz, –es, –en** headache
die **Korbflasche, –n** bottle *(enclosed in wicker-work)*
das **Kornfeld, –es, –er** grain field
der **Körperteil, –s, –e** part of the body
kostbar valuable
kosten to cost, amount to
kotzen *(vulg.)* to vomit; **zum —** disgusting
krachen to crack, crash; **—d** violent, jarring; **ins Schloß —** to slam shut
krächsen to croak
die **Kraft, ⸚e** power, strength
der **Kragen, –s, —** collar; **an den — gehen** to cost one's life
krähen to crow, call
krank sick; das **Krankenhaus, –es, ⸚er** hospital; die **Krankheit, –en** sickness; **kränklich** sickly
kreischen to screech, creak
kreisen to rotate
die **Kreuzung, –en** crossing
kriechen to creep
der **Krieg, –es, –e** war; der **Kriegsausbruch, –s, ⸚e** outbreak of war; das **Kriegsgericht, –s, –e** military court; **vors Kriegsgericht stellen** to court martial; der **Kriegskamerad, –en, –en** war comrade, buddy
kriegen *(coll.)* to get, become, catch
die **Krone, –n** crown, *(coll.)* head
der **Kuckuck, –s, –e** cuckoo;
kuckucken to cuckoo
die **Kuh, ⸚e** cow; die **Kuhglocke, –n** cow bell; die **Kuhherde, –n** herd of cows
der **Kühler, –s, —** radiator *(of a car)*
der **Kühlschrank, –s, ⸚e** refrigerator
der **Kummer, –s, —** grief; **einem — machen** to cause one grief; **kümmerlich** miserable, pitiful; **kümmern** to grieve, trouble; **sich kümmern um** to worry about, care for, take an interest in
der **Kunde, –n** customer; die **Kundschaft** clientele, customers; **auf Kundschaft gehen** to seek customers
kündigen to give notice
künftig in future
künsteln to affect
die **Kupfermünze, –n** copper coin
die **Kupplung** clutch; **—!** disengage the clutch
der **Kurszettel, –s, —** (stock) exchange quotations
kurz short, brief; **— danach** shortly afterwards; **kurzatmig** short of breath; **sich kurz fassen** to be brief; **kurzfristig** short-term, in a short time, immediately; **kurzhörig** hard of hearing; **kürzlich** recently
kurvenreich full of curves
küssen to kiss
der **Küster, –s, —** sexton

L

lachen to laugh
lächeln to smile; **lächerlich** ridiculous
der **Laden, –s, —** store, shop, showroom; die **Ladenklingel, –n** store bell; die **Ladenscheibe, –n** store window

der **La'gerverwal'ter,** –s, — stockroom manager
der **Lämmergeier,** –s, — vulture
das **Lämmerwölkchen,** –s, — small fleecy cloud, cirrus
die **Lampe,** –n lamp, flashlight
das **Land,** –es, ⸚er land, country; **aufs** — to the country; das **Landeskind,** –s, –er native, citizen(ess); die **Landschaft,** –en countryside
lang(e) long, long time; **Jahre**— for years; die **Länge,** –n length; **längst** for a long time
langen to reach; **es langt** it is enough
der **Längengrad,** –s, –e degree of longitude
langsam slow
langweilen to bore; **langweilig** boring
der **Lärm,** –(e)s noise
lassen, ließ, gelassen to let, leave; have, cause
läßlich pardonable
die **Last,** –en burden; **zur** — **fallen** to be a burden
die **Lästerung,** –en blasphemy
laufen, lief, ist gelaufen to run, race, walk
die **Laune,** –n mood; **immer guter** — always cheerful; **bei** — in a good mood
lauschen to listen, hearken
laut loud, noisy; —**los** silent, noiseless
läuten to ring
lauter nothing but
das **Lazarett',** –s, –e (army) hospital
leben to live; — **Sie wohl** good-bye; das **Leben,** –s, — life; die **Le'bensmittelgesetz'gebung** food laws
der **Lederbecher,** –s, — leather cup, dice box; der **Lederbeutel,** –s, — leather cup, dice box; der **Ledersitz,** –es, –e leather seat
lediglich solely, merely
leer empty; **leer'-trinken** to (drink) empty
lehnen to lean
die **Lehre,** –n advice, instruction
der **Lehrling,** –s, –e apprentice
der **Leib,** –es, –er body
leicht easy; immoral; slight; **leichtfertig** silly, frivolous; **leichtflügelig** light-winged; **leichtsinnig** silly, frivolous
das **Leid,** –es, –en pain, sorrow, injury; **einem** — **tun** to feel sorry for a person; **das tut mir** — I am sorry; **leiden** to suffer, tolerate, stand; **leider** unfortunately
leiernd singsong
das **Leinöl,** –s linseed oil
die **Leinwand** canvas
leise soft, gentle
leisten to afford
die **Leitung,** –en (telephone) line
lernen to learn
lesen, las, gelesen to read; **beim** — while reading
letzt last; **zum** —**enmal** for the last time
leuchten to shine, flash a light; die **Leuchtkraft** brilliance
die **Leute** people
das **Licht,** –es, –er light; der **Lichtblick,** –s, –e ray of light
lieb dear, nice; **es ist mir** — I am glad; —**er** rather; **am** —**sten** best *or* most of all; **mein Lieber** dear fellow; **Liebster** dearest; die **Liebe** love; **lieben** to love; das **Liebesnest,** –es, –er love-nest; die **Liebhaberei,** –en hobby
die **Linie,** –n line

link- left; **—s** (on the) left; **—s rum (herum)** to the left
das **Loch, -es, ⸚er** hole
locker loose, frivolous
der **Lohn, -es, ⸚e** pay, wages
das **Lokal', -s, -e** small inn, tavern; die **Lokal'tür, -en** tavern door
los loose, off; **—!** lively now! **was ist —** what's wrong, what's up
lösen to loosen; **sich —** to detach oneself
los'fahren, u, a to drive off
los'-gehen, i, a to begin, explode
los'-lassen, ie, a to let loose
los'-schießen, o, o to fire away
löten to solder
die **Luft, ⸚e** air; **in die — gehen** to explode; der **Luftangriff, -s, -e** air attack
lügen to lie
der **Lümmel, -s, —** lout, rascal
die **Lunge, -n** lung
die **Lust, ⸚e** pleasure, desire; **lustig** gay, cheerful
der **Luxus** luxury

M

machen to make, do; to hurry
die **Macht, ⸚e** might, power; **mächtig** mighty
das **Mädchen, -s, —** girl
das **Madon'nenbild, -s, -er** picture of the Madonna
der **Magen, -s, ⸚** stomach
der **Magistrat', -s, -e** magistrate
das **Mahl, -es, ⸚er** meal, repast
der **Mai, -s, -e** May
maisgelb maize yellow
das **Mal, -es, -e** time; **mit einem —** suddenly; **zum anderen —** again; **zum ersten —** for the first time

mal = einmal once, sometime; a moment
malen to paint
man one, they, people, somebody
manchmal sometimes, at times
der **Mantel, -s, ⸚** cloak, coat
das **Marderhaar, -s, -e** hair of a marten
das **Mari'enbild, -s, -er** picture of the Virgin Mary
markie'ren to mark
das **Markstück, -s, -e** mark-piece
der **Marktplatz, -es, ⸚e** town square, market square
das **Marmorsprengen, -s** marble blasting *or* quarrying; der **Marmorstein, -s, -e** piece of marble
marsch! off with you!
das **Maß, -es, -e** measure, proportion
die **Masse, -n** mass, great number
massie'ren to massage
maßlos unrestrained
die **Maßnahme, -n** measure
das **Material', -s, -ien** material
die **Mauer, -n** wall
mediumistisch mediumistic
das **Meer-, -es, -e** sea, ocean
mehr more; **—mals** several times
meinen to mean, think, opine; die **Meinung, -en** opinion; **Ihrer Meinung nach** in your opinion
meinetwegen for my sake, on my account
meist most, usual; **—ens** usually; die **—en** most people
melancho'lisch melancholy
melden to announce, report
die **Menge, -n** multitude, abundance
der **Mensch, -en, -en** person, human being; **—!** man alive! of all things!; der **Menschenverstand, -s,**

human understanding; der gesunde Menschenverstand common sense; die **Menschenwelt** humanity, human existence; **menschlich** human
merken to notice; **merkwürdig** unusual, strange, memorable
messen, maß, gemessen to measure
der **Meßwein, –s, –e** communion wine
das **Metall', –s, –e** metal
die **Milchstraße, –n** Milky Way; **über die —** via the Milky Way
der **Milchtopf, –es, ⸚e** milk jug
milchweiß milky white
mildtätig merciful
militärisch military
der **Millio'nenverlust', –s, ⸚e** loss of millions
das **Mischen, –s** mixing, shuffling
mißbil'ligen to disapprove
mißtrauisch distrustful
mit with
mit-an'-fassen to lend a hand
der **Mitarbeiter, –s, —** fellow worker, colleague
mit'-bringen, a, a to bring along
miteinander together
mithin consequently
mit'lachen to join in (the laughter)
die **Mitleidenschaft** joint suffering; **in — ziehen** to affect, damage
mit'kommen, a, o to come along
der **Mitmensch, –en, –en** fellow man
mit'-nehmen, a, o to take along
der **Mitreisende, –n, –n** fellow traveller
mitsamt (together) with
mit'-schicken to send along
das **Mittel, –s, —** means
mit'-zählen to count along
das **Möbel, –s, –** (piece of) furniture; das **Möbelstück, –s, –e** piece of furniture; der **Möbelwagen, –s, —** moving van
mögen, mochte, gemocht may, like
möglich possible; **möglicherweise** possibly; die **Möglichkeit, –en** possiblility
die **Molle, –n** *(dial.)* beer glass
der **Moment. –s, –e** moment; **—!** just a moment; **ein —chen Zeit** a moment's time; **momentan** momentary, just now
der **Monat, –s, –e** month
der **Mond, –s, –e** moon; **mondlos** moonless
mondän' mundane, sophisticated
morgen tomorrow; die **Morgendämmerung, –en** dawn; die **Morgenröte, –n** dawn
der **Motor, –s, –en** motor; das **Mo'torgeräusch', –s, –e** sound of a motor; die **Mo'torhaube, –n** engine hood; **motorisiert'** motorized; der **Mo'torlärm, –s** motor noise; das **Mo'torrad, –s, ⸚er** motorcycle
die **Mücke, –n** mosquito
müde tired
die **Mühe, –n** effort; **sich — geben** to exert oneself
die **Mühle, –n** mill, treadmill
mühsam laborious
der **Mund, –es, ⸚er** mouth
murmeln to murmur
mürrisch grumbling
das **Museum, –s, –(e)en** museum
müssen, mußte, gemußt must, have to
die **Musik'** music; das **Musik'motiv', –s, –e** musical motif
die **Mutter, ⸚** mother; **— Gottes** Mother of God, Virgin Mary; das **Muttchen (Mütterchen), –s, —** little old lady

N

na well, well then, now, come now
nach after, to, for, according to
nachdem after, since
nach'-denken, a, a reflect, think back, worry; **nachdenklich** reflective
der **Nachdruck, –s** emphasis; **nachdrücklich** emphatically
nach'-forschen to investigate
nach'-füllen to refill
nachher afterwards
die **Nachricht, –en** information, message
nach'-sehen, a, e to check, investigate; to pardon, show mercy; die **Nachsicht** mercy
nach'-spüren to track down, look into
nächst- next, closest; der **Nächste** the next one
die **Nacht, ⸚e** night; die **Nachtarbeit, –en** night work; das **Nachtgesicht, –s, –er** dream, nightmare; das **Nachthemd, –s, –en** nightshirt, nightgown; der **Nachthimmel, –s, —** night sky; **nächtlich** nocturnal; **nachts** nights, in the night
nachträglich afterwards
nackt naked
das **Nadelöhr, –es, –e** eye of a needle
der **Nagel, –s, ⸚** nail, fingernail; **unter den — reißen** to obtain
nah near, close by; die **Nähe** proximity; **in der Nähe** nearby
näher'-kommen, a, o to approach
sich **nähern** to approach
näher'-rücken to move closer
näher'-treten, a, e to approach, enter, come in
nahezu almost
der **Nahkampf, –s** hand-to-hand fighting; die **Nahkampfspange, –n** decoration for heroic hand-to-hand fighting
der **Name, –ns, –n** name; **namens** by the name of
nanu' *(coll.)* come now!
die **Nase, –n** nose; **sich um die — wehen lassen** to experience
naseweis impertinent
naß wet; die **Nässe** moisture
die **Natur'** nature; **von — aus** by nature; **natür'lich** natural
der **Nebel, –s, —** fog, mist
neben next to, beside
nee *(coll.)* no
nehmen, nahm, genommen to take; **genau genommen** strictly speaking; **auf sich —** to assume responsibility
nein no
nennen, nannte, genannt to name, call
der **Nerv, –s, –en** nerve; **nervös'** nervous
das **Nest, –es, –er** nest
nett nice
neu new, renewed; **von neuem** anew; **neuerdings** recently, of late
neugierig curious
neulich recently
neun nine; **um halb —** 8:30
nicht not; **— einmal** not even; **—wahr** not so, isn't that right?;
nichts nothing; **das — nothingness, ruin; **das blanke —** utter ruin
nie never
nieder'-knien to kneel down
niemand no one, nobody
niedrig humble, lowly; **niedrigenorts·** of lowly station
nirgends nowhere; **nirgendwo** nowhere

noch still
nochmal(s) again, once again
nördlich northern
die **Normal′uhr,** –en correct-time clock
die **Not,** ⸚e need; **mit —** with difficulty; die **Notbremse,** –n emergency brake; die **Notlüge,** –n white lie; **notwendig** necessary
das **Novum,** –s, **Nova** novelty, something new
nüchtern sober; **der —sten einer** one of the most sober
die **Null,** –s, –e zero, blank
die **Nummer,** –n number
nun now, well, indeed
nunmehr now, without further ado
nur only, just
der **Nußknacker,** –s, — nutcracker

O

ob whether
das **Ob′dachlosenasyl′,** –s, –e sanctuary for the homeless
oben above, up; **hier —** up here
obendrein in addition
der **Ober,** –s, — waiter
oberst uppermost, first
obgleich although
die **Obrigkeit,** –en authorities
obwohl although
oder or
die **Odyssee,** –n Odyssey, eventful journey
offen open, blank
offenbar obvious; die **Offenba′rung,** –en revelation
öffnen to open
offiziell′ official
öfters often, frequently
ohne without; **ohnehin** regardless, anyway, as it is
ohnmächtig weak, powerless
das **Ohr,** –(e)s, –en ear; der **Ohrenarzt,** –s, ⸚e ear doctor; **ohrenbetäubend** deafening; die **Ohrfeige,** –n slap, blow; **eine Ohrfeige hauen** to cuff
das **Öl,** –s oil; der **Ölgötze,** –n bore
oller = alter *(dial.)* old
der **Omnibus,** –ses, –se bus, omnibus; der **—bahnhof,** –s, ⸚e bus terminal; das **—fahren,** –s riding in a bus; der **—fritze,** –n, –n omnibus fellow; die **—gesellschaft,** –en bus company; der **—lenker,** –s, — bus driver
der **Onkel,** –s, — uncle
das **Opfer,** –s, — sacrifice, victim; der **Opferstock,** –s collection box
das **Orche′ster,** –s, — orchestra; das **Orche′strion,** –s, –s player piano
ordentlich, decent, respectable
die **Ordnung,** –en order, (good) condition; **in —** right, O.K.
der **Orgelmann,** –s, ⸚er organ grinder
das **Ort,** –es, –e place; **höheren Orts** in a higher place
ost east; der **Osten,** –s East; das **Ostgeld,** –s East German money; **in Ost(geld)** in eastern currency; der **Ostkunde,** –n East German customer; **östlich** eastern; die **Ostrente,** –n East-Mark income; der **Ostsektor,** –s eastern sector; der **Osttischler,** –s, — East German carpenter, cabinet-maker der **Östler,** –s, — resident in East Germany; die **Ostverwaltung** East German administration; **östwestlich** east-west
der **Ozeanriese,** –n ocean monster

P

(ein) paar some, a few; ein paarmal a few times
das Paket', -s, -e package
das Papier', -s, -e paper
das Paradies', -ses paradise
parie'ren to obey
das Partei'lokal', -s, -e party headquarters
der Partisa'nen-Einsatz, -es, ⸚e attack by partisans
der Paß, -es, ⸚e passport
passen to fix, suit
passie'ren pass; *(coll.)* to happen
das Pa'tengeschenk', -s, -e christening gift
peinigen to torment, harass
die Peitsche, -n whip
die Pension' pension, retirement; in — schicken to retire (someone); der Pensions'anspruch, -s, ⸚e right to a pension
per via, by
die Perlonkiste, -n box containing perlon stockings; der Perlonstrumpf, -s, ⸚e perlon stocking
die Personal'abteilung, -en personnel department
persön'lich personal, in person
die Pest, -en plague
Petrus Peter; der heilige — St. Peter
der Pfandverleiher, -s, — pawnbroker
pfeifen to whistle; ich pfeife darauf I don't care two cents; das Pfeifensignal, -s, -e whistled signal
der Pfennig, -s, -e *German coin (100 Pfennigs = one Mark)*
die Pferdekraft, ⸚e horsepower, *(fig.)* motor; das Pferdeomnibus -ses, -se horse-drawn tram

die Pflege, -n care, attention; pflegen to be accustomed
die Pflicht, -en duty; das Pflicht'gefühl', -s, -e sense of duty
das Phänomen', -s, -e phenomenon, event
die Phantasie' fantasy, imagination
der Pharisä'er, -s, — Pharisee, hypocrite
die Pia'nostelle, -n soft passage
der Pickel, -s, — pimple; der — jüngling young fellow with the pimple
piepsen to squeak, chirp
die Pille, -en pill
der Pinsel, -s, — brush
die Pisto'le, -n pistol
die Plage, -n vexation, torment
planmäßig according to a plan
die Platte, -n disc, record
der Platz, -es, ⸚e place, seat; — nehmen to sit down
platzen to burst, blow out
plötzlich sudden
plündern to plunder
pochen to knock, beat, throb
die Poliklinik, -en polyclinic, general hospital
das Politikum, -s, Politika item of political importance; politisch political
die Polizei' police force, police; das —auto, -s, -s police car; die —kontrolle, -n police inspection; das —revier, -s, -e police district; die —stunde, -n closing hour *or* time; die —wache, -n police station; der Polizist', -en, -en policeman
das Polster, -s, — upholstery, padding
poltern to rumble, rattle
der Pompadour, -s, -s knitted bag

der **Posten,** –s, — post
predigen to preach, council
der **Preis,** –es, –e price
preis'-geben, a, e to abandon
prima *(coll.)* first-class; **prima-prima** superb
das **Privat'omnibus,** –ses, –se private bus
probie'ren to test
produzie'ren to produce
die **Prophetie',** –n prophecy
das **Prospekt',** –s, –e prospectus, advertisement
prost! your health!
das **Protokoll,** –s, –e protocol, report; **— nehmen** to draw up a report
die **Provokation',** –en provocation
prüfen to examine; die **Prüfstelle,** –n censor, censor's office
der **Puppendreck,** –s doll stuffing
der **Punkt,** –es, –e point, dot
die **Pupille,** –n pupil (of the eye); **mit der — funkeln** fo flash one's eyes
pur pure
putzen to clean, clean up

Q

die **Qualität,** –en quality
der **Quatsch,** –es, –e twaddle, nonsense; *(adj.)* stupid, silly; **quatschen** to talk nonsense
quer diagonal; **in die —e kommen** to annoy, cause trouble
der **Querulant',** –en, –en grumbler, malcontent
die **Quetschkommo'de,** –n squeeze-box, accordion
quietschen squeal *(of tires)*

R

die **Rache** revenge
das **Räderstampfen,** –s clacking of wheels
der **Radiosprecher,** –s, — radio loud-speaker
der **Rahmen,** –s, — frame
ramponie'ren to damage
der **Rand,** –es, ¨-er edge, side
rasch fast
rascheln to rustle
raspeln to rasp, rattle; das **Raspeln,** –s rasping, grating
rasen to rave; **—d** mad
rasseln to rattle, clank, clatter
der **Rat,** –es advice; **um — fragen** to ask advice; **— geben** to advise; **ratlos** at a loss, confused
rätselhaft puzzlesome, curious
der **Raub,** –es robbery, theft
rauchen to smoke
der **Raum,** –es, ¨-e room, space; **des leeren —es** in empty space; der **Raumwechsel,** –s, — change of scene
raunen to whisper, murmur
(he)raus out, get out!; **(he)raus-geschmissen** thrown out
(he)raus'-gucken *(coll.)* to look out
(he)raus'-schauen to look out
rauschen to rustle, rush
sich **räuspern** to clear one's throat
die **Realität',** –en reality
rechnen to count (on), anticipate, reckon; die **Rechnung,** –en bill
recht right, proper; very, quite; **ganz —** quite right; **ganz zu —** quite rightly; **einem — geben** to agree with someone; **— haben** to be right; **rechts** to the right; **nach —** to the right; **— rum!** turn to the

right! die **Rechtsabteilung,** –en legal department; das **Rechtsum** turning to the right; **rechtzeitig** timely, in time
die **Rede,** –n speech, talk; **der —wert** worth mentioning; **reden** to speak, talk
die **Redlichkeit** sincerity, honesty
die **Regel,** –n rule
regelmäßig regular
der **Regen,** –s, — rain
die **Regie′rung,** –en government; der **—sauftrag,** –s, –e government order; die **—scouch,** –es government couch
der **Regiments′kamerad′,** –en, –en regimental comrade
das **Reh,** –s, –e doe, deer
reiben, rieb, gerieben to rub
reich rich
reichen to reach, be sufficient
der **Reifen,** –s, — tire
die **Reihe,** –n row, rank
die **Reihenfolge,** –n sequence
rein = herein
rein clean, pure; **reinigen** to clean
reisen to travel; **in Geschäften —** to travel on business; der **Reisegefährte,** –n, –n fellow traveller; die **Reisespalte,** –n travel column *(in a newspaper)*
reißen, riß, gerissen to tear
das **Reißen,** –s acute pains (in the limbs)
reizend charming; **reizvoll** charming, enchanting
rennen, rannte, gerannt to run; der **Rennverein′,** –s, –e racing club
die **Rente,** –en income, pension; der **Rentner,** –s, — person with a (small) fixed income
reparie′ren to repair; **—!** make the repair!; die **Reparatur′,** –en repair(s)
die **Responsibilität′** responsibility
der **Rest,** –es, –e remainder
das **Resultat′,** –s, –e result
retour′-kommen, a, o to return, come back
reuig penitant
richten to fix; to judge; to direct; der **Richter,** –s, — judge; das **Richteramt,** –s judgeship, duties of a judge
richtig correct, right, proper
die **Richtung,** –en direction
riechen, roch, gerochen to smell (good)
die **Riesenkiste,** –n huge box
das **Rindfleisch,** –es beef
ringsherum round about, all around
die **Rippe,** –n rib
der **Ritter,** –s, — knight
der **Rock,** –es, ⸚e skirt
rollen to roll, cast, throw
das **Roßhaar,** –s, –e horsehair
rot red
die **Rotznase,** –n *(coll.)* brat
rotwein-selig tipsy (from red wine); der **Rotweintrinker,** –s, — drinker of red wine
(he)rüber across *(with motion)*
der **Rubin′,** –s, –e ruby
rucken to jerk
der **Rücken,** –s, — back, *(fig.)* backbone; **rückgängig** retrogressive; **rückgängig machen** to change; die **Rücksicht,** –en consideration; **rückständig** behind the times, reactionary
der **Ruf,** –es, –e call, summons, cry; reputation; **rufen, rief, gerufen** to call out, shout
die **Ruhe** calm, peace, repose, quiet;

in — in peace, at your convenience; **ruhig** quiet, unworried
der **Ruhm, –s** fame
rühren to touch; **—d** touching; die **Rührung** emotion
rührig brisk, energetic
das **Ruhrstahl, –s** Ruhr steel
ruinie′ren to ruin
(he)rum around
rund round; **rundherum** round about
der **Rundfunk, –s** radio (station)
(he)runter (come) down
(he)runter′-kommen, a, o to come down
(he)runter′-schlucken to swallow
rupfen to pluck
sich **rüsten** to prepare
rüstig sturdy
rütteln to shake; **—d** shaking, uncertain

S

die **Sache, –n** matter, affair, thing
sächsisch Saxon
der **Sack, –es, ⸚e** sack
das **Sägegeräusch′, –es, –e** sound of sawing
sagen to say; **um nicht zu —** not to say
sämtlich all, collective
sanft gentle
der **Saphir, –s, –e** sapphire
der **Satz, –es, ⸚e** sentence
sauber clean, proper; *(slang)* bad, unpleasant; **sauber-machen** to clean up
saufen, soff, gesoffen *(coll.)* to drink (liquor); der **Säufer, –s, —** drunkard
der **Saum, –es, ⸚e** seam, hem
schäbig shabby

schade too bad; **schaden** to hurt, harm; **das schadet nichts** no matter; der **Schaden, –s, —** damage, loss
der **Schädel, –s, —** skull
schädigen to harm, damage
schaffen, schuf, geschaffen to create, accomplish, transport; **Klarheit —** to get clear, think through
der **Schaffner, –s, —** conductor
die **Schallplattenmusik** record(ed) music
der **Schalter, –s, —** switch; das **Schalterfenster, –s, —** information window
die **Schande** shame, disgrace; **schänden** to desecrate, mutilate; das **Schandgeld, –es, –er** tainted money
scharf sharp, close
die **Scharletanerie′** charlatanism
der **Schatten, –s, —** shadow
schätzen to estimate
schaudern to shudder, shiver
schauen to look, see
schauerlich gruesome, detestable; **schauern** to shudder
der **Scheck, –s, –e(–s)** check
die **Scheibe, –n** pane, window
scheinen, schien, geschienen to appear
schenken, to give, pour
der **Scherz, –es, –e** joke; das **Scherzchen** little joke
sich **scheuen** to be afraid
scheußlich abominable, horrible
die **Schicht, –en** layer
schicken to send
das **Schicksal, –s, –e** fate
schieben, schob, geschoben to shove
schießen, schoß, geschossen to shoot
der **Schießhund, –s, –e** hunting dog, pointer

das **Schiff**, –es, –e ship
der **Schild**, –es, –er label
schildern to describe, tell
der **Schimmer**, –s, — gleam; **schimmern** to glisten, gleam
der **Schimpf**, –es, –e disgrace; **schimpfen** to scold
schinden, schund, geschunden to flay; to harass
die **Schlacht**, –en battle
der **Schlachtviehof**, –s, ⸚e stock yards
der **Schlaf**, –es sleep; **schlafen, schlief, geschlafen** to sleep
der **Schlag**, –es, ⸚e blow, stroke *(of a clock)*, car door; **mit einem —** all of a sudden; **schlagen, schlug, geschlagen** to strike, beat; **zu Boden schlagen** to knock down
der **Schlagbaum**, –s, ⸚e (customs) barrier
der **Schlängelbach**, –s, ⸚er winding brook
schlau clever, cunning
schlecht bad; **immer —er** worse and worse; die **Schlechtigkeit** wickedness
schleichen, schlich, geschlichen to sneak, creep
die **Schleife**, –n bow-tie
das **Schlemmeressen**, –s, — banquet, feast
schleppen to drag
der **Schleuderpreis**, –es, –e ridiculously low price, "song"
schlicht simple
schließen, schloß, geschlossen to close, lock; to conclude; **sich —** to be closed
schließlich finally, ultimately
schlimm bad, serious
das **Schloß**, –es, ⸚er lock; **ins —**

krachen to slam shut
die **Schlucht**, ——en ravine, canyon
der **Schluck**, –s, –e swallow
der **Schlucker**. –s, — wretch
schlüpfen to slip
der **Schluß**, –es, ⸚e end, over, at an end; **zum —** at the end
der **Schlüssel**, –s, — key
schmal narrow
schmecken to taste (good), be enjoyable
der **Schmerz**, –es, –en pain
der **Schmetterling**, –s, –e butterfly
schmieden to forge, attach
das **Schmirgelgeräusch'**, –es, –e sound of grinding
der **Schmuck**, –es, –e ornament(ation)
der **Schmuggel**, –s, — smuggling; der **Schmuggler**, –s, — smuggler
die **Schmutzentwicklung** smoke output, smokiness
schmutzig dirty, muddy
der **Schnaps**, –es, ⸚e brandy; **Schnäpschen** small glass of brandy
die **Schnapsidee**, –n silly idea, crazy notion
schnaufen to pant
schnauzen to bark, snap
der **Schnee**, –s snow
schneiden, schnitt, geschnitten to cut
schnell quick, rapid, fast
schnurrig droll, odd
schon already; indeed
schön attractive, handsome; *(coll.)* all right
der **Schoppen**, –s, — pint, glass *(of beer)*
der **Schoß**, –es, ⸚e lap
der **Schottenrock**, –s, ⸚e plaid skirt
schottisch Scotch
der **Schrank**, –es, ⸚e cupboard, wardrobe

die **Schranke**, –n barrier
der **Schrebergarten**, –s, ⸚ small (allotment) garden
der **Schreck**, –(e)s, –e fright, shock; das **Schreckgespenst'**, –s, –er demon; **schrecklich** terrible
der **Schrei**, –es, –e cry
schreiben, schrieb, geschrieben to write
das **Schreib'maschi'nengeklap'per**, –s clatter of a typewriter
die **Schreibstube**, –n orderly room
schreien to cry out, shout
schriftlich in writing
schrillen to ring shrilly
der **Schritt**, –es, –e step
schubbern *(dial.)* to rub, deal in
schüchtern shy
der **Schuh**, –es, –e shoe
schuld at fault, to blame; **schuldig** guilty
die **Schulter**, –n shoulder
schütteln to shake; **einem die Hand —** to shake hands
der **Schutz**, –es protection; die **Schutzleute** policemen
schwabben to swab; *(fig.)* to rise
schwach weak
die **Schwalbe**, –n swallow
der **Schwamm**, –es, ⸚e sponge
schwanken to sway, totter
schwärmerisch enthusiastic, with dreamy enthusiasm
schwarz black, dirty; **schwarzblau** blue-black
schweigen, schwieg, geschwiegen to remain silent, be quiet
die **Schweinerei'**, –en mess
schwer heavy, severe; der **Schwerlastzug**, –s, ⸚e truck with trailer(s)
die **Schwester**, –n sister, nurse
schwierig difficult; die **Schwierigkeit**, –en difficulty
der **Schwindel**, –s, — swindle, fraud, humbug; **schwindeln** to deceive, fib; **schwindlig** dizzy
schwingen to swing, rock
die **See**, –n sea; **an die —** to the seashore
die **Seele**, –n soul; der **Seelentröster**, –s, — comforter of souls; **seelisch** spiritual
segnen to bless
sehen, sah, gesehen to see
sehr very, very much
seit since, for; **— alters her** since early times; **seitdem** since, since then
die **Seite**, –n side
die **Sekretä'rin**, –nen (woman) secretary
die **Sekto'rengrenze**, –n boundary between the sectors
selber (selbst) even, self, himself, myself; **mit sich —** by himself; der **Selbstbetrug**, –s self-deception; **selbstbewußt** self-assured; die **Selbsttäuschung** self-deception; **selbstverständlich** naturally, of course
selig blessed
selten seldom, rarely, occasionally
seltsam strange
servil' servile, humble
setzen to set; **sich —** to sit down
seufzen to sigh
(das) **Sibirien**, –s Siberia
sicher sure, certain; die **Sicherheit** certainty
sieben seven
das **Signal'horn** –s, ⸚er (signal)-horn
silbern silver
singen, sang, gesungen to sing

der **Sinn,** –es, –e sense, meaning, understanding
die **Sitte,** –n custom, habit
sitzen, saß, gesessen to sit
so so, thus, as, like that; indeed, is that so
so ein such a
so lange that long, for so long a time; — **her** so long ago
sobald as soon as
sofern = **insofern** if, so far as; so far
sofort' immediately
sogar' even
sogenannt so-called
sogleich' immediately
der **Sohn,** –es, ⁼e son
solange' as long as
solch such; —**e und** —**e** all kinds
solda'tisch military, soldierly
sollen shall, should, ought, will; **was soll das?** what is the purpose of that?
somit therewith
die **Sommerfrische** summer vacation or resort; das **Som'mergewit'ter,** –s, — summer thunderstorm; die **Sommerwolke,** –n summer cloud
sonderbar strange, unusual
sondern but rather
die **Sonne,** –n sun
sonntags on Sundays
sonst otherwise, else, usually
die **Sorge,** –n worry; —**n machen** to worry about; **sorgen** to worry, care for, provide for; **sorgsam** careful
die **Sorte,** –n sort, kind
soviel so much; — **Aufhebens** so much fuss
sowas = **so etwas** something like this (that)
soweit so far (as)
sowieso anyway, as it is
sozusagen so to speak
spalten to split; die **Spaltung,** –en split, cleavage
sparen to save, pinch pennies
der **Spaß,** –es, ⁼e fun, joke; **einem** — **machen** to enjoy, like; **einen** — **verstehen** to take a joke
spät late; **spätestens** latest
spenden to give, donate
der **Spiegel,** –s, — mirror; sich **spiegeln** to be reflected
spielen to play, gamble; —**d** easily; die **Spielerei,** –en playing, fooling around, silly tricks
spinnen, spann, gesponnen to spin; dream, make up stories, be "nutty"
der **Spiral'nebel,** –s, — spiral nebula
spitz pointed, thin; **spitzen** to point, prick or perk up
die **Spitzendecke,** –n lace coverlet, table cloth
der **Splitter,** –s, — splinter, chip; **splittern** to splinter
der **Sprecher,** –s, — speaker
sprengen to explode, burst asunder
springen, sprang, gesprungen to jump, leap
der **Sprit,** –s, –e alcohol, (coll.) gas
der **Spuk,** –s mischief, scare
spülen to wash
die **Spur,** –en track, trace; **keine** — not a trace; **spüren** to sense, detect
der **Staat,** –s, –en state, nation; der **Staatsanwalt,** –s, ⁼e district attorney; die **Staatsanwaltschaft** district attorney's office; das **Staatseigentum,** –s state property
stabil' stable, steady

die **Stadt,** ⸚e city, town
staken to hobble, stump
der **Stammtisch,** –s, –e table reserved for regular customers
stark strong; quite
starr rigid, stiff, motionless; **starren** to stare
startbereit ready to leave
das **Startgeräusch',** –es, –e noise of a motor starting
statis'tisch statistical
statuie'ren decree, affirm
der **Staub,** –es dust; **staubig** dusty; der **Staubkorn,** –s, ⸚er speck of dust; der **Staubsauger,** –s, — vacuum cleaner
staunen to be astonished
stecken to stick, be planted
das **Steckenpferd,** –s, –e hobby, avocation
der **Steckkontakt',** –s, –e wall plug
stehen, stand, gestanden to stand
steh(e)n'-bleiben, ie, ie to stop
stehlen, stahl, gestohlen to steal
steifen to stiffen
steigen to climb; **im —** while climbing
steigern to accentuate, raise; **sich —** to increase in intensity
der **Stein,** –es, –e stone; die **Steingutschale,** –n earthenware dish
die **Stelle,** –n place, job; die **verantwortliche —** party responsible; **stellen** to set; das **Stellenangebot,** –s, –e job offer, want ad; **stellenlos** unemployed; die **Stellung,** –en job, position
die **Stentorstimme,** –n stentorian voice
sterben, starb, gestorben to die
der **Stern,** –es, –e star; das **Sternbild,** –s, –er constellation; der **Sternenhaufe,** –ns, –n cluster of stars
stets always
das **Steuer,** –s, — steering wheel; **am —** at the wheel; die **Steuerung** the steering
der **Steuerrückstand,** –s, ⸚e tax arrears
der **Stich,** –es, –e prick, bite; **im — lassen** to leave in the lurch
die **Stiege,** –n stairs
stiften to provide (for)
still still, quiet
die **Stimme,** –n voice; das **Stimmengewirr,** –s confusion of voices; der **Stimmenlärm,** –s, noise of voices
stimmen to be correct; **stimmt genau** exactly right!
die **Stirn,** –en brow, forehead
der **Stock,** –es, ⸚e floor
stocken to hesitate, falter
stöhnen to groan
stolz proud
stopfen to stuff
stoppen to stop
stören to disturb
der **Stößel,** –s, — pestle
stoßen to push
das **Strafbataillon',** –s, –e penal battalion; die **Strafe,** –n punishment, fine; **unter — stehen** forbidden under penalty of fine; das **Strafgericht,** –s, –e criminal court, trial; **ein Strafgericht halten** to try, bring to trial
stramm'-ziehen, o, o to pull taut; **die Hosen —** to flog soundly
die **Strandhaubitze,** –n coastal howitzer
die **Straße,** –n street; die **Straßenbahn,** –en street car; das **Straßen-**

bahngeräusch, –es, –e noise of a street car; der **Straßenfeger, –s, —** street cleaner; die **Straßenlage** ability to hold the road; der **Straßenlärm, –s** street noise
strecken to stretch; **zu Boden —** to knock down
der **Streich, –es, –e** prank; blow; **streichen, strich, gestrichen** to stroke; to cancel
die **Streife, –n** patrol (duty)
der **Streiter, –s, —** fighter, champion; **streitsüchtig** quarrelsome
streng strict, severe; die **Strenge** severity
strömen to stream forth
der **Stromkreis, –es, –e** (electrical) circuit
die **Stromstraße** *name of a street*
die **Stube, –n** room
die **Stubenlage, –n,** *(coll.)* round of drinks
das **Stück, –es, –e** piece
das **Stückgut, –s** freight
der **Studienrat, –s, ⸗e** teacher *(in a German secondary school)*
die **Stufe, –n** step
der **Stuhl –es, ⸗e** chair; die **Stuhllehne, –n** back of a chair
stumm mute
stumpf dull
die **Stunde, –n** hour; **stundenlang** for hours
stur stubborn
stürmisch stormy
stürzen to plunge, fall
suchen to search, look for
die **Summe, –n** sum
der **Summer, –es, —** buzzer
die **Sünde, –n** sin; der **Sünder, –s, —** sinner; das **Sündengeld, –es, –er** ill-gotten money; **sündigen** to sin
süß sweet
die **Sympathie', –n** sympathy; **sympathisie'ren** to sympathize

T

der **Tadel, –s, —** blame, reproach; **tadeln** to blame, scold
die **Tafel, –n** panel
der **Tag, –es, –e** day; **tagelang** for days; **täglich** daily
der **Tank, –es, –e** tank; **tanken** to tank up, fill up; der **Tankwart, –s, –e** filling-station attendant
der **Tannenbaum, –s, ⸗e** fir tree
die **Tante, –n** aunt
die **Tasche, –n** pocket; der **Taschendieb, –s, –e** pickpocket; der **Taschendiebstahl, –s, ⸗e** picking pockets, theft by a pickpocket; die **Taschenlampe, –n** flashlight
die **Tasse, –n** cup
die **Tat, –en** deed; der **Tatbestand', –s** the facts of the case; der **Täter, –s, —** culprit; **tatsächlich** actual
taub deaf
die **Taube, –n** pigeon, dove
täuschen to deceive; **sich —** to make a mistake
tausend thousand
die **Taverne, –n** tavern, inn
der (das) **Teil, –es, –e** part; der **Teilhaber, –s, —** partner; die **Teilstrecke, –n** *(fig.)* partial fare
das **Telefon, –s, –e** telephone; das **Telefonbuch, –s, ⸗er** telephone directory; das **Telefongespräch, –s, –e** telephone conversation; **telefonieren** to telephone; das **Telefonklingeln, –s** ringing of a telephone; der **Telefon(laut)spre-**

cher, –s, — receiver, "intercom" speaker; **die Telefonnummer, –s,** — telephone number; **das Telefonsummen, –s** buzzing of a telephone
der Teller, –s, — plate
teuer expensive; **einem — zu stehen kommen** to cost one dearly
der Teufel, –s, — devil; **zum —!** the devil!
das Textil′geschäft′, –s, –e textile *or* dry goods store
das Thema, –s, Themen subject, theme
die Thermosflasche, –n thermos bottle
der Tick, –s, –s whim, idiosyncrasy
tief deep
tierliebend fond of animals; **der Tierschutzverein, –s, –e** S.P.C.A.
der Tisch, –es, –e table; **die Tischplatte, –n** table top
tja *(coll.)* well, to be sure
die Tochter, ⸚ daughter
der Tod, –es, –e death; **die Todesanzeige, –n** obituary, death notice; **der Todesfall, –s, ⸚e** death, mortality; **die Todesliste, –n** list of the dead; **die Todsünde, –n** mortal sin
der Ton, –(e)s, ⸚e tone, note
der Topas, –es, –e topaz
das Tor, –es, –e gate, entrance; **der Torgang, –s, ⸚e** archway
die Torheit, –en folly
tot dead; **töten** to kill; **der Totenschein, –s, –e** death certificate
der Trab′rennverein′, –s, –e trotting-race association
tragen, trug, getragen to carry, take, wear; **der Träger, –s,** — porter
tragikomisch tragicomical
trällern to hum, sing; **vor sich hin —** to hum to oneself
die Träne, –n tear
der Transport′, –s transport, delivery; **transportie′ren** to transport
trauen to trust; **sich —** to trust oneself, to have confidence
der Traum, es, ⸚e dream; **träumen** to (day)dream; **der Traumtänzer, –s,** — phantast, crazy dreamer
traurig sad
treffen, traf, getroffen to meet, catch; **einen Entschluß —** to come to a decision
treiben, trieb, getrieben, to do, make
trennen to separate; **sich —** to break up; **die Trennungswand, ⸚e** partition
die Treppe, –n flight of stairs; **treppauf(wärts)** ascending the stairs; **der Treppenflur, –s, ⸚e** stairlanding; **das Treppenhaus, –es, ⸚er** stair well
treu faithful; **die Treu(e)** fidelity; **die Treuhänderschaft** trusteeship
trinken, trank, getrunken to drink; **— auf** drink to
trocken dry; **trocknen** to dry
der Trost, –es consolation; **trostlos** disconsolate, barren
trotzdem nevertheless
trotzig defiant
trüb gloomy
der Trümmerhaufen, –s, — pile of wreckage
das Tuch, –es, ⸚er cloth
tüchtig sturdy; diligent; in good condition
tun, tat, getan to do
die Tür, –en door; **türenklappen** to slam a door; **türenschlagen, u, a** to slam a door; **der Türhüter,**

WORTSCHATZ

–s, — doorkeeper; die **Türklingel,**
  –n doorbell
die **Turmuhr, –en** tower clock
der **Turn′verein′, –s, –e** athletic club
das **Türquietschen, –s** squeaking of
  a door
die **Tüte, –n** paper bag *or* sack
der **Typ, –s, –en** type; **typisch** typical

U

übel evil, bad; **vom —** bad; **übel′-nehmen, a, o** to take amiss, be
  offended
üben to practice, exercise, carry on
über over, across, on, for; **— …
  hinweg** across
überbrin′gen, a, a to deliver, convey
überdau′ern to live through
überdies′ besides
überein′-stimmen to agree
überfüh′ren to bring to justice,
  convict
überge′ben, a, e to hand over,
  surrender
über′-gehen, i, a to change over
überhand′-nehmen, a, o to get out
  of hand
überhaupt′ in general, generally
überheb′lich presumptuous; die **Über-heb-lichkeit** presumptuousness
überho′len to overtake; **überholt′**
  passé, out of style
überle′ben to survive
überle′gen to reflect, consider; **sich
  anders —** to change one's mind;
  die **Überle′gung, –en** reflection,
  forethought
überman′nen to overwhelm
überneh′men, a, o to assume
überprü′fen to examine, survey
überra′schen to surprise

überse′hen, a, o to overlook
überste′hen, a, a to survive
die **Überstunde, –n** hour (worked)
  overtime
überstür′zen to rush
überwin′den, a, u to overcome
überzeu′gen to convince; die **Über-zeu′gung, –en** conviction
üblich customary
übrig remaining, left over; **die —en**
  the others; **übrig′-bleiben, ie, ie**
  to be left (over); **übrigens** incidentally, by the way, furthermore
die **Uhr, –en** clock; **um drei —** at
  three o'clock
(das) **Ultramarin′, –s** ultramarine
um at, around, about, past, up;
  — … herum around; **— …
  willen** for the sake of; **— ..
  zu(gehen)** in order to (go)
um′-blicken to look around
um′-drehen to turn around
umgänglich agreeable, affable
um′-gehen, i, a to go around, treat
umher′-springen, a, u to bounce
  around
umher′-stehen, a, a to stand around
um′-kehren to turn around; **um-gekehrt** reversed
um′-kommen, a, o to die, perish
die **Umleitung, –en** detour
um′-schalten to switch over
um′-schauen to look around
um′-schreiben, ie, ie to rewrite,
  change
umsonst in vain
der **Umstand, –s, ⸚e** circumstance,
  condition
der **Umsteiger, –s, —** transfer
die **Umwelt** surrounding world,
  milieu

um′-werfen, a, o to knock over
der **Umzug, –s, ⸚e** moving, change of residence
unangenehm unpleasant
unausstehlich unbearable
unbedingt absolute, positive
unbegreiflich incomprehensible, unbelievable
unbegrenzt unlimited, absolute, complete
unbeirrt undeterred
unbekannt unknown, unfamiliar
unbequem uncomfortable; die **Unbequemlichkeit, –en** discomfort
unbeschädigt undamaged, unharmed
unbescheiden immodest
unbestritten undisputed
unbewußt unintentional
unbezahlbar priceless
undeutlich indistinct, unclear, uncertain
und so weiter and so forth
unentwegt resolute
unerwartet unexpected
der **Unfall, –s, ⸚e** accident
der **Unfug, –s** mischief, prank, nonsense
ungeduldig impatient
ungefähr approximate
ungeheuer tremendous
ungeheuerlich abominable
ungehörig improper
ungerecht unjust, intolerant
ungewöhnlich unusual
unglaubwürdig unbelievable
das **Unglück, –s** misfortune; **unglücklich** unhappy
unheimlich uncanny
uniformiert′ uniformed
die **Unkenntnis** ignorance
unlogisch illogical
die **Unlust** displeasure, repugnance

der **Unmensch, –en, –en** monster
unmittelbar direct
unmöglich impossible
unnötig unnecessary
unpassend unfitting
unruhig restless, uneasy
unschuldig innocent
unsereins our sort, the likes of us
unsicher uncertain
der **Unsinn, –s** nonsense, folly
unsozial unsocial
unsterblich immortal
untätig idle
unten below, downstairs
unter *(prep.)* under, among; *(adj.)* lower; das **Unterste** the lowest, bottom
unter′-bringen, a, a to place, find employment for
unterdessen meanwhile
unterhal′ten, ie, a to entertain; sich — to converse
die **Unterhal′tung, –en** conversation
die **Unterlage, –n** voucher, document; **nähere —n** further evidence
unterlas′sen, ie, a to fail
unterneh′men, a, o to undertake
untersa′gen to forbid
unterschät′zen to underestimate
unterschei′den, ie, ie to distinguish; der **Unterschied, –s, –e** difference
unterschrei′ben, ie, ie to sign; die **Unterschrift, –en** signature
sich **unterste′hen, a, a** to dare
die **Unterstüt′zung, –en** support
untersu′chen to examine, investigate; **— lassen** to have oneself examined
die **Untersu′chungshaft** temporary custody; **in — nehmen** to hold for investigation
der **Unter′tan, –en, –en** subject
die **Untertänigkeit** servility

unter'-tauchen submerge, hide, disappear
unterwegs en route
unverrichtet unperformed, unfinished; **—er Dinge** without having performed one's mission
unverschämt fresh, impudent; **die Unverschämtheit, –en** impertinence
unverzüglich without delay, straightway
unweit near
unwillig annoyed
die Unwissenheit ignorance
unzufrieden dissatisfied
der Urlaub, –s, –e furlough, leave of absence
die Ursache, –n cause
das Urteil, –s, –e judgment; **ein — fällen** to pass sentence; **urteilen** to judge
usw. (und so weiter) etc., and so forth

V

der Vater, –s, ⸚ father
Vene'dig Venice; **zu —** in Venice
sich verab'reden to make an appointment; **verab'redet sein** to have an appointment; **die Verab'redung, –en** appointment
verän'dern to change, alter; **sich —** to change
veräng'stigt frightened
die Veran'lagung, –en disposition, temperament
veran'lassen to cause
veran'stalten to put on, have, hold
verant'worten to assume responsibility, take upon oneself; **verant'wortlich** responsible
verber'gen, a, o to hide

verbie'ten, o, o to forbid
verbin'den, a, u to join, connect; **die Verbin'dung, –en** connection
sich verbit'ten, a, e to refuse to put up with
verbo'ten forbidden
das Verbre'chen, –s, — crime; **der Verbre'cher, –s, —** criminal
der Verdacht', –s suspicion; **in — haben** to suspect; **verdäch'tig** suspicious; **die Verdäch'tigung, –en** accusation, charge
die Verdamm'nis damnation; **verdammt'** damn(ed)
verdan'ken to owe
verder'ben, a, o to spoil, destroy; **das Verder'ben, –s** destruction; **dem Verderben preisgeben** to ruin, see ruined
verdie'nen to earn
verduf'ten to evaporate, *(coll.)* clear out
vereh'r(e)n to honor, revere; **sehr verehrt** (most) honored; **Verehrtester** my dear fellow
der Verfall', –s decay; **nach — riechen** to smell of decay
verfeh'len to miss, lose
verflucht' cursed, curses; **— nochmal** damn it all!
verfol'gen to pursue
verge'hen, i, a to die out, pass away
vergan'gen past
die Vergel'tung, –en retaliation
verges'sen, a, e to forget
vergie'ßen, o, o to shed, weep
das Vergnü'gen, –s, — pleasure
verhaf'ten to arrest
verhal'len to die away
das Verhält'nis, –ses, –se condition, relation
verhäng'nisvoll fateful

verhei′raten to marry
sich **verhö′ren** to hear wrongly
verju′beln to squander
verkau′fen to sell; der **Verkäu′fer, –s, —** salesman; **verkäuf′lich** for sale; die **Verkaufs′bude, –n** booth
der **Verkehr′, –s** traffic, turnover; die **Verkehrs′ampel, –n** traffic light
verkom′men, a, o to go to ruin
verkrie′chen, o, o to hide
verkün′digen to proclaim
verlan′gen to demand, require
verlau′fen, ie, au to run; sich — to get lost
verlas′sen, ie, a to leave; — *(adj.)* deserted; sich **(darauf)** — to depend (on it)
verle′gen embarrassed
verlei′den to spoil one's pleasure in
verlei′ten to lead astray
verleum′den to libel, defame
verliebt′ enamoured, in love
verlie′ren, o, o to lose
die **Verlock′ung, –en** temptation
verlo′gen deceitful
verlö′schen to go out
der **Verlust′, –s, ⸚e** loss
die **Vermin′derung** decrease
vermu′ten to presume; **vermut′lich** presumably
verneh′men, a, o to hear, interrogate
die **Vernunft′** reason; **vernünf′tig** sensible
verpack′en to pack (away)
verpas′sen to miss
verpflich′ten to obligate
verra′ten, ie, a to betray, reveal
verrei′sen to make a trip; **verreist′** away (on a trip)
verrückt′ crazy, insane
versa′gen to fail; das **Versa′gen, –s** failure

versäu′men to miss, neglect
verschaf′fen to get, procure, provide; sich **Gehör** — to get (one's) attention
verschie′ben, o, o to postpone
verschla′fen sleepy
verschla′gen, u, a to deprive
verschluck′en to swallow, drown out
verschnau′fen *(coll.)* to catch one's breath
verscho′nen to spare
verschüt′ten to bury
verschwin′den, a, u to disappear
verset′zen to give, deal, pawn
versi′chern to assure; die **Versi′cherungsgesell′schaft, –en** insurance company; die **Versi′cherungsvertre′tung, –en** insurance agency
versie′gen to dry up, come to a stop
versof′fen *(coll.)* drunken
versoh′len to thrash
versöh′nen, to appease, reconcile; **versöhn′lich** appeasing
verspü′ren to experience
der **Verstand′, –es** reason, senses; die **Verstän′digung** understanding, agreement; **verständ′nislos** puzzled
verstrei′chen, i, i to elapse, pass
versu′chen to try, attempt; die **Versuchs′reihe, –n** experimental series
versüh′nen to redeem
vertan′ wasted
vertrau′en to trust, hope for; das **Vertrau′en, –s** confidence, trust; **vertrau′enswür′dig** trustworthy, reliable; die **Vertrau′lichkeit, –en** intimacy, impudence
der **Vertre′ter, –s, —** representative
verur′teilen to condemn, doom, sentence
die **Verwah′rung** keeping, storing

verwan'deln to change
verwandt' related
verwech'seln to mistake, confuse
verwe'gen daring, risky
verwen'den, a, a to use; **sich — to** intercede; der **Verwen'dungszweck, –s, –e** use, purpose
verwir'ren to confuse; die **Verwir'rung, –en** confusion
verwünscht' accursed
verzagt' dejected
verzei'hen, ie, ie to excuse, pardon
verzich'ten to renounce, give up
verzie'hen, o, o to move, change one's residence
verzwei'feln to despair; die **Verzweif'lung** desperation
viel much, many
vielgestaltig varied
vielleicht' perhaps
vielschichtig complex
vier four; **viereckig** rectangular; **vierfach** fourfold; **um das vierfache** four times; das **Vierteljahr, –s, –e** quarter of a year; die **Viertelstunde, –n** quarter of an hour
der **Vogel, –s, ⸚** bird; das **Vogelgezwit'scher, –s** twittering of birds; die **Vogelstimme, –n** bird sounds
das **Volk, –es, ⸚er** people, nation; **volkseigen** (belonging to the) state; die **Volks'polizei'** people's police *(of East Germany)*; der **Volks'polizei'leut'nant, –s, –e** police lieutenant; das **Volkspolizei'präsi'dium, –s –(d)ien** police headquarters; das **Volks'polizei'revier', –s, –e** police district; der **Volks'polizei'wacht'meister, –s, —** police officer; der **Volks'polizist', –en, –en** police officer

voll full; **—er** full of; **vollgefressen** *(coll.)* stuffed full of food; smug; **vollgesogen** saturated, soaked through; **völlig** complete; **vollkommen** complete
voll'-packen to stuff
vollzie'hen, o, o to carry out, execute
vom = von dem; von of, from, by
vor for, before, in front of, to, concerning, from; (with time) ago; **— allem** above all, especially; **— sich hin** to oneself
die **Vorahnung, –en** premonition
voraus' out in front
voraus'gesetzt assuming
voraus'-sagen to predict
die **Vorbedeutung, –en** augury, omen
vorbei' past, over
vorbei'-rennen, a, a to run *or* race past
vor'-bereiten to prepare
vorbestimmt preordained
das **Vorbild, –s, –er** model
vorführen to show, project
das **Vorgefühl, –s, –e** premonition, foreboding
vor'-gehen, i, a to proceed; to take precedence
vorgesehen mentioned, provided for
der **Vorgesetzte, –n, –n** superior, boss
vorgestern day before yesterday
vor'-haben, a, a to plan, intend, have in mind
vorhan'den present
der **Vorhang, –s, ⸚e** curtain
vorher before(hand), previously, first
vorhin heretofore, before, a while ago
vorig- previous
vor'kommen, a, o to appear, seem

vorlaut brash
vorn(e) in front
der **Vorname, -ns, -n** first name
vornehm elegant, distinguished
vor'-nehmen, a, o to call down, scold
vor'-schlagen, u, a to suggest
vor'-sehen, a, e to provide for
die **Vorsicht** care; —! be careful!; **vorsichtig** careful, cautious
vor'-stellen to introduce; sich **etwas** — to imagine something; die **Vorstellung, -en** conception, idea
der **Vorteil, -s, -e** advantage, benefit
vor'-tragen, u, a to present
vor'-treten, a, e to step forward
vorvorig before last
vorweg' in front
vor'-werfen, a, o to reproach, accuse
vorwiegend predominant
vor'-zeichnen to indicate, set
vorzeitig premature
das **Vorzimmer, -s,** — anteroom

W

wachsen, u, a to grow
der **Wachtmeister, -s,** — police officer, sergeant; die **Wachtstube, -n** police station
wackeln to totter
wacker brave, sturdy
wagen to risk
der **Wagen, -s,** — car, auto; der **Wagenlenker, -s,** — driver; der **Wagenlenkerstandpunkt, -s** driver's point of view
der **Waggon', -s, -s** (on *is nasal*) railroad car; der **Waggon'bau, -s** (on *is nasal*) railroad car construction
wählen to choose, dial
wahnsinnig insane

wahr true
während during; **währenddessen** meanwhile
wahrhaftig truly, indeed; die **Wahrheit, -en** truth; die **Wahrsagerei** fortune-telling; **wahrscheinlich** probable
das **Waisenkind, -s, -er** orphan
der **Wald, -es, ⸚er** forest; das **Waldstück, -s, -e** stretch of forest
walten to rule; **deines Amtes** — do your duty
die **Wand, ⸚e** wall
die **Wange, -n** cheek
wann when
der **Wanst, -es, ⸚e** belly, paunch
der **Warenbegleitschein, -s, -e** receipt for goods, return receipt; das **Warenhaus, -es, ⸚er** store, department store
wärmen to warm
wars = **war es**
warten to wait
warum why
was what, which, *(coll.)* why; — **ist los** what's wrong; — **für (ein)** what kind of...
was = **etwas** something
die **Wäsche** wash; das **Waschmittel, -s,** — washing agent
die **Watte** cotton
wechseln to change, exchange; der **Wechselstubenbesitzer, -s,** — owner of a money exchange
der **Wecker, -s,** — alarm clock; **auf den** — **fallen** to get on one's nerves
weg away, gone, off
der **Weg, -es, -e** way, path
wegen because, on account of
weg'-fahren, u, a to drive away
weg'-fliegen, o, o to fly away, disappear

weg'-gehen, i, a to leave, go away
weg'-kommen, a, o, to get out
weg'-laufen, ie, au to walk away
weg'-nehmen, a, o to take away
weg'-rennen, a, a to run away
weg'-schmeißen, i, i *(coll.)* to throw away
weg'-stehlen, a, o to steal away
weg'-tun, a, a to get rid of
wehen to blow
weh'-tun, a, a to hurt
weiblich feminine, womanly
weich soft
die Weide, –n pasture
der Weiher, –s, — pond
die Weihnachten *(pl.)* Christmas; an — auf — at Christmas; weihnachtlich Christmas-like, Christmasy; die Weihnachtsaufgabe, –n Christmas mission; der Weihnachtsbaum, –es, ⸚e Christmas tree; das Weihnachtsessen, –s, — Christmas dinner; das Weihnachtsfest, –s, –e Christmas (festival); die Weihnachtsfreude, –n Christmas joy; das Weihnachtsgeschenk, –s, –e Christmas present; das Weihnachtslied, –s, –er Christmas carol; das Weihnachtsmahl, –s, –e Christmas dinner; der Weihnachtsmann, –es Santa Claus; der Weihnachtsschänder, –s, — reviler of Christmas; das Weihnachtswetter, –s, — Christmas *or* winter weather
das Weihrauchsfaß, –es, ⸚er censer, incense burner
die Weise, –n manner, way; in gar keiner — in no way at all
weisen, wies, gewiesen to show, point; von der Hand — to reject
weiß white

weit far; —er farther; immer —er farther and farther; von —em from afar
weiter'-drehen to turn, to tune (to another station)
weiter'-essen, a, e to continue eating
weiter'-fahren, u, a to continue driving
weiter'-gehen, i, a to continue, go on
weiter'-hassen to keep on hating
weiter'-kommen, a, o to get ahead
weithin widely, far and wide
welch which, what
die Welle, –n wave
der Wellensittich, –s, –e parakeet
das Weltall, –s universe; das Weltbild, –s, –er world-view, conception of things; das Weltgeschehen, –s world event(s); weltoffen alert, observing; der Weltraum, –s universe, space
wenden, wandte, gewandt to turn; die Wendung, –en turn
wenig few; ein — a little; zu — too few; wenigstens at least
wenn when, whenever, if
wer who
werden, wurde, geworden to become; *(in passive voice)* to be
werfen, warf, geworfen to throw
das Werkzeug, –s, –e tool, instrument
wert worth, value; die Wertsache, –n valuable(s); wertvoll valuable
das Wesen, –s, — nature, being
weshalb why
wessen whose
der Westen, –s the west; das Westgeld, –s, –er West German currency; westlich western; die Westpension, –en income paid in westmarks; der Weststahl, –s West German steel; der Westtischler,

–s, — West German cabinetmaker; die **Westverwaltung** West German administration; die **Westzutat, –en** West German ingredient
wichtig important
wickeln to wrap
widerfah′ren, u, a to happen, befall
widerlich repulsive, annoying
widerspre′chen, a, o to contradict
widerste′hen, a, a to resist
widrigenfalls otherwise
wie how, like, as, as if
wieder again
wieder′-finden, a, u to find again
wieder′-holen to repeat, imitate
wieder′-kommen, a, o to return
wieder′-sehen, a, e to meet, get together
Wiedersehen = Auf Wiedersehen till we meet again!
wiegen, wog, gewogen to weigh
Wiesbaden *spa in southwestern Germany*
die **Wiese, –n** meadow; die **Wiesenmulde, –n** grassy hollow
wieso? why, how come, what do you mean?
wieviel how much, how many
der **Wille, –n, –n** will, intention; **guten —ns** of good will
winden, wand, gewunden to wave, braid
der **Windzug, –s, ⸚e** breeze, (air) current
der **Wink, –es, –e** indication, sign
der **Winkel, –s, —** corner, angle
winterlich wintry
wirken to (have an) effect, appear
wirklich actual, real
wirr confused, chaotic
der **Wirt, –s, –e** innkeeper
der **Wirtschaftsführer, –s, —** business executive
der **Wisch, –es, –e** scrap (of paper)
wischen to wipe
wispern to whisper
die **Wißbegier′de** curiosity, interest
wissen, wußte, gewußt to know *(a fact);* die **Wissenschaft, –en** science
der **Witwer, –s, —** widower
der **Witz, –es, –e** joke
wo where, when, whenever
woanders somewhere else
die **Woche, –n** week
woher from where
wohin where, wherever, to whence
wohl perhaps, certainly, probably, no doubt
das **Wohl, –s** well-being; das **Wohlgefallen, –s** joy, happiness; **wohlgefällig** pleasing (to God), good; **wohlgemerkt** note it well
wohnen to live, dwell; die **Wohnung, –en** dwelling, apartment
die **Wolke, –n** cloud; der **Wolkenfetzen, –s, —** scrap of cloud
wollen to wish, want, expect; **mit Gewalt —** to insist on
womöglich possibly
worauf on which, on that; for what
das **Wort, –es, ⸚er** *or* **–e** word
worum about what
wozu for what reason
wund sore, bruised
das **Wunder, –s, —** wonder, miracle; **wunderhübsch** very beautiful, exceptionally nice; **wunderlich** strange; **wundern** to surprise; **sich —** to be surprised; **wundervoll** wonderful
der **Wunsch, –es, ⸚e** wish; **wünschen** to wish
würdig worthy

der **Wurf, –es,** ⸚e cast, throw; der **Würfel, –s,** — die, cube, *(pl.)* dice; **würfeln** to roll dice; das **Würfelspiel, -s, -e** dice game
würfen *past subj. of* **werfen**
die **Wurst,** ⸚e sausage; das **Würstchen, –s,** — little sausage, little chap
wüst nasty
die **Wut** rage, fury; **wüten** to rage

Z

der **Zacken, –s,** — spike, point
zäh harsh, persistent
zahlen to pay; der **Zahlmeister, –s,** — paymaster; **zahlungskräftig** able to pay; **zahlungsunfähig** unable to pay
der **Zahn, –es,** ⸚e tooth
zart tender, gentle, subdued
zauberhaft charming
das **Zeichen, –s,** — sign, indication; **zum** — as a sign
der **Zeigefinger, –s,** — index finger
zeigen to show
die **Zeit, –en** time; **in letzter** — recently; **zu meiner** — in my time; (die) —**lang** while; **eine** —**lang** for a while; **zeitlos** timeless; die —**rechnung, –en** time calculation
die **Zeitung, –en** newspaper; der **Zeitungsballen, –s,** — bundle of newspapers; das **Zeitungspapier, –s** newspaper paper
das **Zentimeter, –s,** — centimeter; das **Zentimetermaß, –es** centimeter measuring tape *or* stick
der **Zentner, –s,** — hundred weight *(110.25 American lbs.)*
zerhack'en to chop up
zermal'men to crush, mash
zerrei'ben, ie, ie to grind to nothing
zerschla'gen, u, a to beat to a pulp
zerschlei'ßen, i, i to rip, tear; **zerschlis'sen** ragged, tattered
zerstamp'fen to trample, knock down
zerstö'ren to destroy
zerstreut' scattered
das **Zeug, –es, –e** stuff
der **Zeuge, –n, –n** witness; die **Zeugenaussage, –n** testimony; die **Zeugin, –nen** (female) witness
der **Ziegelstein, –s, –e** tile, brick
ziehen, zog, gezogen to draw, pull; to pass
das **Ziel, –s, –e** goal, destination
ziemlich rather
die **Zigar're, –n** cigar
das **Zimmer, –s,** — room
das **Zirkuspferd, –s, –e** circus horse
das **Zirpen, –s** to chirp, cheep
zittern to tremble
zögern to hesitate
der **Zoll'beam'te, –n, –n** customs official; der **Zöllner, –s,** — tax collector, publican; rogue; der **Zollwächter, –s,** — customs guard
der **Zorn, –s** rage, anger; **zornig** angry, enraged
zu to, toward, for; closed
Zucchini *(Italian)* squash
das **Zuchthaus, –es,** ⸚er penitentiary
zucken to twitch, jerk
zu'-decken to cover up, blot out
die **Zudringlichkeit, –en** imposition
zuerst at first
der **Zufall, –s,** ⸚e coincidence, fortune
zu'fallen, ie, a to close, slam
zufrie'den contented, satisfied
zu'führen to convey; **denselben** — to hand him over

der **Zug,** –es, ⸚e train
zu'geben, a, e to admit
zuge'gen present
zu'-gehen, i, a to close, shut; to happen
die **Zugehörigkeit** state of belonging to, ownership
zugig drafty; *(coll.)* with gusto
zügig quick-witted, nimble
zuguns'ten in behalf (of)
zu'-halten, ie, a to hold closed, cover
zu'-hören to listen
zu'-klappen to slam shut
zu'kommen, a, o to approach
zu'-langen to help oneself *(to food)*
zu'-lassen, ie, a to permit
zuletzt' last
zum = zu dem
zunächst' first (of all)
zu'-nehmen, a, o to grow heavier
die **Zunge,** –n tongue
zuo'berst at the top
zu'-rollen to roll closed, shut
zurück' back
zurück'-halten, ie, a to hold back
zurück-kehren to return
zurück'-kommen, a, o to return
zurück-zahlen to pay back
zusam'men together
die **Zusam'menarbeit** co-operation
zusam'men-brechen, a, o to break down
zusam'men-bringen, a, a to bring together, understand
zusam'men-hacken to chop up, batter
zusam'menhängend related

zusam'men-hauen to knock to pieces
zusam'men-schlagen, u, a to smash, beat up; come together
zusam'men-schmelzen to melt together, fuse
zusam'men-schütten to shake together, *(fig.)* bring together
zusätzlich additional, superimposed
zu'-schicken to send to, forward
zu'-sehen, a, e to watch
der **Zustand,** –s, ⸚e state, condition
zu'-stoßen, ie, o to happen (to)
zu Tage'-kommen, a, o to appear, come to light
zuträglich beneficial, wholesome
zu'-treffen, a, o to come true, prove right
zuviel' too much
der **Zwang,** –s force, restraint; **zwanglos** unrestrained, helter-skelter
zwanzig twenty
zwar to be sure
der **Zweck,** –es, –e purpose; **zwecklos** without purpose, useless
zwei two; —**mal** twice
der **Zweig,** –es, –e branch
das **Zweiunddreißigstel,** –s 1/32
zwielichtig dusky; dubious-looking
zwischen between, among; — ... **hindurch'** on past
zwölf twelve
der **Zylin'der,** –s, — top hat
der **Zyniker,** –s, — cynic; **zynisch** cynical